DE HONGERSPELEN

Suzanne Collins

DE HONGERSPELEN

Vertaald door Maria Postema

Van Goor

Voor James Proimos

Eerste druk 2010
Negende druk 2012

ISBN 978 90 475 1597 5
NUR 330
© 2012 Van Goor
Uitgeverij Unieboek | Het Spectrum bv, postbus 97, 3990 DB Houten

oorspronkelijke titel *The Hunger Games*
oorspronkelijke uitgave © 2008 Scholastic Press, New York

www.van-goor.nl
www.unieboekspectrum.nl

tekst Suzanne Collins
vertaling Maria Postema
omslagontwerp en vormgeving binnenwerk Erwin van Wanrooy

DEEL I

DE TRIBUTEN

hoofdstuk 1

Als ik wakker word, is de andere kant van het bed koud. Mijn vingers strekken zich uit, op zoek naar Prims warmte, maar ze vinden alleen de ruwe canvas overtrek van de matras. Ze heeft vast naar gedroomd en is bij mijn moeder in bed gekropen. Ja, natuurlijk. Vandaag is de dag van de boete.

Ik duw mezelf op één elleboog overeind. Er is genoeg licht in de slaapkamer om hen te kunnen zien. Mijn kleine zusje Prim ligt opgekruld op haar zij tegen mijn moeder aan genesteld, hun wangen tegen elkaar gedrukt. In haar slaap lijkt mijn moeder jonger, nog steeds vermoeid, maar niet meer zo uitgeput. Prims gezichtje is zo fris als een regendruppel, zo lieflijk als een sleutelbloem, de *primrose* waar ze naar is vernoemd. Mijn moeder was vroeger ook heel erg mooi. Dat zegt men tenminste.

Bij Prims knieën houdt de lelijkste kat ter wereld de wacht over haar. Een platgeslagen neus, een half oor, ogen in de kleur van rottende pompoen. Prim heeft hem Boterbloem gedoopt, hardnekkig volhoudend dat zijn doffe vacht precies dezelfde fleurige kleur geel heeft. Hij haat me. Vertrouwt me niet, in elk geval. Ook al is het alweer jaren geleden, volgens mij weet hij nog steeds hoe ik heb geprobeerd hem in een emmer te verdrinken toen Prim hem mee naar huis had genomen. Vel over been, zijn buik opgezwollen van de wormen, zwart van de vlooien. Ik zat absoluut niet te wachten op nog een hongerige maag. Maar Prim smeekte zo wanhopig, huilde zelfs, dat ik het niet over mijn hart kon verkrijgen om hem het huis uit te schoppen. Het heeft allemaal goed uitgepakt. Mijn moeder kreeg alle parasieten weg en hij bleek een geboren muizenjager. Vangt zelfs af en toe een rat. Soms geef ik Boterbloem de ingewanden van een beest dat ik schoonmaak. En nu blaast hij in elk geval niet meer naar me.

Ingewanden. Geen geblaas. Verder dan dat zal onze liefde nooit gaan.

Ik zwaai mijn benen het bed uit en glijd in mijn jachtlaarzen. Soepel leer dat zich naar mijn voeten heeft gevormd. Ik trek een broek aan, een shirt, stop mijn lange zwarte vlecht onder een pet en pak mijn voorraadtas. Op tafel, onder een houten kom om het tegen hongerige ratten én katten te beschermen, ligt een rond, in basilicumblaadjes gewikkeld geitenkaasje. Prims cadeautje voor mij op de dag van de boete. Ik stop het kaasje voorzichtig in mijn zak en glip naar buiten.

Ons gedeelte van District 12, bijgenaamd de Laag, ziet rond dit tijdstip gewoonlijk zwart van de mijnwerkers die op weg zijn naar hun ochtenddienst. Mannen en vrouwen met gebogen schouders en opgezwollen knokkels, van wie de meesten allang niet meer proberen het kolenstof onder hun gebroken nagels vandaan te halen of uit de groeven in hun ingevallen gezicht te schrobben. Maar vandaag zijn de zwarte sintelstraten leeg. De luiken van de plompe grijze huizen zijn gesloten. De boete begint pas om twee uur. Kun je net zo goed uitslapen. Als dat een optie is.

Ons huis staat bijna aan de rand van de Laag. Ik hoef maar een paar hekken door voor ik bij het armoedige veldje ben dat het Weiland wordt genoemd. Het Weiland wordt van het bos gescheiden door een hoge afrastering van harmonicagaas met rollen prikkeldraad erbovenop, die eigenlijk om heel District 12 heen loopt. Officieel hoort het hek vierentwintig uur per dag onder stroom te staan om de roofdieren af te schrikken die in het woud leven en vroeger onze straten onveilig maakten – roedels wilde honden, poema's, beren. Maar aangezien we al van geluk mogen spreken als we 's avonds twee of drie uur stroom hebben, kun je het veilig aanraken. Toch sta ik altijd even stil om goed te luisteren of ik het gezoem hoor dat aangeeft dat er spanning op het hek staat. Op dit moment zwijgt het als het graf. Verborgen in de bosjes ga ik plat op mijn buik liggen en glijd onder een flap van zo'n vijftig centimeter door die al jaren loshangt. Er zitten nog een paar van dit soort zwakke plekken in het hek, maar deze is zo dicht bij huis dat ik bijna altijd hier het bos in ga.

Zodra ik tussen de bomen ben, haal ik een boog en pijlenkoker uit een holle stam. Met of zonder stroom, het hek is er tot nu toe goed in geslaagd om de vleeseters uit District 12 te weren. In het bos hebben ze vrij spel, en bijkomende gevaren daar zijn giftige slangen, hondsdolle dieren en het gebrek aan echte paden. Maar het bos biedt ook eten, als je weet waar je moet zoeken. Mijn vader wist dat en hij heeft me het een en ander geleerd voordat hij aan stukken werd gereten bij een mijnexplosie. Er was zelfs niets over om te begraven. Ik was elf. Vijf jaar later word ik nog steeds schreeuwend dat hij moet wegrennen wakker.

Hoewel het bos verboden terrein is en er op stropen zeer zware straffen staan, zouden er wel meer mensen het risico nemen als ze wapens hadden. Maar de meesten zijn nog niet eens dapper genoeg om zich met een gewoon mes buiten te wagen. Mijn boog is een zeldzaamheid. Hij is gemaakt door mijn vader, samen met een paar andere die ik goed verstopt heb in het bos, zorgvuldig waterdicht verpakt. Mijn vader had goed geld kunnen verdienen met de verkoop ervan, maar als de autoriteiten erachter waren gekomen, zou hij publiekelijk terechtgesteld zijn voor het aanzetten tot opstand. De meeste vredebewakers knijpen een oogje toe bij die paar jagers onder ons, want zij hebben net zo'n zin in vers vlees als iedereen. Ze behoren zelfs tot onze beste klanten. Maar het idee dat iemand de Laag van wapens zou voorzien, zou nooit geaccepteerd worden.

In de herfst sluipen er meestal wel een paar dappere zielen stiekem het bos in om appels te plukken. Maar altijd in de buurt van het Weiland. Altijd zo dichtbij dat ze snel terug naar het veilige

District 12 kunnen rennen als er iets gebeurt. 'District 12. Waar je veilig kunt sterven van de honger,' mompel ik. Dan werp ik een snelle blik over mijn schouder. Zelfs daar, midden in de rimboe, ben je bang dat iemand je zal horen.

Toen ik jonger was, joeg ik mijn moeder altijd de stuipen op het lijf door er van alles uit te flappen over District 12 en de mensen die ver weg in het Capitool van ons land Panem over onze levens beslissen. Uiteindelijk kreeg ik door dat dat ons alleen maar dieper in de problemen zou brengen. Dus leerde ik om op mijn tong te bijten en mijn gezicht in een onverschillige plooi te trekken zodat niemand ooit zou kunnen zien wat ik dacht. Om op school stilletjes mijn werk te doen. Om op de markt slechts beleefd over koetjes en kalfjes te babbelen. Om in de As, de zwarte markt waar ik het grootste gedeelte van mijn geld verdien, alleen handelszaken te bespreken. Zelfs thuis, waar ik minder makkelijk in de omgang ben, vermijd ik lastige onderwerpen. Zoals de boete, of de voedseltekorten, of de Hongerspelen. Prim zou mijn woorden kunnen gaan herhalen, en wie weet wat dat voor gevolgen zou hebben.

In het bos wacht de enige persoon op me bij wie ik mezelf kan zijn. Gale. Ik voel de spieren in mijn gezicht ontspannen en mijn pas versnellen terwijl ik de heuvels op klim naar ons plekje, een rotsrichel die over het dal uitkijkt. Hij wordt door een stel braamstruiken aan ongewenste ogen onttrokken. Als ik hem daar zie wachten, verschijnt er een glimlach op mijn gezicht. Gale zegt dat ik nooit lach, behalve in het bos.

'Hé, Catnip,' zegt Gale. Eigenlijk heet ik Katniss, maar toen ik dat voor het eerst tegen hem zei, fluisterde ik het zo zacht dat hij *Catnip* verstond, kattenkruid. En toen er in het bos een of andere maffe lynx bedelend achter me aan begon te lopen, werd het zijn officiële bijnaam voor me. Ik heb de lynx uiteindelijk moeten doodmaken, omdat hij al het wild afschrikte. Het was bijna jammer, want hij was geen onprettig gezelschap. Maar ik kreeg een mooie prijs voor zijn pels.

'Kijk eens wat ik geschoten heb,' zegt Gale terwijl hij een brood omhooghoudt met een pijl erin, en ik schiet in de lach. Het is een echt brood uit de bakkerij, niet zo'n platte, compacte homp die we van onze graanrantsoenen maken. Ik pak het aan, trek de pijl eruit, houd het gat in de korst tegen mijn neus en adem de geur in die me het water in de mond doet lopen. Brood als dit is voor speciale gelegenheden.

'Mm, het is nog warm,' zeg ik. Hij moet bij het krieken van de dag bij de bakkerij gestaan hebben om het te ruilen. 'Wat heeft het je gekost?'

'Eén eekhoorn maar. Volgens mij was die ouwe een beetje emotioneel vanochtend,' zei Gale. 'Hij wenste me zelfs succes.'

'Ach ja, op een dag als vandaag leven we allemaal met elkaar mee, nietwaar?' zeg ik, en ik neem niet eens de moeite om met mijn ogen te rollen. 'Prim heeft ons een kaasje gegeven.' Ik haal het tevoorschijn.

Zijn gezicht licht op bij het zien van deze traktatie. 'Dank je wel, Prim. Nu hebben we een echt feestmaal.' Plotseling begint hij met een Capitoolaccent te praten en Effie Prul na te doen, de manisch opgewekte vrouw die één keer per jaar langskomt om tijdens de boete de namen op te lezen. 'Bijna vergeten! Vrolijke Hongerspelen!' Hij plukt een paar bramen van de struiken om ons heen. 'Mogen de kansen...' Hij gooit een braam in een hoge boog naar me toe.

Ik vang hem in mijn mond en bijt het tere velletje stuk met mijn tanden. De zoet-wrange smaak verspreidt zich in mijn mond. '...ímmer in je voordeel zijn!' Ik maak zijn zin net zo overdreven af. We moeten er wel grappen over maken, want anders kun je het alleen maar in je broek doen van angst. Bovendien is het accent van het Capitool zo geaffecteerd dat bijna alles er grappig door klinkt.

Ik kijk hoe Gale zijn mes tevoorschijn haalt en het brood snijdt. Hij zou mijn broer kunnen zijn. Steil zwart haar, olijfkleurige huid – we hebben zelfs dezelfde grijze ogen. Maar we zijn geen

familie, geen naaste in elk geval. De meeste families die in de mijnen werken hebben deze uiterlijke kenmerken.

Daarom lijken mijn moeder en Prim er nooit bij te horen, met
hun lichte haar en blauwe ogen. En dat klopt ergens ook wel. De
ouders van mijn moeder behoorden tot de kleine middenstands-
klasse, met ambtenaren, vredebewakers en heel soms een paar
inwoners van de Laag als klant. Ze hadden een apotheek in het
mooiere gedeelte van District 12. Omdat bijna niemand een dokter
kan betalen, zijn de apothekers onze genezers. Mijn vader leerde
mijn moeder kennen doordat hij tijdens zijn strooptochten soms
geneeskrachtige kruiden verzamelde, die hij vervolgens aan haar
winkel verkocht om medicijnen van te brouwen. Ze moet echt van
hem gehouden hebben, anders had ze nooit huis en haard opgegeven om in de Laag te gaan wonen. Ik probeer mezelf dat voor te
houden, en haar niet alleen te zien als de vrouw die uitdrukkingsloos en onbereikbaar toekeek hoe haar kinderen langzaam brood-
mager werden. Ik probeer haar omwille van mijn vader te vergeven. Maar ik ben eerlijk gezegd niet zo'n vergevingsgezind type.

Gale besmeert de boterhammen met de zachte geitenkaas en
legt zorgvuldig op elk stuk brood een basilicumblaadje, terwijl ik
de bramenstruik leegpluk. We maken het ons gemakkelijk in een
hoekje van de rotsen. Vanaf deze plek zijn we zelf onzichtbaar,
maar hebben we wel een perfect uitzicht over het dal, dat krioelt
van zomers leven – planten om te plukken, wortels om op te graven, vissen die het zonlicht in regenboogjes weerkaatsen. Het is
een prachtige dag, met een blauwe lucht en een licht briesje. Het
eten is heerlijk; de kaas trekt langzaam in het warme brood en de
bramen barsten open in onze mond. Alles zou volmaakt zijn als het
echt vakantie was, gewoon een vrije dag om met Gale door de bergen te zwerven en het avondeten bij elkaar te jagen. Maar in plaats
daarvan moeten we om twee uur op het plein staan wachten tot de
namen worden omgeroepen.

'We zouden het kunnen doen, hè,' zegt Gale stilletjes.

'Wat?' vraag ik.

'Weggaan uit het district. Ervandoor gaan. In het bos wonen. We zouden het best redden met z'n tweetjes,' zegt Gale.

Ik weet niet wat ik daar nou op moet antwoorden. Het is ook zo'n belachelijk idee.

'Als we niet zo veel kinderen hadden,' zegt hij er snel achteraan.

Het zijn natuurlijk niet ónze kinderen. Maar dat hadden het net zo goed wel kunnen zijn. Gales twee broertjes en zijn zusje. Prim. En je kunt onze moeders eigenlijk ook wel meetellen, want hoe zou hun leven er zonder ons uitzien? Wie zou dan de monden voeden die altijd om meer vragen? Ook al jagen we allebei elke dag, er zijn nog steeds avonden waarop het vlees geruild moet worden voor reuzel of schoenveters of wol, nog steeds avonden waarop we met een rammelende maag naar bed gaan.

'Ik wil nooit kinderen,' zeg ik.

'Ik misschien wel. Als ik hier niet zou wonen,' antwoordt Gale.

'Maar je woont hier wel,' zeg ik geïrriteerd.

'Laat ook maar,' snauwt hij terug.

Het gesprek voelt helemaal niet goed. Weggaan? Hoe zou ik Prim kunnen achterlaten, terwijl zij de enige is van wie ik onvoorwaardelijk hou? En Gale doet alles voor zijn familie. We kunnen niet weg, dus waarom zouden we erover praten? En zelfs als we het zouden doen... zelfs als we het zouden doen... Waarom heeft hij het opeens over kinderen krijgen? Tussen mij en Gale is nooit iets romantisch gebeurd. Toen we elkaar voor het eerst ontmoetten was ik een mager twaalfjarig meisje, en hoewel hij maar twee jaar ouder was, leek hij al een echte man. Het heeft heel lang geduurd voor we überhaupt vrienden waren, voor we niet meer eindeloos ruziemaakten over elke ruil maar elkaar begonnen te helpen.

En trouwens, als hij kinderen wil zal het Gale geen enkele moeite kosten om een vrouw te vinden. Hij is knap, hij is sterk genoeg om het werk in de mijnen aan te kunnen en hij kan jagen.

Aan de manier waarop de meisjes op school over hem fluisteren als hij langsloopt, kun je merken dat ze hem leuk vinden. Ik word er jaloers van, maar niet om de reden die je zou denken. Goede jachtpartners zijn schaars.

'Wat zullen we doen?' vraag ik. We kunnen jagen, vissen of plukken.

'Laten we in het meer gaan vissen. We kunnen onze hengels daar laten liggen en dan in het bos nog het een en ander zoeken. Iets lekkers voor vanavond,' zegt hij.

Vanavond. Het is de bedoeling dat iedereen na de boete feestviert. En veel mensen doen dat ook, uit opluchting dat hun kinderen weer een jaar gespaard zijn gebleven. Maar minstens twee gezinnen zullen hun luiken sluiten, hun deuren op slot doen en proberen te bedenken hoe ze de komende, pijnlijke weken moeten overleven.

We hebben een goede oogst. De roofdieren laten ons met rust vandaag – er zijn smakelijker, makkelijker te vangen prooien in overvloed. Tegen het eind van de ochtend hebben we twaalf vissen, een zak groenten en, het allermooiste, massa's aardbeien. Ik heb die plek een paar jaar geleden ontdekt, maar het was Gales idee om er gaas overheen te spannen tegen de dieren.

Onderweg naar huis wippen we nog even langs de As, de zwarte markt die gehouden wordt in een verlaten pakhuis waar ooit steenkool werd opgeslagen. Toen er een efficiënter systeem werd bedacht om de steenkool rechtstreeks van de mijnen naar de treinen te vervoeren, heeft de As het gebouw stukje bij beetje overgenomen. De meeste ondernemingen zijn op de dag van de boete gesloten rond deze tijd, maar op de zwarte markt heerst nog steeds bedrijvigheid. We ruilen zonder moeite zes vissen voor goed brood en twee andere voor zout. Sluwe Sae, de magere oude vrouw die uit een grote ketel kommen hete soep verkoopt, neemt de groenten van ons over in ruil voor een paar brokken paraffine. We zouden er ergens anders misschien net iets meer voor kunnen krijgen, maar we doen ons best om een goede band met Sluwe Sae te onderhouden. Zij is de enige die altijd consequent wilde hond koopt. Daar jagen we niet opzettelijk op, maar als ze je aanvallen en je doodt één of twee honden... Tja, vlees is vlees. 'Zodra het in de soep zit, zeg ik dat het rundvlees is,' zegt Sluwe Sae met een knipoog. In de Laag haalt niemand zijn neus op voor een mooie wildehondenpoot, maar de vredebewakers die naar de As komen, kunnen het zich veroorloven om iets kieskeuriger te zijn.

Als we klaar zijn op de markt gaan we naar het huis van de burgemeester om de helft van de aardbeien te verkopen, want we weten dat hij er dol op is en onze prijs kan betalen. Madge, de dochter van de burgemeester, doet de achterdeur open. Ze zit bij mij in de klas. Je zou misschien verwachten dat de burgemeestersdochter een kakker is, maar ze valt best mee. Ze bemoeit zich niet zoveel met anderen. Net als ik. Omdat we geen van beiden echt een vriendenclub hebben, trekken we op school vaak naar elkaar toe. We eten samen in de pauze, zitten naast elkaar in de aula, vormen een duo bij gym. We praten nauwelijks met elkaar en dat vinden we allebei prima.

Vandaag heeft haar kleurloze schooluniform plaatsgemaakt voor een dure witte jurk, en haar blonde haar is samengebonden met een roze lint. Boeteklieren.

'Mooie jurk,' zegt Gale.

Madge werpt hem een snelle blik toe om te zien of het echt een compliment is of dat hij gewoon een ironische opmerking maakt. Het ís een mooie jurk, maar ze zou hem normaal gesproken nooit dragen. Ze perst haar lippen op elkaar en glimlacht dan. 'Nou ja, als ik naar het Capitool moet, wil ik er natuurlijk wel leuk uitzien, hè?'

Nu is Gale op zijn beurt in de war. Meent ze dat nou? Of neemt ze hem in de maling? Ik vermoed dat laatste.

'Jij gaat niet naar het Capitool,' zegt Gale koeltjes. Zijn ogen blijven steken bij een kleine, ronde speld die haar jurk opsiert. Echt goud. Prachtig vakmanschap. Daar zou een gezin maanden van kunnen eten. 'Hoe vaak sta jij nou helemaal ingeschreven? Vijf keer? Ik deed op mijn twaalfde al zes keer mee.'

'Daar kan zij ook niets aan doen,' zeg ik.

'Nee, daar kan niemand iets aan doen. Zo is het nou eenmaal,' zegt Gale.

Madges gezicht heeft een gesloten uitdrukking gekregen. Ze stopt het geld voor de aardbeien in mijn hand. 'Succes, Katniss.'

'Jij ook,' zeg ik, en de deur gaat dicht.

We lopen zwijgend naar de Laag. Ik vind het niet leuk dat Gale zo sarcastisch deed tegen Madge, maar hij heeft natuurlijk wel gelijk. Het boetesysteem is oneerlijk, en de armen komen er het slechtst van af. Vanaf je twaalfde verjaardag doe je voor het eerst mee met de boete. Dat jaar wordt je naam één keer ingeschreven. Op je dertiende twee keer. En zo gaat het door tot je achttien bent, het laatste jaar dat je meedoet, dan gaat je naam zeven keer in de pot. Dat geldt voor elke inwoner in alle twaalf districten van heel Panem.

Maar er zit een addertje onder het gras. Stel je voor dat je arm en hongerig bent, zoals wij. Je kunt ervoor kiezen om je naam meerdere keren in te schrijven, in ruil voor bonnen. Per bon kun je een karige jaarvoorraad graan en olie voor één persoon krijgen, en dat mag je ook voor al je gezinsleden doen. Dus toen ik twaalf was, deed mijn naam vier keer mee. Eén keer omdat het moest, en drie keer voor graan- en oliebonnen voor mezelf, Prim en mijn moeder. Dat heb ik tot nu toe elk jaar moeten doen. En je inschrijvingen worden bij elkaar opgeteld. Dus nu, op mijn zestiende, doet mijn naam twintig keer mee bij de boete. Gale, die achttien is en al zeven jaar vijf gezinsleden helpt of zelfs in zijn eentje te eten geeft, doet tweeënveertig keer mee.

Het is best begrijpelijk dat hij uithaalt naar iemand als Madge, die nooit het risico heeft gelopen misschien een bon nodig te hebben. De kans dat haar naam wordt getrokken, is heel erg klein vergeleken bij degenen die in de Laag wonen. Niet onmogelijk, maar heel klein. En ook al zijn de regels opgesteld door het Capitool, niet door de districten en zeker niet door de familie van Madge, toch is het moeilijk om niet boos te zijn op degenen die zich niet voor bonnen hoeven in te schrijven.

Gale weet dat zijn woede tegen Madge onterecht is. Op andere dagen heb ik hem diep in het bos horen tieren dat de bonnen slechts het zoveelste middel zijn om ons district te laten lijden. Een manier om haat te zaaien tussen de hongerige arbeiders uit de Laag en hen die over het algemeen zeker weten dat ze 's avonds te eten zullen hebben, om er zo voor te zorgen dat we elkaar nooit zullen vertrouwen. 'Het Capitool heeft er baat bij als er onderlinge verdeeldheid heerst,' zou hij misschien zeggen als mijn oren de enige waren die het konden horen. Als het geen boetedag was. Als een meisje met een gouden speld zonder bonnen geen – in haar ogen zeker weten onschuldige – opmerking had gemaakt.

Tijdens het lopen werp ik een snelle blik op Gales gezicht, dat onder zijn harde uitdrukking nog steeds nagloeit. Zijn woedeuitbarstingen komen op mij altijd nutteloos over, hoewel ik dat nooit hardop zeg. Niet dat ik het niet met hem eens ben. Dat ben ik wel. Maar wat heb je eraan om midden in het bos over het Capitool te staan schreeuwen? Het verandert niets. De situatie wordt er niet eerlijker door. Het vult onze magen niet. Integendeel, het schrikt het wild in de buurt zelfs af. Maar ik laat hem schreeuwen. Hij kan het beter in het bos doen dan in het district.

Gale en ik verdelen de buit, waarna we allebei twee vissen, een paar sneden lekker brood, groenten, een bergje aardbeien, zout, paraffine en wat geld overhebben.

'Tot op het plein,' zeg ik.

'Trek maar iets leuks aan,' zegt hij vlak.

Als ik thuiskom, staan mijn moeder en zusje al klaar om te gaan. Mijn moeder heeft een mooie jurk uit haar apothekerstijd aan. Prim draagt mijn eerste boetekleren, een rok en een blouse met ruches. Ze zijn haar iets te groot, maar mijn moeder heeft ze met spelden ingenomen. Toch kost het haar moeite om de blouse netjes achter in haar rok gestopt te houden.

Er staat een kuip warm water op me te wachten. Ik boen het vuil en zweet uit het bos van me af en was zelfs mijn haar. Tot mijn verbazing heeft mijn moeder een van haar eigen, prachtige jurken voor me klaargelegd. Een lichtblauw gewaad met bijpassende schoenen.

'Weet je het zeker?' vraag ik. Ik probeer haar hulp niet meer pertinent af te wijzen. Een tijdlang was ik zo boos dat ik niet wilde dat ze ook maar iets voor me deed. En dit is iets heel bijzonders. De kleren uit haar verleden zijn haar zeer dierbaar.

'Ja, natuurlijk. Zullen we je haar ook opsteken?' vraagt ze. Ik laat mijn haar droogwrijven met een handdoek en invlechten. Ik herken mezelf nauwelijks in de gebarsten spiegel die tegen de muur staat.

'Wat zie je er mooi uit,' zegt Prim zacht.

'Ik lijk helemaal niet op mezelf,' zeg ik. Ik knuffel haar, want ik weet dat de komende uren afschuwelijk voor haar zullen zijn. Haar eerste boete. Ze is zo veilig als ze maar zijn kan, want haar naam doet maar één keer mee. Ze mocht zich van mij niet voor een bon inschrijven. Maar ze maakt zich zorgen om mij. Dat het ondenkbare zou kunnen gebeuren.

Ik bescherm Prim op alle mogelijke manieren, maar tegen de boete sta ik machteloos. De angst die ik altijd voel als zij pijn heeft, laait op in mijn borst en dreigt omhoog te kruipen naar mijn gezicht. Ik zie dat haar blouse aan de achterkant alweer uit haar rok hangt en dwing mezelf kalm te blijven. 'Doe je staart er eens in, eendje van me,' zeg ik, terwijl ik de blouse weer instop.

Prim giechelt en piept 'kwek' tegen me.

'Kwek terug,' zeg ik met een lachje. Een lachje zoals alleen Prim dat bij mij tevoorschijn kan toveren. 'Kom, we gaan eten,' zeg ik en ik geef haar een snelle zoen op haar kruin.

De vissen en groenten staan al in een stoofpotje op het vuur, maar dat is voor het avondeten. We besluiten om de aardbeien en het brood van de bakker ook voor vanavond te bewaren – om het bijzonder te maken, zeggen we. In plaats daarvan drinken we melk van Lady, Prims geit, en eten het grove brood van het bonnengraan, hoewel niemand echt trek heeft.

Om één uur gaan we richting plein. Aanwezigheid is verplicht, tenzij je op sterven ligt. Vanavond komen er ambtenaren langs om te controleren of dat inderdaad zo is. Zo niet, dan moet je naar de gevangenis.

Het is heel erg jammer dat de boete op het plein gehouden wordt – een van de weinige plekken in District 12 waar het gezellig kan zijn. Rondom het plein zijn allerlei winkels en op marktdagen kom je er echt in een vakantiestemming, zeker met mooi weer. Maar vandaag hangt er ondanks de kleurige vlaggen aan de gebouwen een grimmige sfeer. De cameraploegen die als gieren op de daken zijn neergestreken dragen daar alleen maar aan bij.

De mensen gaan zwijgend in de rij staan om zich in te schrijven. De boete is voor het Capitool ook meteen een goed middel om een volkstelling te houden. De twaalf- tot achttienjarigen worden in met touwen afgezette vakken bij elkaar gedreven, de oudsten vooraan en de jongsten, zoals Prim, meer naar achteren. De gezinsleden stellen zich op aan de randen terwijl ze elkaars handen stevig vasthouden. Maar er zijn ook mensen die geen dierbare in de gevarenzone hebben, of die het niet meer kan schelen. Zij glippen de menigte in en bij hen kun je weddenschappen afsluiten over de twee namen die getrokken zullen worden. Je kunt inzetten op hun leeftijd, of ze uit de Laag of uit een middenstandsfamilie komen, of ze huilend in elkaar zullen storten. De meeste mensen weigeren zaken te doen met dit gespuis, maar wel voorzichtig, heel voorzichtig. Diezelfde lui zijn immers ook vaak spionnen, en wie heeft de wet nou niet overtreden? Ik zou dagelijks neergeschoten kunnen worden omdat ik jaag, maar de eetlust van de machthebbers beschermt me. Dat geldt niet voor iedereen.

Bovendien zijn Gale en ik het erover eens dat als we moeten kiezen tussen sterven van de honger en een kogel door ons hoofd, de kogel een stuk sneller zou zijn.

De ruimte wordt krapper en claustrofobischer nu er steeds meer mensen aankomen. Het plein is best groot, maar niet groot genoeg voor alle achtduizend inwoners van District 12. Laatkomers worden naar de omliggende straten gedirigeerd, waar ze het gebeuren op schermen kunnen volgen, aangezien het live door de regering wordt uitgezonden.

Ik sta midden in een groep zestienjarigen uit de Laag. We knikken gespannen naar elkaar en richten onze aandacht dan op het podium dat voor het Gerechtsgebouw is opgesteld. Er staan drie stoelen op, een spreekgestoelte en twee grote glazen bollen, één voor de jongens en één voor de meisjes. Ik staar naar de strookjes papier in de meisjesbol. Op twintig daarvan staat in een keurig handschrift Katniss Everdeen geschreven.

Twee van de drie stoelen worden bezet door de lange, kalende vader van Madge, oftewel burgemeester Undersee, en Effie Prul, de begeleidster van District 12, rechtstreeks uit het Capitool met haar enge bleke grijns, roze haar en appelgroene mantelpakje. Ze smoezen met elkaar en kijken dan bezorgd naar de lege stoel.

Als de stadsklok twee uur slaat, loopt de burgemeester naar het spreekgestoelte en begint te lezen. Elk jaar weer hetzelfde verhaal. Hij vertelt over de geschiedenis van Panem, het land dat verrees uit de as van een gebied dat ooit Noord-Amerika heette. Hij somt de rampen op: de droogtes, de stormen, de branden, de oprukkende zee die zo vreselijk veel land verzwolg, de bloederige oorlog om het beetje voedsel dat er nog over was. Het resultaat was Panem, een schitterend Capitool omringd door dertien districten, dat zijn inwoners vrede en voorspoed bracht. Toen kwamen de Donkere Dagen, de opstand van de districten tegen het Capitool.

Twaalf werden er verslagen, het dertiende werd met de grond gelijkgemaakt. Het Verdrag van het Verraad leverde ons de nieuwe wetten op die de vrede zouden garanderen en, om ons er één keer per jaar aan te herinneren dat de Donkere Dagen zich nooit mogen herhalen, de Hongerspelen.

De regels van de Hongerspelen zijn simpel. Als straf voor de opstand moeten alle twaalf districten één meisje en één jongen leveren die meedoen, de zogenoemde tributen. De vierentwintig tributen worden opgesloten in een enorme openluchtarena die uit van alles kan bestaan, van een gloeiend hete woestijn tot een barre ijsvlakte. Een aantal weken lang moeten de deelnemers op leven en dood met elkaar vechten. De tribuut die als laatste overblijft, heeft gewonnen.

Door kinderen uit onze districten te plukken en ze te dwingen elkaar te vermoorden terwijl wij toekijken, helpt het Capitool ons eraan herinneren dat we volledig aan hun genade zijn overgeleverd. Dat we geen schijn van kans maken om nog een opstand te overleven. Hoe ze het ook zeggen, de boodschap is duidelijk. 'Kijk eens hoe we jullie kinderen afpakken en opofferen terwijl jullie er niets tegen kunnen beginnen. Als je één vinger uitsteekt, maken we jullie allemaal een kopje kleiner. Net als we met District 13 hebben gedaan.'

Om de vernedering en marteling compleet te maken, verlangt het Capitool van ons dat we de Hongerspelen als een feestelijke gebeurtenis zien, een sportevenement waarbij elk district zijn krachten met de andere kan meten. De tribuut die het langst blijft leven, wordt thuis voor eeuwig in de watten gelegd, en zijn of haar district wordt overladen met prijzen, die voornamelijk uit voedsel bestaan. Elk jaar laat het Capitool zien hoe het winnende district graan- en oliegeschenken en zelfs delicatessen als suiker ontvangt, terwijl de rest van ons tegen de hongerdood vecht.

'Het is een tijd van berouw, en een tijd van dankbaarheid,' dreunt de burgemeester op.

Dan leest hij de lijst voor met de voorgaande winnaars uit District 12. In vierenzeventig jaar tijd hebben we er maar liefst twee gehad. Eén daarvan leeft nog. Haymitch Abernathy, een dikke kerel van middelbare leeftijd die op dit moment iets onverstaanbaars lijkt te roepen, het podium op zwalkt en op de derde stoel ploft. Hij is dronken. Heel erg. De menigte reageert met een plichtmatig applaus, maar hij is in de war en probeert Effie Prul te omhelzen, die hem met moeite weet af te weren.

De burgemeester kijkt benauwd. Aangezien dit allemaal uitgezonden wordt, ligt heel Panem momenteel in een deuk om District 12, en dat weet hij. Hij probeert vlug de aandacht weer naar de boete te leiden door Effie Prul aan te kondigen.

Effie Prul trippelt net zo opgewekt en monter als altijd naar het spreekgestoelte en roept haar slogan: 'Vrolijke Hongerspelen! En mogen de kansen ímmer in je voordeel zijn!' Haar roze haar moet wel een pruik zijn, want haar krullen zijn enigszins opzijgezakt na haar aanvaring met Haymitch. Ze bazelt nog wat door over wat een eer het is om hier te zijn, terwijl iedereen weet dat ze dolgraag naar een beter district gepromoveerd zou worden, waar ze echte winnaars hebben, geen zuiplappen die je voor het oog van de hele natie lastigvallen.

Tussen de mensenmassa door ontwaar ik Gale, die met een zweem van een glimlach naar me terugkijkt. Deze boete biedt tenminste nog enig vermaak, dat kun je van andere niet zeggen. Maar plotseling moet ik aan Gale en zijn tweeënveertig namen in die grote glazen bol denken en dat de kansen helemaal niet in zijn voordeel zijn. Vergeleken met veel andere jongens niet, in elk geval. En misschien denkt hij wel hetzelfde over mij, want zijn gezicht betrekt en hij wendt zich af. 'Maar het zijn nog altijd duizenden papiertjes,' zou ik tegen hem willen fluisteren.

Het is tijd voor de trekking. Effie Prul zegt wat ze altijd zegt: 'Dames gaan voor!' en loopt naar de glazen bol met de meisjesnamen erin. Ze steekt haar hand in de bol, woelt eens flink door de papiertjes en haalt er één strookje uit. De menigte houdt zijn adem in en daarna kun je een speld horen vallen, en ik ben misselijk en hoop zo vurig dat ik het niet ben, dat ik het niet ben, dat ik het niet ben.

Effie Prul loopt terug naar het spreekgestoelte, strijkt het strookje papier glad en leest de naam luid en duidelijk voor. En ik ben het niet.

Het is Primrose Everdeen.

hoofdstuk 2

Ik ben ooit een keer in slaap gevallen toen ik verscholen in een boom roerloos zat te wachten tot er wild voorbij zou komen – ik viel drie meter naar beneden en kwam op mijn rug op de grond terecht. Het voelde alsof alle lucht uit mijn longen werd geslagen en ik lag daar maar te worstelen om in te ademen, uit te ademen, wat dan ook.

Zo voel ik me nu ook; ik probeer me te herinneren hoe ik moet ademhalen, ik kan niet praten, ben met stomheid geslagen terwijl de naam binnen in mijn schedel heen en weer stuitert. Iemand pakt mijn arm, een jongen uit de Laag, en ik denk dat ik misschien bezig was te vallen en hij me heeft opgevangen.

Er is vast een fout gemaakt. Dit kan niet waar zijn. Prim had één papiertje tussen duizenden andere! De kans dat zij getrokken zou worden, was zo klein dat ik niet eens de moeite heb genomen om me zorgen om haar te maken. Ik heb toch alles gedaan? Alle bonnen op me genomen, geweigerd haar hetzelfde te laten doen? Eén papiertje. Eén van de duizenden papiertjes. De kansen waren volstrekt in haar voordeel. Maar het heeft allemaal niets uitgemaakt.

Ergens in de verte hoor ik de menigte zachtjes morren, zoals ze altijd doen als er een twaalfjarige wordt getrokken, omdat iedereen dat oneerlijk vindt. En dan zie ik haar. Haar gezicht is lijkbleek geworden en ze houdt haar handen in vuisten langs haar zij terwijl ze me met stramme, kleine pasjes voorbijloopt naar het podium, en ik zie dat de achterkant van haar blouse weer is opgekropen en over haar rok hangt. Dat detail, de opgekropen blouse die een eendenstaartje vormt, brengt me weer bij mijn positieven.

'Prim!' komt er in een gesmoorde kreet uit mijn keel, en mijn spieren beginnen weer te bewegen. 'Prim!' Ik hoef de mensenmassa niet opzij te duwen. De andere kinderen maken meteen ruimte, zodat ik rechtstreeks naar het podium kan lopen. Net voor ze het trapje op wil stappen, ben ik bij haar. Met één zwaai van mijn arm schuif ik haar achter me.

'Ik bied me aan!' stoot ik uit. 'Ik bied me aan als tribuut!'

Er heerst enige verwarring op het podium. Het is tientallen jaren geleden dat iemand zich in District 12 als vrijwilliger heeft aangeboden en het is niet meer helemaal duidelijk hoe de gang van zaken dan ook alweer is. De regel is dat als de naam van een tribuut uit de bol is getrokken, een andere verkiesbare jongen of een ander meisje naar voren kan komen om zijn of haar plaats in te nemen. In sommige districten, waar het winnen van de boete zo'n enorme eer is dat mensen graag hun leven ervoor op het spel zetten, is het een ingewikkelde procedure om jezelf aan te bieden. Maar in District 12, waar het woord 'tribuut' vrijwel synoniem staat aan het woord 'lijk', zijn vrijwilligers zo goed als uitgestorven.

'Geweldig!' zegt Effie Prul. 'Maar volgens mij moeten we eerst de boetewinnaar aankondigen, en vervolgens vragen of er vrijwilligers zijn, en als er iemand naar voren komt dan... eh...' Haar stem sterft weg – ze weet het zelf ook niet.

'Wat maakt het uit?' vraagt de burgemeester. Hij kijkt me met een gepijnigde blik aan. Hij kent me niet echt, maar ik kom hem wel bekend voor. Ik ben het meisje dat de aardbeien brengt. Het meisje met wie zijn dochter af en toe een paar woorden wisselt. Het meisje dat vijf jaar geleden in elkaar gedoken naast haar moeder en zusje stond terwijl hij haar, als het oudste kind, een medaille voor heldenmoed gaf. Een medaille voor haar vader, die in de mijnen in rook is opgegaan. Weet hij dat nog? 'Wat maakt het uit?' herhaalt hij korzelig. 'Laat haar maar naar voren komen.'

Achter me staat Prim hysterisch te gillen. Ze heeft haar magere armpjes als een bankschroef om me heen geklemd. 'Nee, Katniss, nee! Je mag niet gaan!'

'Prim, laat me los,' zeg ik ruw, want hierdoor raak ik van streek en ik wil niet huilen. Als ze vanavond de herhalingen van de boetes uitzenden zal iedereen mijn tranen zien en dan zal ik te boek staan als een makkelijk doelwit. Een zwakkeling. Dat plezier gun ik niemand. 'Laat me los!'

Ik voel dat iemand haar van mijn rug trekt. Ik draai me om en zie dat Gale Prim heeft opgetild; ze spartelt woest in zijn armen. 'Ga maar, Catnip,' zegt hij, waarbij hij zijn best doet om zijn stem niet te laten trillen, en dan draagt hij Prim naar mijn moeder. Ik verman mezelf en loop de trap op.

'Bravo, hoor!' dweept Effie Prul. 'Zo zien we het graag bij de Spelen!' Ze is blij dat er eindelijk eens iets gebeurt in haar district. 'Hoe heet jij?'

Ik slik moeizaam. 'Katniss Everdeen,' zeg ik.

'Tien tegen één dat dat je zusje was. Je wilt natuurlijk niet dat zij met alle eer gaat strijken, hè? Vooruit allemaal! Een groot applaus voor onze nieuwste tribuut!' jubelt Effie Prul.

De mensen van District 12 zijn fantastisch: niemand klapt. Zelfs niet degenen met de gokformulieren in hun hand, degenen die het meestal niets meer kan schelen. Misschien omdat ze me van de As kennen, of mijn vader kenden, of Prim wel eens zijn tegengekomen, op wie iedereen per definitie dol is. Dus in plaats van het applaus in ontvangst te nemen, blijf ik roerloos staan terwijl zij de brutaalste daad van verzet plegen waar ze toe in staat zijn. Ze zwijgen. En hun stilte zegt: wij zijn het er niet mee eens. Wij keuren dit niet goed. Dit is helemaal fout.

Dan gebeurt er iets onverwachts. Ik verwacht het in elk geval niet, want ik had niet het idee dat District 12 mij een warm hart toedroeg. Maar er is iets veranderd sinds ik naar voren ben gekomen om Prims plek in te nemen, en nu lijk ik de mensen dierbaar te zijn geworden. Eerst drukt één, dan nog iemand, en dan bijna iedereen in de mensenmassa de drie middelste vingers van zijn linkerhand tegen zijn lippen en steekt die vervolgens naar me op. Het is een oud en zelden gebruikt gebaar van ons district, dat heel af en toe nog bij begrafenissen wordt gezien. Het is een uiting van dankbaarheid, van bewondering, een afscheid van iemand van wie je houdt.

Nu moet ik echt oppassen dat ik niet ga huilen, maar gelukkig kiest Haymitch dit moment uit om het podium over te wankelen om me te feliciteren. 'Moet je haar eens zien. Moet je deze eens zien!' brult hij, terwijl hij een arm om mijn schouders slaat. Hij is verbazingwekkend sterk voor zo'n gammel figuur. 'Ik mag haar wel!' Zijn adem stinkt naar drank en hij heeft zich al een tijd niet gewassen. 'Lekker veel...' Hij kan even niet op het woord komen. 'Pit!' zegt hij triomfantelijk. 'Meer dan jullie!' Hij laat me los en loopt naar de rand van het podium. 'Meer dan jullie!' schreeuwt hij, terwijl hij recht in een camera wijst.

Heeft hij het tegen het publiek of is hij zo dronken dat hij misschien echt het Capitool bespot? Ik zal er nooit achter komen, want net als hij zijn mond opendoet om verder te gaan, dondert Haymitch van het podium en valt zo hard op de grond dat hij buiten westen raakt.

Hij is weerzinwekkend, maar ik ben hem dankbaar. Nu elke camera dolblij op hem gericht is, heb ik net genoeg tijd om het zachte, gesmoorde geluidje te slaken dat vastzit in mijn keel en mezelf te vermannen. Ik leg mijn handen op mijn rug en staar in de verte. Ik zie de heuvels die ik vanochtend nog met Gale beklommen heb. Heel even verlang ik naar iets... het idee om samen het district te ontvluchten... een weg door het bos te zoeken... Maar ik weet dat het goed is dat ik er niet vandoor gegaan ben. Want wie zou zich anders aangeboden hebben om Prim te vervangen?

Haymitch wordt op een brancard afgevoerd en Effie Prul probeert de boel weer op gang te brengen. 'Wat een spannende dag!' kweelt ze, terwijl ze haar pruik weer recht probeert te zetten, die nu vervaarlijk slagzij naar rechts maakt. 'Maar het wordt nog veel spannender! Het is tijd om onze jongenstribuut te kiezen!' In de hoop het haarprobleem onder controle te houden, plant ze één hand midden op haar hoofd, terwijl ze naar de bol loopt waar de jongensnamen in zitten en het eerste strookje pakt dat ze tegenkomt. Ze snelt terug naar het spreekgestoelte en ik heb niet eens tijd voor een schietgebedje voor Gales veiligheid als ze de naam al voorleest. 'Peeta Mellark.'

Peeta Mellark!

O nee, denk ik. *Niet hij.* Want ik ken deze naam, ook al heb ik nog nooit rechtstreeks met de persoon die erbij hoort gesproken. Peeta Mellark.

Nee, de kansen zijn vandaag niet in mijn voordeel.

Ik kijk hoe hij naar het podium loopt. Gemiddelde lengte, stevig gebouwd, asblond haar dat in golven over zijn voorhoofd valt. Langzaam dringt de schok door op zijn gezicht, je ziet dat hij worstelt om het in de plooi te houden, maar in zijn blauwe ogen staat de schrik die ik zo vaak bij mijn prooien heb gezien. Toch klimt hij zonder te wankelen het podium op en neemt zijn plek in.

Effie Prul vraagt of er vrijwilligers zijn, maar er komt niemand naar voren. Ik weet dat hij twee oudere broers heeft, ik heb ze wel eens gezien in de bakkerij, maar de één is ondertussen waarschijnlijk te oud om zichzelf als vrijwilliger aan te bieden en de ander doet het niet. Dat is normaal. De liefde voor hun familieleden kent bij de meeste mensen haar grenzen op de dag van de boete. Mijn daad was extreem.

De burgemeester begint nu net als elk jaar het lange, saaie Verdrag van het Verraad op te lezen – dat is verplicht – maar ik hoor geen woord van wat hij zegt.

Waarom hij? denk ik. Dan probeer ik mezelf wijs te maken dat het er niet toe doet. Peeta Mellark en ik zijn geen vrienden. Niet eens buren. We praten niet met elkaar. De enige keer dat we echt met elkaar te maken hebben gehad, is jaren geleden. Hij is het waarschijnlijk allang vergeten. Maar ik niet, en ik weet dat dat ook nooit zal gebeuren...

Het was in de zwaarste periode. Mijn vader was drie maanden daarvoor omgekomen bij het ongeluk in de mijn, in de strengste januari sinds mensenheugenis. De verdoofdheid na zijn verlies was weggetrokken en de pijn overviel me soms uit het niets, zodat ik dubbelklapte van ellende, mijn lichaam verscheurd door snikken. *Waar ben je?* schreeuwde ik in gedachten uit. *Waar ben je heen gegaan?* Uiteraard kreeg ik nooit antwoord.

Het district had ons een klein bedrag gegeven ter compensatie voor zijn overlijden, net genoeg om één maand van rouw mee door te komen, waarna er van mijn moeder verwacht werd dat ze een baan zou zoeken. Maar dat deed ze niet. Ze deed niets, ze zat alleen maar in een stoel of, vaker nog, in elkaar gedoken onder de dekens in haar bed, haar ogen gericht op een of ander punt in de verte. Een keer in de zo veel tijd bewoog ze, dan stond ze op alsof er iets dringends was waardoor ze overeind moest komen, om vervolgens weer in haar onbeweeglijke toestand terug te zakken. De vele smeekbedes van Prim leken haar niets te doen.

Ik was doodsbang. Ik ga er nu vanuit dat mijn moeder opgesloten zat in een of andere duistere wereld van verdriet, maar toen wist ik alleen dat ik naast mijn vader ook mijn moeder verloren had. Op mijn elfde, Prim was toen nog maar zeven, werd ik hoofd van ons gezin. Ik had geen andere keus. Ik kocht ons eten op de markt en maakte het zo goed mogelijk klaar. Ik probeerde ervoor te zorgen dat Prim en ik er netjes uit bleven zien. Want als de buitenwereld erachter was gekomen dat mijn moeder niet meer voor ons kon zorgen, zou het district ons bij haar weggehaald hebben en ons in het kindertehuis hebben gestopt. Al mijn hele jeugd zag ik kinderen uit dat tehuis op school. Hun verdriet, de afdrukken van boze handen op hun gezicht, de wanhoop die hun schouders naar voren boog. Dat mocht ik Prim nooit laten overkomen. Lieve, kleine Prim die moest huilen als ik huilde nog voor ze ook maar wist waarom, die mijn moeders haar borstelde en vlocht voor we naar school gingen, die nog steeds elke avond de scheerspiegel van mijn vader oppoetste omdat hij een hekel had aan het kolenstof dat op alles in de Laag neerdaalde. Het kindertehuis zou haar vermorzelen als een lastige vlieg. En dus hield ik onze hachelijke situatie geheim.

Maar het geld raakte op en langzaamaan begonnen we te verhongeren. Ik kan het niet anders zeggen. Ik bleef mezelf voorhouden dat ik het gewoon tot mei moest volhouden, tot 8 mei maar. Dan zou ik twaalf worden en kon ik me inschrijven voor de bonnen, en dan zou ik eindelijk het kostbare graan en de olie kunnen ophalen om ons weer iets te eten te geven. Het duurde alleen nog weken voor het zover was. Het was de vraag of we tegen die tijd nog zouden leven.

De hongerdood is geen ongebruikelijke manier om aan je eind te komen in District 12. Wie heeft de slachtoffers niet gezien? Oudere mensen die niet kunnen werken. Kinderen uit gezinnen met te veel monden om te voeden. Arbeiders die in de mijnen gewond zijn geraakt en door de straten zwerven. En op een dag zie je ze bewegingloos tegen een muur zitten of in het Weiland liggen, of je hoort gejammer uit een huis komen, en dan worden de vredebewakers erbij geroepen om het lichaam af te voeren. 'Verhongerd' is nooit de officiële doodsoorzaak. Het is altijd griep, of onderkoeling, of longontsteking. Maar daar trapt niemand in.

Op de middag van mijn ontmoeting met Peeta Mellark viel de regen in meedogenloze, ijskoude stromen naar beneden. Ik was naar de stad geweest omdat ik wilde proberen om op de markt een stel versleten oude babykleertjes van Prim te ruilen, maar er was niemand in geïnteresseerd. Ik was met mijn vader al een paar keer in de As geweest, maar ik durfde me niet in mijn eentje in dat ruige, bikkelharde gebouw te wagen. De regen had mijn vaders jagersjas doorweekt en ik was verkleumd tot op het bot. We hadden al drie dagen achter elkaar alleen gekookt water met wat oude, gedroogde muntblaadjes gehad die ik ergens achter in een kastje had gevonden. Tegen de tijd dat de markt opbrak, was ik zo aan het bibberen dat ik mijn bundeltje babykleren in een plas modder liet vallen. Ik raapte ze niet op, want ik was bang dat ik voorover zou vallen en niet meer overeind zou kunnen komen. En er was toch niemand die de kleren wilde hebben.

Ik kon niet naar huis. Want thuis waren mijn moeder met haar dode ogen en mijn kleine zusje met haar ingevallen wangen en gebarsten lippen. Ik kon de kamer met het rokerige vuur van de vochtige takken die ik aan de rand van het bos bij elkaar had gescharreld toen de kolen op waren, niet binnenkomen zonder een sprankje hoop in mijn handen.

Ik strompelde door een modderig steegje achter de winkels waar de rijkste mensen uit de stad hun inkopen doen. De handelaren wonen boven hun ondernemingen, dus ik liep praktisch in hun achtertuin. Ik kan me de omtrekken nog herinneren van de bloembedden, die nog niet beplant waren voor de lente. Ik zag ook een hok met een paar geiten, en een kletsnatte hond die was vastgebonden aan een paaltje en die verslagen en in elkaar gedoken in de viezigheid stond.

Alle vormen van diefstal zijn verboden in District 12. Op straffe van de dood. Maar het schoot door mijn hoofd dat er misschien nog iets in de vuilnisbakken zat, en dat was geen stelen. Misschien een bot bij de slager of rottende groente bij de kruidenier, iets wat niemand wilde eten, op mijn wanhopige gezin na. Helaas waren de bakken net geleegd.

Toen ik langs de bakkerij kwam, was de geur van vers brood zo overweldigend dat ik er duizelig van werd. De ovens stonden achterin en er stroomde een gouden gloed uit de open keukendeur. Gehypnotiseerd door de warmte en de verrukkelijke geur bleef ik staan tot de regen ingreep; hij liet zijn ijskoude vingers over mijn rug lopen en dwong me weer bij zinnen te komen. Ik tilde de deksel van de vuilnisbak van de bakker op om tot de conclusie te komen dat die vlekkeloos, harteloos schoon was.

Plotseling werd er naar me geschreeuwd en ik keek op en zag de vrouw van de bakker die riep dat ik door moest lopen en of ik soms wilde dat ze de vredebewakers erbij riep en kotsmisselijk werd ze van dat tuig uit de Laag dat door haar vuilnis wroette. Het waren akelige woorden en ik kon me niet verweren. Terwijl ik voorzichtig de deksel weer op de bak legde en achteruitsloop, zag ik hem, een jongen met blond haar die om zijn moeders rug heen gluurde. Ik had hem wel eens op school gezien. Hij zat in hetzelfde jaar als ik, maar ik wist niet hoe hij heette. Hij trok op met de stadskinderen, dus hoe zou ik dat moeten weten? Zijn moeder liep mopperend terug de bakkerij in, maar hij moet naar me zijn blijven kijken terwijl ik om het kot heen liep waar hun varken in zat en met mijn rug tegen de achterkant van hun oude appelboom ging staan. Eindelijk drong het tot me door dat ik niets had om mee naar huis te nemen. Mijn knieën begaven het en ik gleed langs de boomstam omlaag naar de wortels. Het werd me te veel. Ik was te ziek en te zwak en te moe, o, zo moe. *Laat ze de vredebewakers maar halen om ons naar het kindertehuis te brengen*, dacht ik. *Of nee, nog beter, laat me hier maar doodgaan in de regen.*

Er kwam een hoop kabaal uit de bakkerij en ik hoorde de vrouw weer schreeuwen en het geluid van een klap, en ik vroeg me vaag af wat er aan de hand was. Er slofte iemand door de modder naar me toe en ik dacht: *dat is zij. Ze komt me wegjagen met een stok.* Maar het was haar niet. Het was de jongen. In zijn armen droeg hij twee grote broden die waarschijnlijk in het vuur waren gevallen, want de korst was zwartgeblakerd.

Zijn moeder gilde: 'Geef het dan maar aan het varken, stom joch! Wat moeten we er anders mee? Geen fatsoenlijk mens wil verbrand brood kopen!'

Hij begon de verbrande stukken van het brood af te scheuren en in de trog te gooien, en toen de winkelbel van de bakkerij klingelde liep de moeder weg om een klant te helpen.

De jongen keek geen moment mijn kant uit, maar ik hield hem goed in de gaten. Vanwege het brood, en vanwege de duidelijk zichtbare rode striem op zijn wang. Waar had ze hem mee geslagen? Mijn ouders sloegen ons nooit. Ik kon het me niet eens voorstellen. De jongen wierp nog één snelle blik op de bakkerij alsof hij wilde controleren of de kust veilig was en toen, met zijn ogen weer op het varken gericht, gooide hij een brood mijn kant op. Het tweede kwam er snel achteraan, waarna hij terugslofte naar de bakkerij en de keukendeur stevig achter zich dichttrok.

Ongelovig staarde ik naar de broden. Ze waren prima, niks mis mee, op de verbrande stukjes die er nog aan zaten na. Had hij ze expres naar me toe gegooid? Dat moest wel, want nu lagen ze aan mijn voeten. Voordat iemand getuige kon zijn van wat er was gebeurd, schoof ik de broden onder mijn shirt, sloeg de jagersjas stevig om me heen en liep vlug weg. De hitte van de broden brandde op mijn huid, maar ik drukte ze nog steviger tegen me aan, klampte me vast aan het leven.

Tegen de tijd dat ik thuiskwam waren de broden enigszins afgekoeld, maar vanbinnen nog steeds warm. Toen ik ze op tafel liet vallen stak Prim haar hand uit om er een stuk af te scheuren, maar ik zei dat ze moest gaan zitten, dwong mijn moeder om bij ons aan tafel te komen en schonk warme thee in. Ik schraapte het zwarte spul van de broden en sneed boterhammen. We aten een heel brood, snee voor snee. Het was heerlijk en stevig, gevuld met noten en rozijnen.

Ik hing mijn kleren bij het vuur om ze te laten drogen, kroop in bed en viel in een droomloze slaap. Pas de volgende ochtend kwam het in me op dat de jongen de broden misschien wel expres had laten verbranden. Ze in de vlammen had laten vallen, in de wetenschap dat daar straf op zou volgen, en ze toen bij mij had afgeleverd. Maar dat idee verwierp ik al snel. Het was ongetwijfeld een ongelukje geweest. Waarom zou hij zoiets doen? Hij kende me niet eens. Toch was het sowieso al verschrikkelijk aardig van hem om het brood zomaar naar me toe te gooien, iets waar hij beslist een pak slaag voor zou hebben gekregen als het ontdekt was.

We aten boterhammen als ontbijt en liepen naar school. Het leek wel alsof het in één nacht lente was geworden. Warme zoete lucht. Donzige wolken. Op school kwam ik de jongen tegen in de gang; zijn wang was opgezwollen en zijn oog was blauw geworden. Hij was met zijn vrienden en hij gaf geen enkele blijk van herkenning. Maar toen ik Prim die middag ophaalde om samen naar huis te gaan, merkte ik dat hij aan de overkant van het schoolplein naar me stond te kijken. Onze blikken kruisten elkaar heel even, en toen draaide hij zijn hoofd weg. Opgelaten sloeg ik mijn ogen neer, en toen zag ik hem. De eerste paardenbloem van het jaar. In mijn hoofd begon een belletje te rinkelen. Ik dacht aan de uren die ik met mijn vader in het bos had doorgebracht en opeens wist ik hoe we konden overleven.

Tot op de dag van vandaag kan ik Peeta Mellark, het brood dat me hoop gaf en de paardenbloem die me eraan hielp herinneren dat ik niet ten dode opgeschreven was, niet los van elkaar zien. En het is meerdere keren voorgekomen dat ik me op school in de gang omdraaide en zijn blik opving, waarna hij vlug de andere kant op keek. Ik heb het gevoel dat ik hem iets verschuldigd ben, en ik haat het om mensen iets verschuldigd te zijn. Had ik hem nou maar ooit een keer bedankt, dan had ik nu misschien niet van die tegenstrijdige gevoelens gehad. Ik heb er wel eens aan gedacht, maar de gelegenheid leek zich nooit voor te doen. En nu zal dat ook nooit meer gebeuren, want binnenkort worden we in een arena gegooid om op leven en dood met elkaar te vechten. Ik zie niet helemaal voor me hoe ik daar precies een bedankje tussen moet krijgen. Op de een of andere manier ben ik bang dat het niet erg oprecht zal overkomen als ik tegelijkertijd zijn keel door probeer te snijden.

De burgemeester leest het laatste stuk van het Verdrag van het Verraad voor en gebaart dat Peeta en ik elkaar een hand moeten geven. Die van hem is net zo stevig en warm als de broden. Peeta kijkt me recht aan en geeft me een kneepje in mijn hand dat denk ik geruststellend bedoeld is. Misschien is het gewoon een stuiptrekking van de zenuwen.

We gaan weer met ons gezicht naar het publiek staan terwijl het volkslied van Panem wordt gespeeld.

Nou ja, denk ik. *We zijn met z'n vierentwintigen. Grote kans dat iemand anders hem vermoordt voordat ik het doe.*

Hoewel de kansen natuurlijk niet erg in mijn voordeel zijn geweest, de laatste tijd.

hoofdstuk 3

Zodra het volkslied afgelopen is, worden we in hechtenis genomen. Niet dat we handboeien omkrijgen of zo, maar we worden door een groep vredebewakers naar de ingang van het Gerechtsgebouw geleid. Misschien heeft er wel eens een tribuut een poging gedaan om te ontsnappen. Dat heb ik nog nooit meegemaakt, in elk geval.

Zodra we binnen zijn, word ik naar een kamer gebracht en alleen achtergelaten. Ik heb nog nooit zoiets luxueus gezien, met dik, hoogpolig tapijt en een met fluweel gestoffeerde bank en stoelen. Ik weet wat fluweel is, omdat mijn moeder een jurk heeft met een kraag die daarvan is gemaakt. Ik kan het niet laten om een paar keer met mijn vingers over de stof te strijken. Het helpt me om kalm te worden terwijl ik me op het komende uur probeer voor te bereiden. Dat is de tijd die tributen toegewezen krijgen om afscheid te nemen van hun dierbaren. Ik kan het me niet permitteren overstuur te raken en met opgezwollen oogjes en een rode neus de kamer uit te komen. Huilen zit er niet in. Straks op het station zullen er nog veel meer camera's staan.

Mijn zusje en mijn moeder zijn de eersten. Ik steek mijn armen uit naar Prim en ze klimt op mijn schoot, haar armen om mijn nek, hoofd op mijn schouder, net als toen ze nog een kleuter was. Mijn moeder zit naast me en slaat haar armen om ons heen. We zijn een paar minuten stil. Dan begin ik alles op te sommen waar ze aan moeten denken nu ik er niet meer zal zijn om het voor hen te doen.

Prim mag zich niet inschrijven voor bonnen. Als ze zuinig zijn kunnen ze het net redden met de verkoop van Lady's melk en kaas en de kleine apothekerszaak die mijn moeder tegenwoordig runt voor de mensen van de Laag. Gale kan de kruiden voor haar zoeken die ze niet zelf kweekt, maar ze moet ze heel precies aan hem beschrijven, omdat hij ze niet zo goed kent als ik. Hij zal hun ook vlees brengen – daar hebben we ongeveer een jaar geleden een afspraak over gemaakt – en zal er waarschijnlijk niets voor terugvragen, maar ik zeg dat ze hem moeten bedanken met een ruilmiddel, melk of medicijnen bijvoorbeeld.

Ik neem niet de moeite om te opperen dat Prim misschien zou kunnen leren jagen. Ik heb het een paar keer met haar geprobeerd en dat verliep rampzalig. Ze was doodsbang voor het bos, en telkens als ik iets schoot begon ze huilerig te zeggen dat we het beest misschien nog konden redden als we op tijd thuis waren. Maar ze doet het goed met haar geit, dus daar concentreer ik me maar op.

Als ik klaar ben met mijn instructies over brandstof en ruilhandel en niet van school gaan, kijk ik mijn moeder aan en grijp haar arm vast, heel stevig. 'Luister. Luister je naar me?' Ze knikt, geschrokken van mijn dwingende toon. Ze weet waarschijnlijk wel wat er gaat komen. 'Je mag niet nog een keer weggaan,' zeg ik.

Mijn moeders ogen zoeken de grond. 'Dat weet ik. Dat zal niet gebeuren. Ik kon er niets aan doen toen...'

'Nou, dit keer moet je er wel iets aan doen. Je kunt niet zomaar afzwaaien en Prim er alleen voor laten staan. Ik zal er niet meer zijn om jullie allebei in leven te houden. Wat er ook gebeurt, wat je ook op televisie ziet, je moet beloven dat je je erdoorheen zult vechten!' Mijn stem is gaan schreeuwen. Alle woede, alle angst die ik voelde toen ze ons in de steek liet, is erin te horen.

Ze trekt haar arm los uit mijn greep en wordt nu zelf ook boos. 'Ik was ziek. Ik had mezelf kunnen behandelen als ik de medicijnen had gehad die ik nu heb.'

Dat ze ziek was, is misschien wel waar. Ik heb gezien hoe ze sindsdien mensen genezen heeft die ook in zulk verlammend verdriet gevangenzaten. Misschien is het een ziekte, maar het is een ziekte die we ons niet kunnen permitteren.

'Zorg er dan voor dat je die medicijnen neemt. En zorg voor haar!' zeg ik.

'Ik red me wel, Katniss,' zegt Prim terwijl ze mijn gezicht stevig in haar handen neemt. 'Maar jij moet ook voor jezelf zorgen. Je bent zo snel en dapper. Misschien kun je wel winnen.'

Ik kan niet winnen. Diep vanbinnen weet Prim dat ook wel. Mijn concurrenten zullen veel en veel beter zijn dan ik. Kinderen uit rijkere districten, waar het een grote eer is om te winnen, die hier hun hele leven voor getraind hebben. Jongens die twee of drie koppen groter zijn dan ik. Meisjes die je op twintig verschillende manieren met een mes kunnen vermoorden. O, en er zullen ook heus wel kinderen zoals ik bij zijn. Kinderen om uit de weg te ruimen voor het echt leuk wordt.

'Misschien wel,' zeg ik, want ik kan moeilijk tegen mijn moeder zeggen dat ze door moet gaan als ik het zelf al heb opgegeven. Bovendien ligt het niet in mijn aard om zomaar zonder slag of stoot op te geven, ook al lijken de problemen onoverkomelijk. 'Dan worden we net zo rijk als Haymitch.'

'Het kan me niet schelen of we rijk worden. Ik wil alleen dat je naar huis komt. Je gaat het toch wel proberen, hè? Zul je echt heel erg je best doen?' vraagt Prim.

'Ik zal echt heel erg mijn best doen. Ik zweer het,' zeg ik. En ik weet dat ik wel zal moeten, voor Prim.

En dan staat de vredebewaker bij de deur; hij gebaart dat hun tijd om is en we omhelzen elkaar alle drie zo stevig dat het pijn doet en het enige wat ik zeg is: 'Ik hou van jullie. Ik hou van jullie allebei.' En zij zeggen dat zij ook van mij houden en dan moeten ze van de vredebewaker naar buiten, waarna de deur dichtgaat. Ik verberg mijn hoofd in een van de fluwelen kussens, alsof ik zo alles kan buitensluiten.

Er komt iemand anders de kamer in en als ik opkijk, zie ik tot mijn verbazing dat het de bakker is, de vader van Peeta Mellark. Ik kan niet geloven dat hij me komt opzoeken, want hoogstwaarschijnlijk zal ik over niet al te lange tijd zijn zoon proberen te vermoorden. Maar we kennen elkaar een klein beetje, en hij kent Prim nog beter. Als ze haar geitenkaasjes verkoopt in de As houdt ze er altijd twee voor hem apart en dan geeft hij haar er een royale hoeveelheid brood voor terug. We wachten altijd tot die hekserige vrouw van hem weg is voor we zaken met hem doen, want hij is veel aardiger. Ik weet zeker dat hij zijn zoon nooit zo geslagen zou hebben om dat verbrande brood. Maar waarom is hij naar me toe gekomen?

De bakker gaat ongemakkelijk op de rand van een van de pluchen stoelen zitten. Het is een grote, breedgeschouderde man met brandlittekens door de vele jaren bij de ovens. Hij moet net afscheid van zijn zoon genomen hebben.

Hij haalt een wit papieren pakje uit zijn jaszak en geeft het aan mij. Ik maak het open en zie dat er koekjes in zitten. Dat is een delicatesse die wij ons nooit kunnen veroorloven.

'Dank u wel,' zeg ik. Normaal gesproken is de bakker ook al niet zo'n spraakzame man, maar vandaag heeft hij helemaal geen woorden. 'Ik heb vanochtend een stuk brood van u gegeten. Mijn vriend Gale heeft u er een eekhoorn voor gegeven.' Hij knikt, alsof hij zich de eekhoorn nog kan herinneren. 'Niet uw beste ruil,' zeg ik. Hij haalt zijn schouders op alsof het hem niets kan schelen.

Dan weet ik niets meer te zeggen en we blijven zwijgend zitten tot een vredebewaker hem komt halen. Hij staat op en schraapt zijn keel. 'Ik zal een oogje op het meisje houden. Zorgen dat ze te eten krijgt.'

Ik voel de druk op mijn borstkas iets afnemen als hij dat zegt. Met mij doen mensen zaken, maar Prim mogen ze echt heel graag. Misschien wel genoeg om haar in leven te houden.

Mijn volgende gast is ook onverwacht. Madge loopt recht op

me af. Ze huilt niet, draait er niet omheen – haar toon is zo dringend dat het me verbaast. 'Je mag één ding uit je district dragen in de arena. Iets wat je aan thuis doet denken. Wil je deze dragen?' Ze laat me de ronde gouden speld zien die vanochtend op haar jurk zat. Ik had er in eerste instantie niet veel aandacht aan besteed, maar nu zie ik dat het een klein vliegend vogeltje is.

'Jouw broche?' vraag ik. Ik heb momenteel wel iets anders aan mijn hoofd dan het dragen van een districtsaandenken.

'Kom, ik speld hem op je jurk, goed?' Madge wacht mijn antwoord niet af, maar buigt zich naar voren om de vogel aan mijn jurk vast te maken. 'Beloof je dat je hem in de arena zult dragen, Katniss?' vraagt ze. 'Beloof je dat?'

'Ja,' zeg ik. Koekjes. Een speld. Ik krijg allerlei cadeaus vandaag. Madge geeft me er nog een. Een kus op mijn wang. Dan is ze weg en ik blijf achter terwijl ik bedenk dat Madge al die tijd misschien toch echt mijn vriendin is geweest.

En eindelijk, daar is Gale. Er mag dan misschien niets romantisch tussen ons zijn, maar als hij zijn armen spreidt aarzel ik niet om me erin te storten. Ik ken zijn lichaam goed – zijn manier van bewegen, de geur van houtrook, zelfs het geluid van zijn kloppende hart ken ik van stille momenten tijdens de jacht – maar dit is de eerste keer dat ik het echt voel, pezig en gespierd tegen het mijne.

'Luister eens,' zegt hij. 'Het moet niet al te moeilijk zijn om aan een mes te komen, maar je moet een boog te pakken zien te krijgen. Dan maak je een kans.'

'Er zijn niet altijd bogen,' zeg ik, en ik denk terug aan het jaar waarin er alleen maar afschuwelijke, stekelige knotsen waren waarmee de tributen elkaar dood moesten knuppelen.

'Dan maak je er zelf een,' zegt Gale. 'Zelfs een slechte boog is beter dan helemaal geen boog.'

Ik heb wel eens geprobeerd mijn vaders bogen na te maken en het is nooit goed gelukt. Het is niet makkelijk. Zelfs mijn vader moest zijn eigen werk soms weer weggooien.

'Ik weet niet eens of er wel hout zal zijn,' zeg ik. Er was ook een keer een jaar waarin ze iedereen in een kaal landschap gooiden met alleen maar rotsblokken en zand en een paar treurige struikjes. Dat jaar was echt verschrikkelijk. Veel kandidaten werden gebeten door giftige slangen of werden gek van de dorst.

'Er is bijna altijd wel wat hout,' zegt Gale. 'Sinds dat jaar waarin de helft stierf van de kou. Veel te saai.'

Dat is waar. We hebben één keer de hele Hongerspelen lang zitten kijken hoe de spelers 's nachts doodvroren. Je kon ze nauwelijks zien, omdat ze zich allemaal hadden opgekruld en geen hout of fakkels of iets dergelijks hadden om vuur mee te maken. In het Capitool vond men het maar een anticlimax, al die stille, bloedeloze doden. Sinds die keer is er meestal hout om vuur te stoken.

'Ja, meestal is er wel wat hout,' zeg ik.

'Katniss, het is gewoon jagen. Jij bent de beste jager die ik ken,' zegt Gale.

'Het is niet gewoon jagen. Ze zijn gewapend. Ze denken,' zeg ik.

'Jij ook. En jij hebt meer ervaring. Echte ervaring,' zegt hij. 'Jij weet hoe je moet doden.'

'Geen mensen,' zeg ik.

'Zou dat echt zo veel verschil maken?' vraagt Gale grimmig.

Het erge is dat als ik kan vergeten dat het mensen zijn, het geen enkel verschil zal maken.

De vredebewakers zijn veel te snel terug en Gale vraagt om meer tijd, maar ze nemen hem mee en ik raak in paniek. 'Laat hen niet verhongeren!' roep ik, terwijl ik me aan zijn hand vastklamp.

'Natuurlijk niet! Je weet dat ik ze niet zal laten verhongeren, Katniss, vergeet niet dat ik...' zegt hij, en ze trekken ons uit elkaar en gooien de deur dicht en ik zal nooit weten wat ik niet mocht vergeten van hem.

Het is maar een kort ritje van het Gerechtsgebouw naar het station. Ik heb nog nooit in een auto gezeten. Alleen een heel enkele keer in een kar. In de Laag verplaatsen we ons te voet.

Het is goed dat ik niet gehuild heb. Het station krioelt van de verslaggevers die hun insectachtige camera's op mijn gezicht richten. Maar ik heb jarenlang kunnen oefenen in het trekken van een emotieloos gezicht en dat doe ik nu ook. Ik vang een glimp op van mezelf op het televisiescherm aan de muur waarop mijn aankomst live te zien is en ik ben blij dat ik haast verveeld overkom.

Peeta Mellark daarentegen heeft duidelijk gehuild en vreemd genoeg lijkt hij geen enkele moeite te doen het te verbergen. Ik vraag me meteen af of dat zijn tactiek zal worden bij de Spelen. Om zwak en bang over te komen en zo de andere tributen ervan te overtuigen dat hij absoluut geen concurrent is, om dan opeens vechtend terug te slaan. Dat werkte een paar jaar geleden ook heel goed voor Johanna Mason, een meisje uit District 7. Dat leek zo'n bange, slome huilebalk dat niemand zich met haar bezighield, tot er nog maar een handjevol deelnemers over was. Bleek ze meedogenloos te kunnen doden. Erg slim, zoals zij het toen gespeeld heeft. Maar het lijkt een vreemde tactiek voor Peeta Mellark, omdat hij een bakkerszoon is. Door al die jaren waarin hij genoeg te eten heeft gekregen en met bakplaten vol brood heeft gezeuld, is hij sterk en breed geworden. Hij zal nog erg veel moeten janken wil hij de rest ervan kunnen overtuigen dat ze niet op hem hoeven te letten.

We moeten een paar minuten in de deuropening van de trein blijven staan terwijl de camera's gulzig onze beelden opslokken; daarna mogen we naar binnen en gaan de deuren genadig achter ons dicht. De trein begint meteen te rijden.

In eerste instantie beneemt de snelheid me de adem. Ik heb uiteraard nog nooit in een trein gezeten, aangezien het verboden is van district naar district te reizen, tenzij het officieel goedgekeurde werkzaamheden betreft. Bij ons hebben we het dan voornamelijk over steenkooltransport. Maar dit is geen gewone kolentrein. Dit is zo'n supersnel Capitoolmodel dat gemiddeld vierhonderd kilometer per uur gaat. Onze reis naar het Capitool zal nog geen dag duren.

Op school leren ze ons dat het Capitool gebouwd is op een plek die vroeger de Rocky Mountains heette. District 12 lag in een streek die de Appalachen werd genoemd, waar ze honderden jaren geleden ook al steenkool wonnen. Daarom moeten onze mijnwerkers nu zo diep graven.

Op de een of andere manier komen we op school altijd weer bij steenkool uit. Naast de grondbeginselen van lezen en rekenen gaan bijna al onze lessen over steenkool, op de wekelijkse verhandeling over de geschiedenis van Panem na. Die bestaat grotendeels uit een hoop gezwets over wat we allemaal aan het Capitool te danken hebben. Ik weet dat er meer moet zijn dan wat ze ons vertellen, zoals een feitelijk verslag over wat er tijdens de opstand precies is gebeurd. Maar ik denk er niet vaak over na. Hoe de waarheid ook in elkaar steekt, ik zie niet in hoe die me kan helpen om brood op de plank te krijgen.

De tributentrein is zelfs nog chiquer dan de kamer in het Gerechtsgebouw. We krijgen allemaal onze eigen coupés met daarin een slaapkamer, een kleedruimte en een privébadkamer met warm en koud stromend water. Thuis hebben we geen warm water, tenzij we het koken.

Er staat een ladekast vol prachtige kleren en Effie Prul zegt dat ik alles mag doen wat ik wil, alles mag dragen wat ik wil, dat alles tot mijn beschikking staat. Als ik over een uur maar klaar ben voor het diner. Ik trek mijn moeders blauwe jurk uit en neem een hete douche. Ik heb nog nooit eerder gedoucht. Het is alsof je in een zomerse regenbui staat, alleen dan warmer. Ik doe een donkergroene trui en broek aan.

Op het laatste moment denk ik aan het gouden speldje van Madge. Voor het eerst kijk ik er eens echt goed naar. Het ziet er een beetje uit alsof iemand een klein gouden vogeltje heeft gemaakt en daar vervolgens een ring omheen heeft bevestigd. De vogel zit alleen met zijn vleugelpunten aan de ring vast. Plotseling zie ik wat voor vogel het is. Een spotgaai.

Die grappige vogeltjes zijn een soort klap in het gezicht van het Capitool. Tijdens de opstand heeft het Capitool een aantal genetisch gemanipuleerde dieren gefokt die als wapens moesten dienen, ook wel *mutilanten* genoemd. Een daarvan was een vogel, een snatergaai, die in staat was hele gesprekken te onthouden en te reproduceren. Het waren mannetjesvogels die telkens terugvlogen naar waar ze vandaan kwamen, en ze werden vrijgelaten in de gebieden waarvan bekend was dat de vijanden van het Capitool zich er schuilhielden. Nadat de vogels hun woorden hadden verzameld, vlogen ze terug naar de centra waar de gesprekken werden opgenomen. Het duurde even voor men in de districten doorhad wat er gaande was, hoe de privéconversaties werden overgebracht. Maar toen schotelden de rebellen het Capitool natuurlijk een eindeloze reeks leugens voor, en kreeg men daar de deksel op de neus. Dus werden de opnamecentra gesloten en werden de vogels in de vrije natuur achtergelaten om daar dood te gaan.

Maar ze gingen niet dood. In plaats daarvan paarden de snatergaaien met vrouwelijke spotlijsters, waardoor een geheel nieuwe soort ontstond die zowel vogelgeluiden als menselijke melodieën kon imiteren. Ze waren niet meer in staat om woorden te spreken, maar konden nog steeds een heel scala aan menselijke stemgeluiden nadoen, van hoog kindergezang tot zware mannenklanken. En ze konden liedjes nazingen. Niet zomaar een paar noten, maar complete liedjes met meerdere refreinen, als je het geduld kon opbrengen om ze voor te zingen en ze je stem mooi vonden.

Mijn vader was dol op spotgaaien. Als we aan het jagen waren, floot of zong hij altijd ingewikkelde liedjes voor ze en na een beleefde stilte zongen ze altijd terug. Niet iedereen wordt met zo veel respect bejegend. Maar als mijn vader zong, hielden alle vogels in de omgeving zich stil om naar hem te kunnen luisteren. Zo mooi was zijn stem – hoog en helder en met zo veel leven erin dat je tegelijkertijd wilde lachen en huilen. Ik kon mezelf er nooit toe zetten om er in mijn eentje mee door te gaan nadat hij was overleden. Toch biedt het vogeltje een soort troost. Het is alsof ik een deel van mijn vader bij me draag dat me zal beschermen. Ik speld de broche op mijn shirt, en met de donkergroene stof als achtergrond zie ik bijna voor me hoe de spotgaai door de bomen vliegt.

Effie Prul komt me halen voor het diner. Ik loop achter haar aan door het smalle, wiebelende gangpad naar een restauratiewagon met glanzende, gelambriseerde wanden. Er staat een tafel met erg breekbaar uitziende borden erop. Peeta Mellark zit op ons te wachten; de stoel naast hem is leeg.

'Waar is Haymitch?' vraagt Effie Prul opgewekt.

'De laatste keer dat ik hem zag zei hij dat hij even een dutje ging doen,' zegt Peeta.

'Het is ook een vermoeiende dag geweest,' zegt Effie Prul. Volgens mij is ze opgelucht dat Haymitch er niet bij is – en wie kan haar dat kwalijk nemen?

Het diner wordt in verschillende gangen geserveerd. Een dikke wortelsoep, groene salade, lamskoteletten met aardappelpuree, kaas, fruit en een chocoladetaart. Tijdens het eten blijft Effie Prul ons eraan herinneren dat we nog een plekje moeten overhouden, omdat er straks nog meer komt. Maar ik prop mezelf vol, omdat ik nog nooit een maaltijd als deze heb gehad, zo lekker en zo uitgebreid, en omdat het me erg verstandig lijkt om tussen nu en de Spelen nog een paar pond aan te komen.

'Jullie hebben in elk geval fatsoenlijke manieren,' zegt Effie als we bijna klaar zijn met het hoofdgerecht. 'Het koppel van vorig jaar was net een stel wilden, ze aten alles met hun handen. Mijn spijsvertering raakte er helemaal door van slag.'

Het koppel van vorig jaar bestond uit twee kinderen uit de Laag die nog nooit ook maar één dag van hun leven genoeg te eten hadden gehad. En áls ze te eten hadden, waren tafelmanieren ongetwijfeld wel het laatste waar ze aan dachten. Peeta is een bakkerszoon. Mijn moeder heeft Prim en mij geleerd netjes te eten, dus ja, ik kan inderdaad met mes en vork overweg. Maar ik walg zo van Effies opmerking dat ik expres de rest van de maaltijd met mijn vingers eet. Daarna veeg ik mijn handen af aan het tafelkleed. Ze perst haar lippen stijf op elkaar.

Nu we uitgegeten zijn moet ik mijn best doen om alles binnen te houden. Peeta ziet ook een beetje groen. Onze magen zijn niet gewend aan zulke machtige kost. Maar als ik de ratjetoe van muizenvlees, varkensdarmen en boomschors van Sluwe Sae – haar winterspecialiteit – aankan, zal ik me hier toch zeker ook niet door laten kisten.

We gaan naar een andere coupé om naar de compilatie van alle boetes in Panem van dit jaar te kijken. Ze proberen ze over de hele dag te verspreiden, zodat iemand in theorie alles achter elkaar live zou kunnen bekijken. Maar alleen mensen in het Capitool zouden dat ook daadwerkelijk kunnen, aangezien niemand daar zelf een boete hoeft bij te wonen.

Een voor een zien we de andere boetes, de namen die omgeroepen worden, de vrijwilligers die soms, maar vaker niet, naar voren komen. We bestuderen de gezichten van de kinderen tegen wie we het zullen moeten opnemen. Een paar blijven in mijn hoofd hangen. Een enorme jongen die zich naar voren stort om zich als vrijwilliger aan te bieden in District 2. Een meisje met een sluw vossengezicht en sluik rood haar uit District 5. Een jongen met een manke voet uit District 10. Maar het meest blijft me een twaalfjarig meisje uit District 11 bij. Ze heeft een donkerbruine huid en donkere ogen, maar verder lijkt ze heel erg op Prim qua postuur en manier van doen. Maar als zíj het podium opstapt en men om vrijwilligers vraagt, hoor je alleen de wind die door de vervallen gebouwen om haar heen fluit. Niemand wil haar plaats innemen.

Als laatste laten ze District 12 zien. Hoe de naam van Prim wordt voorgelezen, hoe ik naar voren storm om me aan te bieden. Je hoort de wanhoop in mijn stem terwijl ik Prim achter me schuif, alsof ik bang ben dat niemand het zal horen en ze Prim mee zullen nemen. Maar ze horen het natuurlijk wel. Ik zie hoe Gale haar van me lostrekt en kijk hoe ik het podium opklauter. De commentatoren weten niet zo goed wat ze moeten zeggen over het feit dat het publiek weigert te klappen. Het zwijgende eerbetoon. Eentje merkt op dat District 12 altijd al een beetje achtergebleven is geweest, maar dat plaatselijke gebruiken toch ook zo hun charme kunnen hebben. Alsof het zo afgesproken is, valt Haymitch net op dat moment van het podium, en ze kreunen overdreven. De naam van Peeta wordt getrokken en hij gaat zwijgend op zijn plek staan. We schudden elkaar de hand. Er wordt weer overgeschakeld op het volkslied en het programma is afgelopen.

Effie Prul is ontstemd over de toestand waarin haar pruik verkeerde. 'Jullie mentor heeft nog een hoop te leren over presentatie. Over hoe je je op televisie hoort te gedragen.'

Peeta schiet onverwacht in de lach. 'Hij was dronken,' zegt hij. 'Hij is elk jaar dronken.'

'Elke dag,' voeg ik daaraan toe. Onwillekeurig grijns ik een beetje. Zoals Effie Prul het zegt klinkt het net alsof Haymitch gewoon wat onbehouwen manieren heeft die met een paar tips van haar kant zo gecorrigeerd kunnen worden.

'Inderdaad,' sist Effie Prul. 'Vreemd dat jullie dat zo grappig vinden. Jullie weten dat je mentor tijdens de Spelen je enige verbinding met de buitenwereld is. Degene die je advies geeft, je sponsors bij elkaar zoekt en bepaalt op welke manier je eventuele donaties krijgt. Haymitch kan voor jullie zomaar het verschil betekenen tussen leven en dood!'

Net op dat moment komt Haymitch de coupé in gewankeld. 'Heb ik het avondeten gemist?' lispelt hij met dubbele tong. Dan geeft hij over op de chique vloerbedekking en valt midden in de derrie.

'Dus lach maar!' zegt Effie Prul. Ze hupt met haar puntschoenen om de plas braaksel heen en vlucht de coupé uit.

hoofdstuk 4

Peeta en ik kijken een ogenblik toe hoe onze mentor overeind probeert te komen uit zijn glibberige, smerige maaginhoud. Mijn avondmaaltijd komt bijna omhoog door de stank van braaksel en pure alcohol. We kijken elkaar aan. Haymitch mag dan niet veel voorstellen, Effie Prul heeft wat één ding betreft gelijk: zodra we in de arena zijn, is hij alles wat we hebben. Alsof we het met elkaar hebben afgesproken, pakken Peeta en ik allebei een arm van Haymitch vast en helpen hem overeind.

'Ben ik gevallen?' vraagt Haymitch. 'Stinkt, zeg.' Hij veegt zijn hand af aan zijn neus waardoor zijn gezicht onder de kots komt te zitten.

'Kom, dan brengen we je terug naar je coupé,' zegt Peeta. 'Kunnen we je even opfrissen.'

Met veel moeite leiden we Haymitch terug naar zijn coupé. Aangezien we hem maar beter niet op de geborduurde beddensprei neer kunnen zetten, slepen we hem naar de badkuip en zetten de douche aan boven zijn hoofd. Hij merkt het nauwelijks.

'Laat maar,' zegt Peeta tegen mij. 'Ik doe het verder wel.'

Onwillekeurig voel ik iets van dankbaarheid, want het laatste waar ik zin in heb is wel om Haymitch uit te kleden, het overgeefsel uit zijn borsthaar te wassen en hem in bed te stoppen. Het zou kunnen dat Peeta een goede indruk op hem probeert te maken, zodat hij zijn lievelingetje is als de Spelen beginnen. Maar gezien de staat waarin hij momenteel verkeert, zal Haymitch zich hier morgen niet veel meer van kunnen herinneren.

'Oké,' zeg ik. 'Ik kan anders wel een van de Capitoolmensen

sturen om je te helpen.' Er lopen er ik weet niet hoeveel rond in de trein. Ze koken voor ons. Bedienen ons. Bewaken ons. Het is hun taak om voor ons te zorgen.

'Nee. Die wil ik hier niet hebben,' zegt Peeta.

Ik knik en loop terug naar mijn eigen coupé. Ik snap hoe Peeta zich voelt. Ik word zelf ook misselijk als ik de Capitoolmensen zie. Maar als je hun nu de toestand met Haymitch laat oplossen, zou je dat als een milde vorm van wraak kunnen beschouwen. En terwijl ik over de reden peins waarom hij per se voor Haymitch wil zorgen, denk ik plotseling: *hij doet het omdat hij aardig is. Net zoals hij mij het brood gaf omdat hij aardig was.*

Ik verstijf bij die gedachte. Een aardige Peeta Mellark is veel gevaarlijker voor mij dan een onaardige. Aardige mensen dringen bij me naar binnen en nestelen zich daar. En dat mag ik Peeta niet laten doen. Niet in onze situatie. Dus ik besluit dat ik vanaf dit moment zo min mogelijk met de bakkerszoon te maken wil hebben.

Als ik terugkom in mijn kamer, stopt de trein bij een station om te tanken. Ik doe gauw het raam open, gooi de koekjes die ik van Peeta's vader heb gekregen naar buiten en schuif het venster met een klap weer dicht. Zo, klaar. Ik ben klaar met hen allebei.

Helaas valt het pak koekjes midden in een bosje paardenbloemen naast het spoor, waar het openscheurt. Ik zie het maar heel even want de trein rijdt alweer, maar dat is al genoeg. Genoeg om me aan die andere paardenbloemen op het schoolplein te doen denken, jaren geleden...

Ik had me net afgewend van het bont en blauwe gezicht van Peeta Mellark toen ik de paardenbloem zag en wist dat alle hoop nog niet verloren was. Voorzichtig plukte ik de bloem en rende naar huis. Pakte een emmer en Prims hand, en ging op weg naar het Weiland, dat inderdaad vol stond met hun gouden kopjes. Nadat we die allemaal verzameld hadden, hebben we nog zeker anderhalve kilometer langs het hek gescharreld tot de emmer vol zat met paardenbloemen – de blaadjes, de steeltjes en de bloemen. Die avond hebben we ons volgepropt met paardenbloemsalade en de rest van het bakkersbrood.

'En verder?' vroeg Prim. 'Wat voor eten kunnen we nog meer zoeken?'

'Van alles,' beloofde ik haar. 'Ik moet alleen even bedenken wat het ook alweer allemaal was.'

Mijn moeder had een boek dat ze uit de apotheek had meegenomen. De bladzijden waren van oud perkament en stonden vol met inkttekeningen van planten. In nette, handgeschreven tekstblokjes stond hoe ze heetten, waar je ze kon vinden, wanneer ze bloeiden en wat hun geneeskrachtige werking was. Maar mijn vader had nog meer beschrijvingen toegevoegd. Eetbare planten in plaats van medicinale. Paardenbloemen, karmozijnbes, wilde uien, dennenappels. Prim en ik zaten de rest van de avond over de bladzijden gebogen.

De volgende dag hadden we geen school. Ik hing een tijdje rond aan de randen van het Weiland, maar uiteindelijk raapte ik de moed bij elkaar om onder het hek door te kruipen. Het was de eerste keer dat ik daar alleen was, zonder de wapens van mijn vader om me te beschermen. Maar uit een holle boom haalde ik de kleine boog en de pijlen die hij voor me gemaakt had. Die dag ging ik volgens mij niet verder dan twintig meter het bos in. Ik zat het grootste gedeelte van de tijd verscholen in de takken van een oude eik, in de hoop dat er wild langs zou komen. Na een paar uur had ik de mazzel een konijn te schieten. Ik had al eerder een paar konijnen gevangen, maar dat was onder leiding van mijn vader. Dit had ik helemaal zelf gedaan.

We hadden al maanden geen vlees meer gehad. Toen ze het konijn zag, leek er iets wakker te worden in mijn moeder. Ze stond op, vilde het beest en maakte een stoofpot van het vlees en het groen dat Prim had verzameld. Daarna leek ze een beetje in de war en ging terug naar bed, maar toen de stoofpot gaar was, zorgden we ervoor dat ze een kom vol opat.

Het bos werd onze redder, en elke dag waagde ik me iets verder in zijn armen. In het begin ging het langzaam, maar ik was vastbesloten ons te eten te geven. Ik stal eieren uit nesten, ving vissen in netten, wist soms een eekhoorn of konijn voor een stoofpot te schieten en plukte de planten die onder mijn voeten omhoogschoten. Met planten moet je uitkijken. Veel zijn eetbaar, maar één verkeerde hap en je bent dood. Ik vergeleek de planten die ik plukte uiterst nauwkeurig met de tekeningen van mijn vader. Ik hield ons in leven.

In het begin vloog ik bij elk teken van gevaar – een dierlijke kreet in de verte, een tak die op onverklaarbare wijze brak – terug naar het hek. Daarna nam ik langzaamaan het risico om in bomen te klimmen om aan de wilde honden te ontkomen, die snel verveeld raakten en verder liepen. Beren en wilde katten leefden dieper in het bos – misschien vonden ze de stank van roet die rond ons district hing onprettig.

Op 8 mei ging ik naar het Gerechtsgebouw, schreef me in voor mijn bonnen en trok mijn eerste lading graan en olie in Prims bolderkar mee naar huis. Op de achtste van elke maand mocht ik dat opnieuw doen. Maar ik kon natuurlijk niet stoppen met jagen en verzamelen. Het graan was niet voldoende om van te leven, en we moesten ook andere dingen kopen: zeep en melk en garen. Wat we niet per se hoefden te eten, begon ik in de As te verhandelen. Het was doodeng om daar zonder mijn vader naast me naar binnen te gaan, maar mensen hadden altijd respect voor hem gehad en accepteerden me. Wild bleef tenslotte wild, wie het ook geschoten had. Ik verkocht ook aan de achterdeuren van de rijkere klanten in de stad, terwijl ik me probeerde te herinneren wat mijn vader me had verteld en ook een paar nieuwe kneepjes van het vak leerde. De slager kocht wel mijn konijnen, maar geen eekhoorns. De bakker hield van eekhoornvlees maar wilde alleen handelen als zijn vrouw er niet was. Het hoofd van de vredebewakers was dol op wilde kalkoen. De burgemeester had een zwak voor aardbeien.

Op een dag aan het eind van de zomer was ik me aan het wassen toen ik de planten opmerkte die om me heen groeiden. Lang met bladeren als pijlpunten. Bloemen met drie witte blaadjes. Ik knielde in het water, groef met mijn vingers door de zachte modder en trok de wortels met handenvol tegelijk omhoog. Kleine, blauwachtige knolletjes die er niet uitzien, maar gekookt en gebakken net zo lekker zijn als aardappels. 'Kattenkruid,' zei ik hardop. De plant waar ik naar vernoemd ben. En ik hoorde mijn vaders stem geamuseerd zeggen: 'Zolang je jezelf kunt vinden, zul je nooit verhongeren.' Ik porde uren met mijn tenen en een stok in de vijverbedding en verzamelde de knolletjes die omhoogdreven. Die avond hadden we een feestmaal van vis en kattenkruidwortels tot we allemaal, voor het eerst in maanden, vol zaten.

Langzaam kwam mijn moeder weer terug in ons leven. Ze begon schoon te maken en te koken en maakte een deel van het voedsel dat ik meebracht in voor de winter. Mensen ruilden met ons of betaalden geld voor haar geneesmiddelen. Op een dag hoorde ik haar zingen.

Prim was dolgelukkig dat ze weer de oude was, maar ik bleef op mijn hoede, wachtte tot ze ons weer in de steek zou laten. Ik vertrouwde haar niet. En een klein, grimmig deel van mij haatte haar omdat ze zo zwak was geweest, ons verwaarloosd had, ons deze ellendige maanden had laten meemaken. Prim vergaf haar, maar ik had afstand genomen van mijn moeder, een muur opgetrokken om mezelf te beschermen zodat ik haar niet nodig zou hebben, en het werd nooit meer hetzelfde tussen ons.

Nu ga ik dood zonder dat dat ooit rechtgezet zal worden. Ik denk aan hoe ik vandaag in het Gerechtsgebouw tegen haar heb geschreeuwd. Maar ik heb ook gezegd dat ik van haar hield. Dus misschien maakt dat het weer goed.

Ik staar een tijdje uit het raampje van de trein en zou het graag weer open willen doen, maar ik weet niet zeker wat er bij deze snelheid dan zou gebeuren. In de verte zie ik de lichten van een ander district. Zeven? Tien? Ik weet het niet. Ik denk aan de mensen die zich nu in hun huizen klaarmaken om naar bed te gaan. Ik zie mijn huis voor me, de luiken stevig gesloten. Wat doen ze nu, mijn moeder en Prim? Hebben ze hun avondeten naar binnen kunnen krijgen? De visstoofpot en de aardbeien? Of is het onaangeroerd op hun bord blijven liggen? Hebben ze naar de herhaling van de gebeurtenissen van vandaag gekeken op de gebutste oude televisie die op de tafel tegen de muur staat? Ze hebben vast nog meer gehuild. Houdt mijn moeder zich groot, is ze sterk omwille van Prim? Of glijdt ze nu al langzaam weg en legt ze het gewicht van de wereld op de breekbare schoudertjes van mijn zusje?

Prim zal ongetwijfeld bij mijn moeder slapen vannacht. Ik put troost uit de gedachte aan die haveloze oude Boterbloem die op bed de wacht over haar zal houden. Als ze huilt, zal hij zich in haar armen wringen en zich daar opkrullen tot ze kalmeert en in slaap valt. Ik ben zo blij dat ik hem niet verdronken heb.

Ik voel me heel erg eenzaam nu ik aan thuis denk. Er is zoveel gebeurd vandaag. Hebben Gale en ik echt vanochtend nog bramen zitten eten? Het voelt als een vorig leven. Als een lange droom die in een nachtmerrie is veranderd. Als ik ga slapen word ik misschien wel weer wakker in District 12, waar ik thuishoor.

Er ligt vast een hele verzameling nachtponnen in de kledingkast, maar ik trek gewoon mijn shirt en broek uit en ga in mijn ondergoed in bed liggen. De lakens zijn gemaakt van een zachte, zijdeachtige stof. Met het dikke, wollige dekbed dat eroverheen ligt heb ik het meteen warm.

Als ik nog wil huilen, is dit het moment. Morgenochtend kan ik de schade die de tranen op mijn gezicht hebben aangericht er weer af wassen. Maar er komen geen tranen. Ik ben te moe of te verdoofd om te huilen. Het enige wat ik voel is het verlangen om ergens anders te zijn, en ik laat de trein me in slaap schommelen.

Er stroomt grijs licht door de gordijnen als ik wakker word van een tikkend geluid. Ik hoor de stem van Effie Prul die zegt dat

ik op moet staan. 'Hup, hup, hup! Het wordt een grote, grote, grote
dag vandaag!' Ik probeer me een ogenblik voor te stellen hoe het er
in het hoofd van deze vrouw aan toe moet gaan. Wat voor gedachten vullen haar dagen? Wat voor dromen heeft ze 's nachts? Ik zou
het echt niet weten.

Ik doe mijn groene kleren weer aan – ze zijn niet echt vies,
alleen een beetje gekreukeld omdat ze de hele nacht op de grond
hebben gelegen. Mijn vingers glijden over de ring om de kleine
gouden spotgaai en ik denk aan het bos, en aan mijn vader, en aan
mijn moeder en Prim die wakker worden en weer verder moeten.
Ik heb geslapen met het ingewikkelde kapsel dat mijn moeder voor
de boete had gevlochten en opgestoken en het ziet het er nog best
goed uit, dus ik laat het gewoon zo zitten. Het maakt toch niets uit.
We zullen nu wel vlak bij het Capitool zijn. En zodra we in de stad
zijn, zal mijn stylist toch bepalen hoe ik er bij de openingsceremonie vanavond uit ga zien. Ik hoop maar dat ik niet iemand krijg die
vindt dat 'naakt' het dit seizoen helemaal gaat worden.

Als ik de restauratiewagon binnenkom, loopt Effie me met
een kop zwarte koffie voorbij terwijl ze binnensmonds allerlei ver-
wensingen mompelt. Haymitch zit te grinniken met een rood en
pafferig gezicht door de uitspattingen van gisteren. Peeta heeft een
broodje in zijn hand en kijkt een beetje opgelaten.

'Ga zitten! Ga zitten!' zegt Haymitch, terwijl hij me dichterbij
wenkt. Zodra ik op mijn stoel schuif, krijg ik een enorm bord eten
geserveerd. Eieren, ham, bergen gebakken aardappels. Een terrine
fruit in ijs om het koel te houden. Van het mandje brood dat ze
voor me neerzetten zou mijn familie een week kunnen eten. Een
groot glas sinaasappelsap. (Ik ga er tenminste van uit dat het sinaasappelsap is. Ik heb nog maar één keer in mijn leven een sinaasappel geproefd, op oudejaarsavond, toen mijn vader er een gekocht
had als speciale verwennerij.) Een kop koffie. Mijn moeder is dol
op koffie, wat we ons bijna nooit kunnen veroorloven, maar ik vind
het maar bitter en waterig smaken. Een volle mok met iets don-

kerbruins wat ik nog nooit gezien heb.

'Het schijnt chocolademelk te heten,' zegt Peeta. 'Erg lekker.'

Ik neem een slokje van de hete, zoete, romige drank en er gaat een rilling door me heen. De rest van de maaltijd lonkt, maar ik laat alles staan tot mijn mok helemaal leeg is. Daarna prop ik net zoveel naar binnen als mijn maag kan verdragen, wat tamelijk veel is, hoewel ik wel een beetje oppas met de allervetste dingen. Mijn moeder zei een keer dat ik altijd eet alsof het de laatste keer is dat ik eten zie. En ik zei: 'Dat is ook zo, tenzij ik het zelf ga halen.' Ze was meteen stil.

Als mijn maag aanvoelt alsof hij elk moment kan barsten, leun ik achterover en kijk naar mijn tafelgenoten. Peeta is nog steeds aan het eten, hij breekt stukjes brood af en doopt ze in de chocolademelk. Haymitch heeft niet veel aandacht aan zijn bord besteed, maar klokt een glas rood sap naar binnen dat hij telkens verdunt met een heldere vloeistof uit een fles. Naar de scherpe geur te oordelen is het een of ander alcoholisch goedje. Ik ken Haymitch niet, maar ik heb hem vaak genoeg in de As gezien terwijl hij handenvol geld op de toonbank van de verkoopster van illegaal gestookte drank smeet. Tegen de tijd dat we bij het Capitool zijn, is hij waarschijnlijk al de weg kwijt.

Ik besef dat ik een enorme hekel heb aan Haymitch. Geen wonder dat de tributen uit District 12 nooit een schijn van kans maken. Het komt niet alleen doordat we ondervoed en ongetraind zijn. Een paar van onze tributen waren sterk genoeg om te kunnen slagen. Maar we krijgen zelden sponsors en dat ligt voor een groot gedeelte aan hem. De rijke mensen die de tributen steunen – omdat ze op hen wedden of gewoon omdat ze graag willen opscheppen dat ze de winnaar hebben gekozen – verwachten een wat eleganter persoon dan Haymitch om zaken mee te doen.

'Ik begrijp dat jij ons advies hoort te geven,' zeg ik tegen Haymitch.

'Ik zal jullie eens wat advies geven. Blijf leven,' zegt Haymitch, waarna hij in lachen uitbarst. Ik wissel een blik met Peeta voor ik me weer herinner dat ik klaar met hem was. De hardheid in zijn ogen verbaast me. Hij komt altijd zo zachtaardig over.

'Heel grappig,' zegt Peeta. Plotseling haalt hij uit naar het glas in Haymitch' hand. Het valt op de grond kapot; de bloedrode vloeistof loopt naar de achterkant van de trein. 'Maar niet voor ons.'

Haymitch denkt hier even over na en stompt Peeta dan tegen zijn kaak, waardoor Peeta van zijn stoel valt. Als hij zich omdraait om zijn alcohol te pakken, boor ik mijn mes in de tafel tussen zijn hand en de fles, waarbij ik zijn vingers ternauwernood mis. Ik zet mezelf schrap om zijn klap af te weren, maar die komt niet. In plaats daarvan leunt hij achterover en kijkt ons met samengeknepen oogjes aan.

'Wat krijgen we nou?' zegt Haymitch. 'Hebben ze me dit jaar zowaar een stel vechters gegeven?'

Peeta komt overeind en grist een handvol ijsblokjes onder de fruitterrine vandaan. Hij wil ze tegen de rode plek op zijn kaak drukken.

'Nee,' zegt Haymitch, terwijl hij zijn hand tegenhoudt. 'Laat het maar een blauwe plek worden. Het publiek zal denken dat je nog voor je in de arena bent beland met een andere tribuut hebt geknokt.'

'Dat is tegen de regels,' zegt Peeta.

'Alleen als ze je betrappen. Die blauwe plek zal zeggen dat je hebt gevochten zonder betrapt te worden, des te beter,' zegt Haymitch. Hij wendt zich tot mij. 'Kun je behalve een tafel nog iets anders raken met dat mes?'

De pijl en boog zijn mijn wapens. Maar ik heb ook heel wat tijd besteed aan messen werpen. Soms, als ik een dier met een pijl heb verwond, is het beter om er ook een mes in te gooien voor ik ernaartoe ga. Ik besef dat als ik Haymitch' aandacht wil, dit het moment is om indruk te maken. Ik ruk het mes uit het tafelblad, pak het lemmet goed beet en gooi het dan naar de wand aan de andere kant van de coupé. Ik hoopte eigenlijk dat het gewoon stevig vast zou komen te zitten, maar het blijft steken in de gleuf tussen twee schrootjes, waardoor ik veel beter overkom dan ik eigenlijk ben.

'Kom eens hier staan. Allebei,' zegt Haymitch, terwijl hij naar het midden van de coupé knikt. We gehoorzamen en hij loopt om ons heen, prikt af en toe in ons alsof we dieren zijn, bekijkt onze spieren, onderzoekt onze gezichten. 'Nou, dat ziet er nog niet eens helemaal hopeloos uit. Jullie lijken fit. En zodra de stylisten jullie onder handen hebben genomen, zijn jullie ongetwijfeld ook mooi genoeg.'

Peeta en ik spreken hem niet tegen. De Hongerspelen zijn geen schoonheidswedstrijd, maar de knapste tributen lijken altijd meer sponsors aan te trekken.

'Goed dan, ik spreek het volgende met jullie af. Jullie bemoeien je niet met mijn drankgebruik, en ik zal nuchter genoeg blijven om jullie te helpen,' zegt Haymitch. 'Maar jullie moeten precies doen wat ik zeg.'

Het is niet echt een geweldige afspraak, maar toch een gigantische sprong voorwaarts vergeleken met tien minuten geleden, toen we nog helemaal geen begeleiding hadden.

'Best,' zegt Peeta.

'Dan moet je ons wel echt helpen,' zeg ik. 'Als we de arena binnenkomen, wat is dan de beste tactiek bij de Hoorn des Overvloeds als je...'

'Eén ding tegelijk. Over een paar minuten zijn we bij het station. Daar worden jullie overgedragen aan de stylisten. Jullie zullen het niet leuk vinden wat ze met jullie gaan doen. Maar wat het ook is, je protesteert niet,' zegt Haymitch.

'Maar...' begin ik.

'Geen gemaar. Je protesteert niet,' zegt Haymitch. Hij pakt zijn fles van de tafel en loopt de coupé uit. Terwijl de deuren achter hem dichtslaan, wordt het donker binnen. Er branden nog wel een paar lampen, maar buiten lijkt het alsof het alweer nacht is geworden. Ik besef dat we waarschijnlijk in de tunnel zijn die door de bergen naar het Capitool loopt. De bergen vormen een natuurlijke afscheiding tussen het Capitool en de oostelijke districten. Het is bijna onmogelijk om vanuit het oosten binnen te komen zonder door de tunnels te gaan. Dit geografische voordeel was een van de voornaamste redenen waarom de districten de oorlog verloren, waardoor ik nu een tribuut ben. Omdat de rebellen over de bergen moesten klimmen, vormden ze een makkelijk doelwit voor de luchttroepen van het Capitool.

Peeta Mellark en ik blijven zwijgend staan terwijl de trein voortraast. De tunnel duurt eindeloos; ik denk aan de tonnen rots die mij van de lucht scheiden en mijn borstkas verkrampt. Ik vind het verschrikkelijk om op deze manier in steen gevangen te zitten. Het doet me denken aan de mijnen en mijn vader, in de val, niet in staat het zonlicht te bereiken, voor eeuwig begraven in de duisternis.

Eindelijk mindert de trein vaart en plotseling wordt de coupé overspoeld door felle lichten. We kunnen er niets aan doen, maar Peeta en ik rennen allebei naar het raam om te zien wat we tot nu toe alleen nog maar op televisie hebben gezien: het Capitool, de regeringshoofdstad van Panem. De camera's hebben niet gelogen over de grootsheid ervan. Ze hebben eerder de pracht en praal van de schitterende gebouwen die in alle kleuren van de regenboog omhoogtorenen niet volledig weten te vangen, net zomin als de vreemd uitgedoste mensen die nog nooit een maaltijd overgeslagen hebben, met hun bizarre kapsels en geverfde gezichten. De kleuren lijken nep – het roze is te fel, het groen te helder, het geel doet pijn aan de ogen, net als bij de enorme platte ronde lolly's in het kleine snoepwinkeltje in District 12 die we ons nooit kunnen veroorloven.

De mensen beginnen gretig naar ons te wijzen als ze zien dat er een tributentrein het station komt binnenrijden. Ik doe een stap bij het raam vandaan – ik walg van hun enthousiasme, in de wetenschap dat ze niet kunnen wachten om ons te zien sterven. Maar

Peeta houdt dapper stand, hij zwaait en glimlacht zelfs naar de starende menigte. Hij houdt pas op als de trein stopt bij het perron en ons aan hun zicht onttrekt.

Hij ziet dat ik naar hem kijk en haalt zijn schouders op. 'Wie zal het zeggen?' zegt hij. 'Misschien zit er wel iemand met geld tussen.'

Ik heb hem verkeerd ingeschat. Ik denk aan de dingen die hij sinds de boete heeft gedaan. Het vriendelijke kneepje in mijn hand. Zijn vader die koekjes komt brengen en belooft dat hij Prim te eten zal geven... Heeft Peeta gezegd dat hij dat moest doen? Zijn tranen op het station. Aanbieden om Haymitch te wassen, maar hem de volgende ochtend aanvallen toen bleek dat het geen nut had om de aardige jongen uit te hangen. En nu het gezwaai bij het raam – hij is nu al bezig de menigte voor zich te winnen.

De stukjes moeten nog op hun plaats vallen, maar ik voel dat hij aan een plan werkt. Hij heeft zijn dood nog niet geaccepteerd. Hij is nu al hard aan het vechten om in leven te blijven. Wat ook betekent dat de vriendelijke Peeta Mellark, de jongen die me het brood gaf, hard aan het vechten is om mij te doden.

hoofdstuk 5

Kggggg! Ik bijt op mijn kiezen terwijl Venia, een vrouw met blauw-groen haar en gouden tatoeages boven haar wenkbrauwen, een reep stof van mijn been rukt en zo het haar dat eraan vastgeplakt zit meetrekt. 'Sorry!' piept ze met dat stomme Capitoolaccent. 'Je hebt ook zo veel haar!'

Waarom klinken deze mensen zo schril? Waarom gaan hun kaken nauwelijks van elkaar als ze praten? Waarom gaan hun zinnen aan het eind omhoog alsof ze een vraag stellen? Vreemde klinkers, ingeslikte woorden en altijd gesis bij de letter s... Geen wonder dat het onmogelijk is om hen niet te imiteren.

Venia trekt een gezicht dat meelevend bedoeld is. 'Maar ik heb goed nieuws. Dit is de laatste. Klaar?' Ik grijp de randen van de tafel waar ik op zit stevig beet en knik. De laatste baan haar wordt met één pijnlijke ruk van mijn been getrokken.

Ik ben al meer dan drie uur in het Correctiecentrum en ik heb nog steeds mijn stylist niet ontmoet. Blijkbaar is hij pas in me geïnteresseerd als Venia en de andere leden van mijn voorbereidings-team korte metten hebben gemaakt met een aantal overduidelijke problemen. Zo moesten ze onder andere mijn lijf scrubben met een korrelig schuim dat niet alleen vuil maar minstens drie lagen huid heeft verwijderd, mijn nagels allemaal in dezelfde vorm vijlen en, het allerbelangrijkste, mijn hele lichaam harsen. Mijn benen, armen, romp, onderarmen en delen van mijn wenkbrauw zijn ontdaan van al het haar en nu voel ik me net een kaalgeplukte kip, klaar om gebraden te worden. Ik vind het maar niks. Mijn huid doet zeer en tintelt en voelt ontzettend kwetsbaar. Maar ik heb me aan onze afspraak met Haymitch gehouden, en er is geen bezwaar over mijn lippen gekomen.

'Je doet het heel goed,' zegt een jongen die Flavius heet. Hij schudt zijn oranje pijpenkrullen en smeert een nieuwe laag paarse lippenstift op zijn mond. 'Als we ergens een hekel aan hebben is het wel een huilebalk. Invetten maar!'

Venia en Octavia, een stevige vrouw wier hele lichaam in een lichte, geelgroene kleur is geverfd, smeren me in met een lotion die eerst prikt maar daarna mijn rauwe huid kalmeert. Vervolgens trekken ze me van de tafel en doen de dunne badjas uit die ik af en toe aan mag. Daar sta ik dan, spiernaakt, terwijl ze alle drie om me heen lopen en met hun pincetten zwaaien om de laatste haartjes weg te halen. Ik weet dat ik me opgelaten zou moeten voelen, maar ze lijken zo weinig op echte mensen dat ik me net zo ongemakkelijk voel als wanneer er drie bontgekleurde vogels rond mijn voeten zouden pikken.

Ze doen een stap achteruit en bewonderen hun werk. 'Fantastisch! Je ziet er al bijna uit als een echt mens!' zegt Flavius, en ze schieten allemaal in de lach.

Ik dwing mezelf te glimlachen om te laten zien hoe dankbaar ik ben. 'Bedankt,' zeg ik liefjes. 'In District 12 hebben we weinig reden om er leuk uit te zien.'

Ze liggen meteen aan mijn voeten. 'O, natuurlijk niet, arme meid!' zegt Octavia, terwijl ze vol medelijden haar handen in elkaar slaat.

'Maar je hoeft je geen zorgen te maken,' zegt Venia. 'Als Cinna klaar is met je, ben je beeldschoon!'

'Dat beloven we! Echt, nu al dat haar en vuil weg is ben je eigenlijk helemaal niet lelijk!' zegt Flavius bemoedigend. 'Kom, we gaan Cinna halen!'

Ze huppelen de kamer uit. Het is moeilijk om een hekel aan mijn voorbereidingsteam te hebben – het zijn zulke volslagen idioten. En toch, op een rare manier weet ik dat ze me oprecht proberen te helpen.

Ik kijk naar de koude witte muren en vloer en verzet me te-gen de neiging om mijn badjas weer aan te doen. Die Cinna, mijn stylist, zal me toch meteen opdragen hem weer uit te trekken. In plaats daarvan gaan mijn handen omhoog naar mijn kapsel, het enige deel van mijn lichaam dat het team met rust heeft gelaten. Mijn vingers glijden over de zijdezachte vlechten die mijn moeder zo zorgvuldig heeft opgestoken. Mijn moeder. Ik heb haar blauwe jurk en schoenen op de vloer van mijn coupé laten liggen en er helemaal niet meer aan gedacht ze op te halen en zo een deel van haar, van thuis te bewaren. Nu wilde ik dat ik dat wel had gedaan.

De deur gaat open en er komt een jonge man binnen – dat moet Cinna zijn. Ik ben een beetje van mijn stuk gebracht doordat hij zo gewoon is. De meeste stylisten die ze op televisie interviewen zijn zo geverfd, gesjabloneerd en chirurgisch veranderd dat ze er grotesk uitzien. Maar Cinna's kortgeschoren haar lijkt zijn natuur-lijke bruine kleur te hebben. Hij draagt een simpele zwarte trui en broek. Het enige wat hij aan zichzelf veranderd lijkt te hebben is de glanzende gouden eyeliner die met lichte hand is opgebracht. Het accentueert de gouden spikkels in zijn groene ogen. En ik kan er niets aan doen, maar ondanks mijn afkeer van het Capitool en de afschuwelijke mode hier, vind ik toch dat het hem erg aantrekkelijk staat.

'Hallo, Katniss. Ik ben Cinna, je stylist,' zegt hij met een zachte stem waar het Capitoolaccent maar licht in doorschemert.

'Hallo,' zeg ik behoedzaam.

'Mag ik heel even?' vraagt hij. Hij loopt om mijn naakte li-chaam heen; hij raakt het niet aan, maar neemt elke centimeter met zijn ogen in zich op. Ik onderdruk de neiging om mijn armen over mijn borst te slaan. 'Wie heeft je haar gedaan?'

'Mijn moeder,' zeg ik.

'Prachtig. Heel klassiek. En haast perfect in balans met je pro-fiel. Ze heeft erg handige vingers,' zegt hij.

Ik had een flamboyant figuur verwacht, een ouder iemand

die er wanhopig jonger uit probeert te zien, iemand die mij zou beschouwen als een stuk vlees dat mooi geserveerd moet worden. Cinna voldoet aan geen van die verwachtingen.

'Jij bent nieuw, hè? Volgens mij heb ik jou nog nooit gezien,' zeg ik. De meeste stylisten zijn bekende, constante factoren in de immer veranderende massa tributen. Sommige zijn er al zolang als ik leef.

'Ja, dit is mijn eerste jaar bij de Spelen,' zegt Cinna.

'En dus kreeg je District 12,' zeg ik. Nieuwkomers worden meestal met ons opgezadeld, het minst favoriete district.

'Ik heb om District 12 gevraagd,' zegt hij zonder verdere uitleg. 'Doe je badjas maar aan, dan kunnen we even praten.'

Terwijl ik mijn badjas omsla, loop ik door een deur achter hem aan naar een zitkamer. Aan weerszijden van een lage tafel staan twee rode banken. Drie muren zijn blind, de vierde is helemaal van glas en biedt zo een uitzicht over de stad. Ik zie aan het licht dat het ongeveer twaalf uur 's middags is, ook al is de zonnige hemel bewolkt geworden. Cinna vraagt me te gaan zitten en neemt zelf op de bank tegenover mij plaats. Hij drukt op een knopje aan de zijkant van de tafel. Het blad splitst zich in tweeën en er komt een extra tafelblad omhoog waar onze lunch op staat. Op een bedje van parelachtig wit graan liggen stukken kip en sinaasappel in een romige saus, piepkleine erwtjes en uien, broodjes in de vorm van bloemen, en als toetje een honingkleurige pudding.

Ik probeer mezelf voor te stellen dat ik deze maaltijd thuis bij elkaar zou moeten zien te krijgen. Kip is te duur, maar met een wilde kalkoen zou ik ook een eind komen. Ik zou een tweede kalkoen moeten schieten om te ruilen voor een sinaasappel. Geitenmelk zou de room moeten vervangen. In de tuin kunnen we erwtjes kweken. Ik zou in het bos wilde uien moeten zoeken. Het graan ken ik niet – ons eigen bonnenrantsoen wordt tijdens het koken altijd een onappetijtelijke bruine brij. Voor luxebroodjes zou ik ook weer met de bakker moeten ruilen, misschien voor twee of drie eekhoorns. En dan de pudding – ik heb geen flauw idee wat daar allemaal in zit. Dagenlang jagen en verzamelen voor deze ene maaltijd en zelfs dan zou het een slap aftreksel zijn van de Capitoolvariant.

Hoe zou het zijn, peins ik, om in een wereld te leven waar eten met één druk op de knop tevoorschijn komt? Hoe zou ik de uren doorbrengen waarin ik nu het bos uitkam op zoek naar voedsel als ik er zo makkelijk aan kon komen? Wat doen ze de hele dag, deze mensen in het Capitool, behalve hun lichamen versieren en wachten tot er een nieuwe vracht tributen wordt binnengebracht die voor hún vermaak zullen sterven?

Ik kijk op en zie dat Cinna's ogen scherp naar de mijne kijken. 'Wat zul je ons verachtelijk vinden,' zegt hij.

Kon hij dat op mijn gezicht zien staan of heeft hij op de een of andere manier mijn gedachten gelezen? Hij heeft in elk geval wel gelijk. Ik vind ze verachtelijk, het hele verdorven zooitje.

'Maakt niet uit,' zegt Cinna. 'Maar goed, Katniss, even over je kleding voor de openingsceremonie. Mijn partner Portia is de styliste van je medetribuut, Peeta. En we zijn van plan om jullie bijpassende kostuums te geven. Zoals je weet worden daar altijd de speciale kenmerken van het district in verwerkt.'

Het is de bedoeling dat je bij de openingsceremonie iets draagt wat de belangrijkste bedrijfstak van je district weergeeft. District 11, landbouw. District 4, visserij. District 3, industrie. Dat betekent dat Peeta en ik, uit District 12, een of andere mijnwerkersoutfit aan moeten. Aangezien de hobbezakkerige mijnwerkersoveralls niet erg flatteus zijn, krijgen de tributen meestal een weinig verhullend kostuum aan en een helm met voorhoofdlamp op. Eén jaar waren onze tributen spiernaakt en bedekt met een zwart poeder dat kolenstof moest voorstellen. Het is altijd even afschuwelijk en het komt onze populariteit absoluut niet ten goede. Ik bereid me voor op het ergste.

'Dus ik krijg een mijnwerkerskostuum aan?' vraag ik, en ik

hoop maar dat het niet al te obsceen zal zijn.

'Niet echt. Portia en ik vinden dat dat mijnwerkersthema al veel te vaak gebruikt is. Iedereen zal je zo weer vergeten zijn als je zoiets draagt. En we zien het allebei als onze taak om de tributen van District 12 onvergetelijk te maken,' zegt Cinna.

Dus ik moet echt in m'n blootje, denk ik.

'Dus in plaats van op het mijnwerk zelf, gaan wij ons concentreren op de steenkool,' zegt Cinna.

In m'n blootje en bedekt met zwart stof, denk ik.

'En wat doen we met kolen? Die verbranden we,' zegt Cinna. 'Je bent toch niet bang voor vuur hè, Katniss?' Hij ziet de uitdrukking op mijn gezicht en grijnst.

Een paar uur later ben ik gekleed in wat óf het sensationeelste, óf het dodelijkste kostuum in de openingsceremonie zal blijken te zijn. Ik heb een simpele zwarte catsuit aan die me van mijn enkels tot mijn nek bedekt en glanzende leren rijglaarzen tot aan mijn knieën. Maar het zijn de wapperende cape van stroken oranje, geel en rood en de bijpassende hoofdtooi die dit kostuum maken tot wat het is. Cinna wil ze net voor onze strijdwagen de straten in rijdt aansteken.

'Het is natuurlijk geen echt vuur, het zijn gewoon wat synthetische vlammen die Portia en ik hebben uitgevonden. Je zult volkomen veilig zijn,' zegt hij. Maar ik kan me niet aan de gedachte onttrekken dat ik volkomen geroosterd zal zijn tegen de tijd dat we in het stadscentrum aankomen.

Mijn gezicht is relatief licht opgemaakt, met alleen wat accenten hier en daar. Mijn haar is uitgeborsteld en hangt nu in mijn gebruikelijke vlecht op mijn rug. 'Ik wil dat het publiek je herkent als je in de arena bent,' zegt Cinna dromerig. 'Katniss, het meisje dat in vuur en vlam stond.'

Even schiet het door me heen dat achter Cinna's kalme en onopgesmukte manier van doen een compleet gestoorde gek moet schuilgaan.

Ondanks de ontdekking die ik vanochtend over Peeta's karakter heb gedaan, ben ik eerlijk gezegd opgelucht als hij binnenkomt, gekleed in eenzelfde soort kostuum. Hij heeft vast ervaring met vuur, als zoon van een bakker en zo. Zijn styliste Portia en haar team zijn bij hem, en iedereen is helemaal uitzinnig van opwinding over de spetterende indruk die we zullen maken. Behalve Cinna. Hij lijkt een beetje mat terwijl hij de felicitaties in ontvangst neemt.

We worden met gezwinde spoed van boven uit het Correctiecentrum naar de begane grond gebracht, wat in wezen een soort enorme stal is. De openingsceremonie kan elk moment beginnen. De tributen worden per stel in strijdwagens gezet die getrokken worden door vier paarden. Die van ons zijn gitzwart. De dieren zijn zo goed gedresseerd dat er zelfs niemand nodig is om de teugels vast te houden. Cinna en Portia begeleiden ons naar de strijdwagen, waar ze ons zeer zorgvuldig opstellen en onze capes heel secuur draperen voor ze weglopen om met elkaar te overleggen.

'Wat vind jij ervan?' fluister ik tegen Peeta. 'Van dat vuur?'

'Trek jij mijn cape eraf, dan doe ik de jouwe,' zegt hij met op elkaar geklemde kiezen.

'Afgesproken,' zeg ik. Als we ze snel genoeg loskrijgen, kunnen we de ergste brandwonden misschien voorkomen. Maar het is al erg genoeg. Ze zullen ons sowieso de arena in gooien, hoe we er ook aan toe zijn. 'Ik weet dat we Haymitch beloofd hebben om precies te doen wat ze zeggen, maar ik denk niet dat hij hieraan gedacht heeft.'

'Waar is Haymitch eigenlijk? Hij hoort ons toch tegen dit soort dingen te beschermen?' vraagt Peeta.

'Met al die alcohol in zijn lijf is het waarschijnlijk niet verstandig om hem in de buurt van een open vlam te laten komen,' zeg ik.

En plotseling schieten we allebei in de lach. Waarschijnlijk zijn we allebei zo zenuwachtig voor de Spelen en, iets urgenter, bang om in menselijke fakkels veranderd te worden, dat we er een beetje labiel van worden.

De openingsmuziek begint. Aangezien die door het hele Capitool schalt, is hij erg goed te horen. Enorme deuren glijden open en onthullen de volgepakte straten. De tocht duurt ongeveer twintig minuten en eindigt bij de Stadscirkel, waar men ons welkom zal heten, het volkslied zal spelen en ons naar het Trainingscentrum zal begeleiden, onze verblijfplaats/gevangenis tot de Spelen beginnen.

De tributen van District 1 rijden naar buiten in een door sneeuwwitte paarden getrokken wagen. Ze zien er ontzettend mooi uit, bespoten met zilverkleurige verf en in smaakvolle tunieken die glinsteren van de edelstenen. District 1 maakt luxeartikelen voor het Capitool. We horen het donderende gejuich van het publiek. Ze zijn altijd favoriet.

District 2 staat klaar om als volgende naar buiten te gaan. Voor ik het weet zijn we vlak bij de deur, en ik zie dat door de bewolkte lucht en het vallen van de avond het licht grijs begint te worden. De tributen van District 11 rijden net naar buiten als Cinna aan komt lopen met een brandende fakkel. 'Daar gaan we dan,' zegt hij, en voor we ook maar kunnen reageren, steekt hij onze capes in brand. Ik snak naar adem en wacht op de hitte, maar ik voel alleen een licht gekietel. Cinna klimt voor ons op de wagen en steekt onze hoofdtooien aan. Hij slaakt een zucht van opluchting. 'Ze doen het.' Dan pakt hij zachtjes met één hand mijn kin vast. 'Denk erom, hoofd omhoog. Lachen. Ze zullen jullie geweldig vinden!'

Cinna springt van de strijdwagen en er schiet hem nog één ding te binnen. Hij roept iets omhoog naar ons, maar hij wordt overstemd door de muziek. Hij roept nog een keer en gebaart iets.

'Wat zegt hij?' vraag ik aan Peeta. Ik kijk hem voor het eerst aan en besef dat hij er, in lichterlaaie door de nepvlammen, oogverblindend uitziet. En ik waarschijnlijk ook.

'Volgens mij wil hij dat we elkaars hand vasthouden,' zegt Peeta. Hij pakt mijn rechterhand met zijn linkerhand en we kijken naar Cinna ter bevestiging. Hij knikt en steekt zijn duimen omhoog, en dat is het laatste wat ik zie voor we de stad in rijden.

Als we buiten zijn verandert de aanvankelijke paniek van de menigte al snel in gejoel en kreten als 'District 12!' Alle hoofden kijken naar ons, we leiden de aandacht volledig af van de drie wagens voor ons. Eerst sta ik helemaal verstijfd, maar dan vang ik op een groot televisiescherm een glimp van ons op en zie met verbijstering hoe adembenemend we eruitzien. In de invallende schemering verlichten de vlammen onze gezichten. Door de golvende capes lijken we een spoor van vuur achter te laten. Cinna had gelijk wat de weinige make-up betrof: we zien er allebei aantrekkelijker maar volkomen herkenbaar uit.

'Denk eraan, hoofd omhoog. Lachen. Ze zullen jullie geweldig vinden!' hoor ik Cinna in mijn hoofd zeggen. Ik steek mijn kin wat hoger in de lucht, laat mijn triomfantelijkste glimlach zien en zwaai met mijn vrije hand. Nu ben ik blij dat ik me aan Peeta vast kan houden om niet om te vallen – hij staat zo stevig, rotsvast. Ik word steeds zelfverzekerder en blaas zelfs een paar kushandjes naar het publiek. De inwoners van het Capitool raken door het dolle heen, overladen ons met bloemen, schreeuwen onze namen, onze voornamen, waarvan ze kennelijk de moeite hebben genomen die in het programma op te zoeken.

De dreunende muziek, het gejuich en de bewondering kruipen bij me naar binnen en ik kan mijn opwinding niet onderdrukken. Cinna heeft me een enorme voorsprong gegeven. Niemand zal me vergeten. Mijn uiterlijk niet, mijn naam niet. Katniss. Het meisje dat in vuur en vlam stond.

Voor het eerst voel ik een sprankje hoop vanbinnen. Er zal toch vast wel één sponsor zijn die mij wil steunen? En met een beetje extra hulp, wat eten, de juiste wapens, waarom zou ik mezelf dan afschrijven voor de Spelen?

Iemand werpt me een rode roos toe. Ik vang hem, ruik er elegant aan en blaas een kushandje terug in de richting van de gever. Honderden handen schieten omhoog om mijn kus te vangen, alsof het een echt, tastbaar voorwerp is.

'Katniss! Katniss!' Ik hoor hoe mijn naam van alle kanten wordt geroepen. Iedereen wil een kus van mij.

Pas als we de Stadscirkel binnenrijden besef ik dat ik Peeta's hand helemaal fijngeknepen moet hebben. Zo stevig houd ik hem vast. Ik kijk naar onze in elkaar gevlochten vingers terwijl ik hem een beetje loslaat, maar hij pakt me meteen weer beet. 'Nee, hou me vast,' zegt hij. Het vuur laat zijn blauwe ogen schitteren. 'Alsjeblieft. Straks val ik eruit.'

'Oké,' zeg ik. Dus blijf ik hem vasthouden, maar ik vind het nog steeds een beetje vreemd dat Cinna ons op deze manier aan elkaar gekoppeld heeft. Het is niet erg eerlijk om ons als team te presenteren en ons dan in de arena op te sluiten om elkaar te vermoorden.

De twaalf strijdwagens stellen zich op rond de kring van de Stadscirkel. De rijkste inwoners van het Capitool verdringen zich rond de ramen van de gebouwen die om de Cirkel heen staan. Onze paarden trekken onze wagen recht naar de villa van president Snow, waar we stoppen. De muziek eindigt bombastisch.

De president, een kleine, magere man met spierwit haar, houdt de officiële welkomsttoespraak op een balkon boven ons. Het is traditie om tijdens de speech de gezichten van alle tributen te laten zien, maar ik zie op het scherm dat Peeta en ik onevenredig veel zendtijd krijgen. Hoe donkerder het wordt, hoe moeilijker het is om je ogen van onze flakkerende vlammen te houden. Als het volkslied wordt gespeeld, maken ze een snel rondje langs elk tributenpaar, maar al snel is de camera weer op de strijdwagen van District 12 gericht terwijl die nog één keer door de cirkel paradeert en dan in het Trainingscentrum verdwijnt.

De deuren zijn nog maar nauwelijks achter ons dicht of we worden al overspoeld door de voorbereidingsteams, die bijna onverstaanbaar zijn doordat ze hun loftuitingen allemaal door elkaar heen tateren. Als ik om me heen kijk zie ik dat veel van de andere tributen boze blikken onze kant op werpen, en dat bevestigt wat ik al vermoedde: we hebben hen letterlijk in onze schaduw gesteld. Dan komen Cinna en Portia naar ons toe om ons van de strijdwagen af te helpen en voorzichtig onze brandende capes en hoofdtooien los te maken. Portia blust ze met een soort spuitbus.

Ik merk dat ik nog steeds aan Peeta vastzit en haak mijn stijve vingers met moeite los. We masseren allebei onze handen.

'Dank je wel dat je me overeind hield. Ik stond echt een beetje te bibberen,' zegt Peeta.

'Daar merkte ik niks van,' zeg ik tegen hem. 'Ik weet zeker dat niemand het heeft gezien.'

'Ik weet zeker dat iedereen alleen maar jou heeft gezien. Je zou vaker vlammen moeten dragen,' zegt hij. 'Ze staan je goed.' En hij glimlacht zo oprecht lief naar me, met net het juiste vleugje verlegenheid, dat er een onverwachte warme gloed door me heen golft.

In mijn hoofd begint een alarmbel te rinkelen. *Doe niet zo dom. Peeta is aan het bedenken hoe hij je gaat vermoorden*, zeg ik tegen mezelf. *Hij lokt je in de val zodat je een makkelijke prooi wordt. Hoe aardiger hij is, hoe dodelijker.*

Maar omdat hij niet de enige is die het zo kan spelen, ga ik op mijn tenen staan en kus hem op zijn wang. Recht op zijn blauwe plek.

hoofdstuk 6

Het Trainingscentrum heeft een speciale toren die alleen voor de tributen en hun teams wordt gebruikt. Hier zullen we verblijven tot de Spelen echt beginnen. Elk district heeft een hele verdieping tot zijn beschikking. Je stapt gewoon in een lift en drukt op het nummer van je district. Niet erg moeilijk te onthouden.

Ik ben in het Gerechtsgebouw in District 12 al wel eens met de lift geweest. Eén keer om de erepenning op te halen toen mijn vader doodging, en gisteren om definitief afscheid te nemen van mijn vrienden en familie. Maar dat is een donker, knarsend ding dat met een slakkengang omhooggaat en naar zure melk stinkt. De wanden van deze lift zijn gemaakt van kristal, zodat je de mensen op de begane grond klein als mieren kunt zien worden terwijl je de lucht in schiet. Het geeft een enorme kick en ik zou het liefst aan Effie Prul vragen of we nog een keer op en neer kunnen, maar dat lijkt op de een of andere manier zo kinderachtig.

De taak van Effie Prul hield blijkbaar niet op bij het station. Zij en Haymitch zullen tot aan de arena toezicht over ons houden. Ergens is dat een voordeel, omdat je bij haar zeker weet dat ze ons op tijd naar de juiste plekken dirigeert, terwijl we Haymitch niet meer gezien hebben sinds hij ons in de trein beloofd heeft te helpen. Hij zal wel ergens in coma liggen. Effie Prul daarentegen gaat als een speer. Ze heeft nog nooit een team begeleid dat zo'n spetterende indruk maakte bij de openingsceremonie. Ze bejubelt niet alleen onze kostuums, maar ook de manier waarop we ons gedragen hebben. En als we haar moeten geloven, kent Effie iedereen in het Capitool die ertoe doet en heeft ze ons de hele dag opgehemeld in een poging sponsors voor ons te krijgen.

'Maar ik heb wel heel geheimzinnig moeten doen,' zegt ze met samengeknepen ogen. 'Omdat Haymitch uiteraard niet de moeite heeft genomen om me jullie strategie te vertellen. Maar ik heb mijn uiterste best gedaan met de middelen die ik had. Hoe Katniss zichzelf heeft opgeofferd voor haar zusje. Hoe jullie je allebei met succes ontworsteld hebben aan de barbaarse gewoontes van jullie district.'

Barbaarse gewoontes? Dat klinkt wel heel ironisch uit de mond van een vrouw die meehelpt ons op een slachtpartij voor te bereiden. En waar baseert ze dat succes op? Onze tafelmanieren?

'Iedereen heeft natuurlijk wel zo zijn bedenkingen. Jullie komen tenslotte uit het steenkooldistrict. Maar ik zei, en dat was heel slim van mij, ik zei: "Nou, als je maar genoeg druk uitoefent op steenkool, dan krijg je vanzelf parels!"' Effie kijkt ons zo stralend aan dat we wel gedwongen zijn om enthousiast op haar slimheid te reageren, ook al klopt er niets van.

Steenkool verandert niet in parels. Die groeien in schelpdieren. Misschien bedoelde ze dat steenkool in diamant verandert, maar dat is ook niet waar. Ik heb wel eens gehoord dat ze in District 1 een soort machine hebben die grafiet in diamanten kan veranderen. Maar we graven niet naar grafiet in District 12. Dat behoorde tot de taken van District 13, voordat dat met de grond gelijk gemaakt werd.

Ik vraag me af of de mensen bij wie ze de hele dag reclame voor ons heeft gemaakt het ook weten, en of die het ook maar iets kan schelen.

'Helaas kan ik geen sponsordeals voor jullie sluiten. Dat kan alleen Haymitch,' zegt Effie kortaf. 'Maar maak je geen zorgen, ik krijg hem wel rond de tafel, al moet ik hem onder schot houden.'

Hoewel ze op vele gebieden gebreken vertoont, heeft Effie Prul een zekere vastberadenheid die ik toch moet bewonderen.

Mijn vertrekken zijn groter dan ons hele huis bij elkaar. Het is allemaal heel luxueus, net als in de trein, maar er zijn ook zo veel technische snufjes dat ik zeker weet dat ik niet genoeg tijd zal hebben om op alle knopjes te drukken. De douche alleen al heeft een bedieningspaneel met meer dan honderd mogelijkheden waaruit je kunt kiezen – je kunt niet alleen de temperatuur van het water regelen, maar ook de waterdruk, soorten zeep, shampoos, geuren, oliën en massagesponzen. Als je uit de douche op de badmat stapt gaan er föhns aan die je lijf met warme lucht droogblazen. In plaats van met de klitten in mijn haar te worstelen, hoef ik alleen maar mijn hand op een kastje te leggen dat een elektrische stroom door mijn schedel laat lopen die mijn haar vrijwel direct ontwart, droogt en in een scheiding brengt. Het golft als een glanzend gordijn over mijn schouders.

Ik stel de kast in op een outfit naar mijn smaak. De ramen zoomen op mijn bevel in en uit op delen van de stad. Je hoeft alleen maar een bepaald gerecht van een gigantisch menu in een intercom te fluisteren en binnen een minuut staat het dampend heet voor je neus. Ik loop heen en weer door de kamer terwijl ik ganzenlever en luchtig brood eet tot er op de deur wordt geklopt. Effie zegt dat het tijd is voor het diner.

Mooi. Ik sterf van de honger.

Als we de eetkamer binnenkomen, staan Peeta, Cinna en Portia buiten op een balkon dat over het Capitool uitkijkt. Ik ben blij om de stylisten te zien, zeker als ik hoor dat Haymitch ook mee zal eten. Een maaltijd onder leiding van alleen Effie en Haymitch wordt geheid een ramp. En trouwens, het diner draait niet zozeer om het eten, het is bedoeld om onze strategie te bepalen, en Cinna en Portia hebben reeds bewezen hoe waardevol ze zijn.

Een zwijgende jongeman in een witte tuniek biedt ons allemaal hoge glazen wijn aan. Ik wil het eerst afslaan, maar ik heb nog nooit wijn gedronken, op het zelfgemaakte spul dat mijn moeder als hoestdrank gebruikt na. En wanneer zal ik ooit nog de kans krijgen om het te proeven? Ik neem een slokje van het wrange, droge vocht en denk stiekem dat het een stuk beter zou smaken met een paar lepels honing erin.

Haymitch komt binnenwandelen als het eten net wordt opgediend. Het lijkt wel alsof hij zijn eigen stylist heeft gehad, want hij is schoon en opgeknapt en nuchterder dan ik hem ooit heb gezien. Hij slaat de wijn niet af, maar als hij zich op zijn soep stort, besef ik dat dit de eerste keer is dat ik hem zie eten. Misschien zal hij zichzelf echt lang genoeg in de hand kunnen houden om ons te helpen.

De aanwezigheid van Cinna en Portia lijkt een beschavend effect te hebben op Haymitch en Effie. Ze praten nu in elk geval normaal tegen elkaar. En ze hebben allebei niets dan lof voor de openingsact van onze stylisten. Terwijl zij wat over koetjes en kalfjes keuvelen, concentreer ik me op het eten. Champignonsoep, bittere sla met tomaten zo klein als erwtjes, rode rosbief in flinterdunne plakjes, noedels in groene saus, kaas die op je tong smelt met zoete blauwe druiven erbij. De bedienden, net als de jongen die ons de wijn gaf allemaal jonge mensen in witte tunieken, lopen zonder iets te zeggen af en aan en zorgen ervoor dat de borden en glazen vol blijven.

Als ik ongeveer halverwege mijn glas wijn ben, begint mijn hoofd wazig te worden, dus ga ik over op water. Ik vind het geen prettig gevoel en ik hoop dat het snel weer overgaat. Hoe Haymitch het volhoudt om de hele dag zo rond te lopen is me een raadsel.

Ik probeer me op het gesprek te concentreren, dat nu over onze interviewkleding gaat, als een meisje een schitterende taart op tafel zet en die behendig aansteekt. Het vuur schiet omhoog en daarna blijven de vlammetjes aan de randen nog een tijdje flakkeren voor ze uiteindelijk weer doven. Ik zit te twijfelen. 'Waar brandt die taart door? Alcohol?' vraag ik, terwijl ik opkijk naar het meisje. 'Dat is wel het laatste wat ik w... O! Ik ken jou!'

Ik kan geen naam aan het meisje koppelen en ik kan me ook niet herinneren wanneer ik haar heb gezien. Maar ik weet het zeker. Het donkerrode haar, het knappe gezichtje, de porseleinen huid. Toch voel ik op het moment dat ik de woorden uitspreek mijn buik samentrekken van angst en schuld als ik naar haar kijk, en ook al kan ik er niet opkomen, ik weet dat er een akelige herinnering bij haar hoort. De doodsbange uitdrukking die nu op haar gezicht verschijnt versterkt mijn verwarring en onrust alleen maar. Ze schudt ontkennend haar hoofd en loopt snel weg van de tafel.

Als ik weer voor me kijk, zitten de vier volwassenen me als haviken aan te staren.

'Doe niet zo belachelijk, Katniss. Hoe zou je in vredesnaam een Avox kunnen kennen?' snauwt Effie. 'Het idee alleen al.'

'Wat is een Avox?' vraag ik verdwaasd.

'Iemand die een misdaad heeft gepleegd. Ze hebben haar tong afgesneden zodat ze niet kan praten,' zegt Haymitch. 'Ze is waarschijnlijk een verraadster of iets dergelijks. De kans is klein dat je haar kent.'

'En al kende je haar wel, dan hoor je nog niets tegen haar te zeggen, tenzij het een bevel is,' zegt Effie. 'Niet dat je haar kent, natuurlijk.'

Maar ik ken haar wel. En nu Haymitch het woord 'verraadster' heeft laten vallen, weet ik weer waarvan. Iedereen reageert zo afkeurend dat ik het nooit zou kunnen toegeven. 'Nee, dat zal wel niet, ik dacht alleen...' stamel ik, en de wijn maakt het alleen maar erger.

Peeta knipt met zijn vingers. 'Delly Cartwright. Die is het. Ik zat ook al de hele tijd te denken dat ze me zo bekend voorkwam. Toen besefte ik opeens dat ze als twee druppels water op Delly lijkt.'

Delly Cartwright is een dik meisje met een papperig gezicht en stroachtig haar dat ongeveer net zoveel op onze bediende lijkt als een tor op een vlinder. Ze is waarschijnlijk ook de aardigste persoon ter wereld – ze glimlacht altijd naar iedereen op school, zelfs naar mij. Ik heb het meisje met het rode haar nog nooit zien glimlachen. Maar ik ga dankbaar mee met Peeta's opmerking. 'Natuurlijk, daar deed ze me aan denken. Komt vast door het haar,' zeg ik.

'En het is ook iets met haar ogen,' zegt Peeta.

De sfeer aan tafel ontspant weer. 'Nou, ach. Als dat alles is,' zegt Cinna. 'En ja, er zit sterkedrank in de taart, maar alle alcohol is verdampt. Ik heb hem speciaal besteld ter ere van jullie vlammende entree.'

We eten de taart en kijken daarna in een zitkamer naar de herhaling van de openingsceremonie die wordt uitgezonden. Een paar andere stellen maken ook een leuke indruk, maar bij ons steken ze allemaal flets af. Zelfs nu zucht ons gezelschap 'aaaah...' als we zien hoe we uit het Trainingscentrum komen.

'Wiens idee was het elkaars hand vast te houden?' vraagt Haymitch.

'Dat had Cinna bedacht,' zegt Portia.

'Het perfecte vleugje rebellie,' zegt Haymitch. 'Heel goed.'

Rebellie? Daar moet ik even over nadenken. Maar als ik aan de andere stellen denk, die stijf naast elkaar staan, zonder de ander aan te raken of aan te kijken, alsof hun medetribuut niet bestaat, alsof de Spelen al begonnen zijn, begrijp ik wat Haymitch bedoelt. Door onszelf niet als tegenstanders maar als vrienden te presenteren, hebben we ons net zo weten te onderscheiden als met de brandende kostuums.

'Morgenochtend is de eerste trainingssessie. Ik wil jullie voor het ontbijt spreken, dan zal ik jullie precies vertellen hoe ik wil dat jullie het aanpakken,' zegt Haymitch tegen Peeta en mij. 'En nu naar bed, de grote mensen moeten praten.'

Peeta en ik lopen samen door de gang naar onze kamers. Als we bij mijn deur zijn, gaat hij tegen de deurpost aan staan; hij verspert me nog net niet de weg, maar zorgt er wel voor dat hij mijn aandacht heeft. 'Die Delly Cartwright, zeg. Dat we nou net hier haar dubbelganger tegen het lijf lopen.'

Hij vraagt om een uitleg, en ik ben geneigd hem die te geven. We weten allebei dat hij me uit de brand heeft geholpen. Dus nu sta ik alweer bij hem in het krijt. Als ik hem de waarheid over het meisje vertel, brengt dat de boel misschien weer een beetje in balans. En wat kan het nou voor kwaad? Zelfs als hij het verhaal zou doorvertellen, kan mij nog weinig gebeuren. Ik heb het alleen maar gezien. En hij heeft net zo hard over Delly Cartwright gelogen als ik.

Ik merk dat ik eigenlijk heel graag met iemand over het meisje wil praten. Iemand die me misschien kan helpen haar verhaal te ontrafelen. Gale zou mijn eerste keus zijn, maar de kans is klein dat ik Gale ooit nog zal zien. Ik probeer te bedenken of Peeta er misbruik van kan maken als ik het hem vertel, maar ik zie niet in hoe. Misschien zal hij zelfs wel denken dat ik hem als mijn vriend beschouw als ik iets vertrouwelijks met hem deel.

En bovendien word ik bang bij het idee van het meisje met haar verminkte tong. Door haar weet ik weer waarom ik hier ben. Niet om mooie kleren te showen en luxe delicatessen te eten. Maar om een bloederige dood te sterven terwijl het publiek mijn moordenaar aanmoedigt.

Vertellen of niet vertellen? Mijn hoofd voelt nog steeds een beetje sloom van de wijn. Ik staar de lege gang in alsof het besluit verderop ligt.

Peeta voelt mijn aarzeling. 'Ben je al op het dak geweest?' Ik schud mijn hoofd. 'Cinna heeft het me laten zien. Je kunt bijna over de hele stad uitkijken. Maar de wind maakt wel een hoop herrie.'

In mijn hoofd vertaal ik dat als: 'Niemand zal ons horen praten.' Je krijgt hier inderdaad het gevoel dat we misschien in de gaten worden gehouden. 'Kunnen we zomaar naar boven?'

'Tuurlijk, kom maar mee,' zegt Peeta. Ik loop achter hem aan een trap op die naar het dak leidt. Boven is een kleine, koepelvormige kamer met een deur naar buiten. Als we de koele, winderige avondlucht in stappen, doet het uitzicht me naar adem happen. Het Capitool twinkelt als een enorme wolk vuurvliegjes. In District 12 is er lang niet altijd elektriciteit; meestal hebben we maar een paar uur per dag stroom. De avonden worden vaak bij kaarslicht doorgebracht. De enige keer dat je er echt van op aan kunt is als de Spelen op televisie zijn, of een belangrijk bericht van de overheid waar je verplicht naar moet kijken. Maar hier heerst geen gebrek. Nooit.

Peeta en ik lopen naar de balustrade aan de rand van het dak. Ik kijk langs de zijkant van het gebouw naar de straat beneden, die krioelt van de mensen. Je hoort hun auto's, af en toe een kreet, en een vreemd metalen getinkel. In District 12 zouden we rond deze tijd allemaal aanstalten maken om naar bed te gaan.

'Ik vroeg aan Cinna waarom ze ons hier op het dak laten komen. Of ze niet bang waren dat sommige tributen wel eens konden besluiten om zo van de rand te springen,' zegt Peeta.

'En, wat zei hij?' vroeg ik.

'Het kan niet,' zegt Peeta. Hij steekt zijn hand naar voren in de schijnbaar lege lucht. Er klinkt een scherp gezoem en hij trekt hem weer terug. 'Je wordt door een soort elektrisch veld teruggegooid op het dak.'

'Altijd begaan met onze veiligheid,' zeg ik. Ook al heeft Cinna het dak aan Peeta laten zien, toch vraag ik me af of we hier wel mogen zijn, zo laat en alleen. Ik heb nog nooit tributen op het dak van het Trainingscentrum gezien. Maar dat wil niet zeggen dat we niet afgeluisterd worden. 'Denk je dat we gefilmd worden?'

'Misschien,' geeft hij toe. 'Kom, dan laat ik je de tuin zien.'

Aan de andere kant van de koepel hebben ze een tuin aangelegd met bloembedden en bomen in potten. Aan de takken hangen honderden windklokjes, die het getinkel verklaren dat ik hoorde. Hier in de tuin, op deze winderige avond, is dat genoeg om twee mensen te overstemmen die hun best doen niet gehoord te worden. Peeta kijkt me verwachtingsvol aan.

Ik doe alsof ik de bloesem bekijk. 'Op een dag waren we aan het jagen in het bos. We zaten verstopt, te wachten op wild,' fluister ik.

'Jij en je vader?' fluistert hij terug.

'Nee, ik en Gale, een vriend van me. Plotseling hielden alle vogels tegelijk op met fluiten. Behalve één. Alsof hij ons waarschuwde. En toen zagen we haar. Ik weet zeker dat het hetzelfde meisje was. Ze was samen met een jongen. Hun kleren hingen aan flarden. Ze hadden donkere kringen onder hun ogen van slaapgebrek. Ze renden alsof hun leven ervan afhing,' zeg ik.

Ik zwijg even, terwijl ik terugdenk aan hoe de aanblik van het vreemde stel, dat door het bos vluchtte en duidelijk niet afkomstig was uit District 12, ons verlamde. Later vroegen we ons af of we hen hadden kunnen helpen ontsnappen. Misschien wel. We hadden hen kunnen verstoppen. Als we snel gehandeld hadden. Gale en ik werden verrast, dat is waar, maar we zijn allebei jagers. We weten hoe in het nauw gedreven dieren eruitzien. We wisten direct dat die twee in moeilijkheden zaten. Maar we keken alleen maar toe.

'De hovercraft kwam uit het niets,' ga ik verder tegen Peeta. 'Ik bedoel, het ene moment was de hemel nog leeg en het volgende was hij er opeens. Hij maakte geen geluid, maar ze zagen hem wel. Er viel een net over het meisje en ze werd omhooggehesen, heel snel, zo snel als de lift hier. Ze schoten een soort speer door de jongen heen. Die speer zat vast aan een kabel en zo haalden ze hem ook op. Maar ik weet zeker dat hij dood was. We hoorden het meisje één keer schreeuwen. De naam van de jongen, denk ik. Toen was hij weg, de hovercraft. Spoorloos verdwenen. En de vogels begonnen weer te fluiten, alsof er niets gebeurd was.'

'Hebben ze jullie gezien?' vroeg Peeta.

'Dat weet ik niet. We zaten onder een rotsrichel,' antwoord ik. Maar ik weet het wel. Er was een moment, na de vogelroep maar voor de hovercraft, waarop het meisje ons heeft gezien. Ze had me strak aangekeken en om hulp geroepen. Maar Gale en ik hadden allebei niet gereageerd.

'Je staat te bibberen,' zegt Peeta.

De wind en het verhaal hebben alle warmte uit mijn lichaam

geblazen. Die gil van het meisje. Is dat haar laatste geweest?

Peeta trekt zijn jas uit en slaat hem om mijn schouders. Ik wil een stap achteruit doen, maar laat hem dan begaan en besluit om op dit moment zowel zijn jas als zijn vriendelijkheid te accepteren. Dat zou een vriendin toch doen?

'Kwamen ze hiervandaan?' vraagt hij, terwijl hij een knoopje bij mijn nek vastmaakt.

Ik knik. Ze hadden zo'n Capitoolachtig uiterlijk. Zowel het meisje als de jongen.

'Waar gingen ze heen, denk je?' vraagt hij.

'Ik heb geen idee,' zeg ik. District 12 is eigenlijk wel het eindpunt. Achter ons ligt alleen maar wildernis, als je de overblijfselen van District 13, die nog steeds nasmeulen van de gifgassen, tenminste niet meerekent. Ze laten ze af en toe op televisie zien, om ons even aan de oorlog te helpen herinneren. 'En ook niet waarom ze hier weg zouden willen.' Haymitch zei dat de Avox verraders waren. Wie of wat hebben ze verraden? Dat kan alleen maar het Capitool zijn. Maar ze hadden hier alles. Geen reden om in opstand te komen.

'Ík zou hier weggaan,' flapt Peeta eruit. Dan kijkt hij zenuwachtig om zich heen. Het was hard genoeg om boven de windklokjes uit te komen. Hij lacht. 'Ik zou meteen naar huis gaan als het zou kunnen. Maar geef toe, het eten is superlekker.'

Hij heeft zichzelf weer ingedekt. Door die laatste zinnen klinkt hij gewoon als een bange tribuut, niet als iemand die aan de onbetwistbare goedheid van het Capitool twijfelt.

'Het wordt fris. Laten we maar naar binnen gaan,' zegt hij. Binnen in de koepel is het warm en licht. Zijn toon klinkt luchtig. 'Die vriend Gale van je. Is dat degene die je zusje meenam bij de boete?'

'Ja. Ken je hem?' vraag ik.

'Niet echt. Ik hoor de meisjes vaak over hem praten. Ik dacht dat hij je neef was of zo. Jullie lijken op elkaar,' zegt hij.

'Nee, we zijn geen familie,' zeg ik.

Peeta knikt, zijn gezicht staat ondoorgrondelijk. 'Is hij langsgekomen om afscheid van je te nemen?'

'Ja,' zeg ik, terwijl ik hem nauwlettend in de gaten houd. 'Net als je vader. Die had koekjes voor me meegenomen.'

Peeta trekt zijn wenkbrauwen op alsof hij dat voor het eerst hoort. Maar nadat ik hem zo gladjes heb zien liegen, hecht ik daar niet al te veel waarde aan. 'Echt waar? Tja, hij mag jou en je zusje heel graag. Volgens mij had hij liever een dochter gehad in plaats van een huis vol jongens.'

Het idee dat er wellicht ooit over mij gepraat is bij Peeta thuis, aan tafel, bij de bakkersoven, of gewoon in het voorbijgaan, overdondert me. Dat moet dan geweest zijn als zijn moeder de kamer uit was.

'Hij kende je moeder toen ze klein waren,' zegt Peeta.

Nog een verrassing. Maar waarschijnlijk wel waar. 'O, ja. Ze is opgegroeid in de stad,' zeg ik. Het lijkt onbeleefd om te zeggen dat ze nog nooit iets over de bakker heeft gezegd, behalve om zijn brood te prijzen.

We zijn bij mijn kamer. Ik geef hem zijn jas terug. 'Tot morgen dan maar.'

'Tot morgen,' zegt hij en hij loopt weg door de gang.

Als ik mijn deur opendoe, raapt het roodharige meisje net mijn catsuit en laarzen van de grond, waar ik ze voor ik ging douchen heb laten liggen. Ik wil me verontschuldigen omdat ik haar daarstraks misschien in de problemen heb gebracht. Dan herinner ik me dat ik alleen tegen haar mag praten als ik haar een bevel geef.

'O, sorry,' zeg ik. 'Die had ik eigenlijk terug moeten brengen naar Cinna. Het spijt me. Wil jij ze aan hem geven?'

Ze ontwijkt mijn ogen, geeft me een kort knikje en loopt vlug de kamer uit.

Ik wilde eigenlijk zeggen dat ik spijt heb van wat er tijdens het diner is gebeurd. Maar ik weet dat mijn verontschuldiging veel dieper gaat. Dat ik me schaam omdat ik niet geprobeerd heb haar te helpen in het bos. Dat ik het Capitool de jongen heb laten vermoorden en haar heb laten verminken zonder een vinger uit te steken.

Net alsof ik naar de Spelen zat te kijken.

Ik schop mijn schoenen uit en stap met mijn kleren aan onder de dekens. Ik bibber nog steeds. Misschien weet het meisje niet eens meer wie ik ben. Maar ik weet zeker van wel. Het gezicht van de persoon die je laatste hoop was vergeet je niet. Ik trek de deken over mijn hoofd alsof die me zal beschermen tegen het roodharige meisje dat niet kan praten. Maar ik voel haar ogen naar me staren, ze boren door muren en deuren en beddengoed.

Ik vraag me af of ze me met plezier zal zien sterven.

hoofdstuk 7

Mijn slaap is gevuld met nare dromen. Het gezicht van het roodharige meisje vermengt zich met bloederige beelden uit eerdere
Hongerspelen, met mijn teruggetrokken en onbereikbare moeder,
met een uitgemergelde en doodsbange Prim. Schreeuwend dat
mijn vader weg moet rennen terwijl de mijn in miljoenen stukjes
dodelijk licht explodeert, schiet ik overeind.

Door de ramen breekt de dageraad aan. Het Capitool is gehuld
in een spookachtige, mistige sfeer. Mijn hoofd doet pijn en ik heb
vannacht blijkbaar op de binnenkant van mijn wang gebeten. Mijn
tong tast rond in het rafelige vlees en ik proef bloed.

Langzaam sleur ik mezelf mijn bed uit, de douche in. Ik druk
willekeurig wat knopjes van het bedieningspaneel in en spring vervolgens van de ene voet op de andere in het rond terwijl ik beurte-
lings door stralen ijskoud en kokendheet water word aangevallen.
Daarna word ik overladen met een citroenachtig schuim dat ik er
met een spijkerharde borstel af moet schrapen. Ach ja. Mijn bloed
stroomt in elk geval weer.

Als ik droog ben en ingesmeerd met crème, zie ik aan de deur
van de kast mijn nieuwe outfit hangen. Een strakke zwarte broek,
een bordeauxrode tuniek met lange mouwen en leren schoenen.
Ik laat mijn haar weer in een vlecht op mijn rug vallen. Dit is voor
het eerst sinds de ochtend van de boete dat ik weer op mezelf lijk.
Geen ingewikkeld gedoe met mijn haar en kleren, geen brandende
capes. Gewoon mezelf. Ik zie eruit alsof ik op weg zou kunnen zijn
naar het bos. Ik word er rustig van.

Haymitch heeft niet gezegd hoe laat we precies voor het ontbijt
naar hem toe moesten komen en er heeft vanochtend niemand
contact met me opgenomen, maar ik heb honger, dus ga ik naar
de eetzaal in de hoop dat er voedsel zal zijn. Ik word niet teleurge-

steld. De tafel zelf is leeg, maar langs de muur staat een buffet met wel twintig gerechten erop. Een jonge man, een Avox, staat bij het banket op wacht. Als ik vraag of ik zelf mag opscheppen, knikt hij bevestigend. Ik laad een bord vol met eieren, worstjes, pannenkoekjes met een dikke laag marmelade en schijven lichtrode meloen. Terwijl ik mezelf volprop, kijk ik hoe de zon opkomt boven het Capitool. Ik neem nog een tweede bord met warme graankorrels en rundvleesragout. Ten slotte pak ik nog een stapel broodjes en ga weer aan tafel zitten terwijl ik er stukjes van afbreek en in de chocolademelk doop, net zoals Peeta in de trein deed.

Mijn gedachten dwalen af naar mijn moeder en Prim. Ze zijn vast al wakker. Mijn moeder die hun ontbijt van maïsmeelpap klaarmaakt. Prim die haar geit melkt voor ze naar school gaat. Nog maar twee ochtenden geleden was ik ook thuis. Is dat echt zo? Ja, twee nog maar. En wat voelt het huis nu leeg, zelfs van deze afstand. Wat hebben ze gisteravond gezegd over mijn vlammende entree op de Spelen? Heeft het hun hoop gegeven, of heeft het hun angst alleen maar vergroot toen ze met hun neus op de vierentwintig tributen werden gedrukt die daar in een kring bij elkaar stonden, in de wetenschap dat er maar één kon overleven?

Haymitch en Peeta komen binnen, wensen me goedemorgen, scheppen hun bord vol. Het irriteert me dat Peeta precies dezelfde kleren draagt als ik. Daar moet ik het echt met Cinna over hebben. Die tweelingact brengt ons alleen maar in een lastig parket als de Spelen beginnen. Dat weten zij toch ook wel? Dan moet ik opeens weer denken aan Haymitch die zei dat ik precies moest doen wat de stylisten willen. Als het Cinna niet was geweest, had ik dat bevel misschien nog in de wind geslagen. Maar na de triomf van gisteravond heb ik niet echt een gegronde reden om zijn keuzes te bekritiseren.

Ik ben zenuwachtig voor de training. Drie dagen lang zullen alle tributen gezamenlijk oefenen. De laatste middag krijgen we allemaal de kans om zonder anderen onze kunsten aan de Spelmakers te vertonen. Ik krijg buikpijn bij het idee dat we de andere tributen persoonlijk zullen ontmoeten. Ik draai het broodje dat ik net uit het mandje heb gepakt om en om in mijn handen, maar ik heb geen trek meer.

Als Haymitch meerdere porties stoofpot achter zijn kiezen heeft, duwt hij met een zucht zijn bord van zich af. Hij haalt een flacon uit zijn zak, neemt een grote slok en leunt met zijn ellebogen op tafel. 'Zo, ter zake. Training. Allereerst: als jullie willen, kan ik jullie afzonderlijk coachen. Nu beslissen.'

'Waarom zou je ons afzonderlijk coachen?' vraag ik.

'Stel dat je stiekem ergens heel goed in bent en je wilt niet dat de ander dat weet,' zegt Haymitch.

Peeta en ik kijken elkaar aan. 'Ik ben niet stiekem ergens heel goed in,' zegt hij. 'En ik weet al wat jouw geheime wapen is, toch? Ik heb genoeg eekhoorns van je gegeten, om het zo maar te zeggen.'

Ik heb er nooit over nagedacht dat Peeta de eekhoorns heeft gegeten die ik had geschoten. Ik stelde me altijd voor dat de bakker er stilletjes mee vandoor ging en ze voor zichzelf braadde. Niet uit gulzigheid, maar omdat de gezinnen in de stad meestal kostbaar slagersvlees eten. Rundvlees en kip en paardenvlees.

'Coach ons maar gewoon samen,' zeg ik tegen Haymitch. Peeta knikt.

'Goed dan, vertel maar eens wat jullie allemaal kunnen,' zegt Haymitch.

'Ik kan helemaal niets,' zegt Peeta. 'Tenzij broodbakken meetelt.'

'Nee, helaas. Katniss. Ik weet al dat je met een mes overweg kunt,' zegt Haymitch.

'Niet echt, hoor. Maar ik kan wel jagen,' zeg ik. 'Met pijl en boog.'

'En ben je daar goed in?' vraagt Haymitch.

Daar moet ik over nadenken. Ik zorg er al vier jaar voor dat er eten op tafel komt. Dat is geen geringe taak. Mijn vader was beter dan ik ben, maar hij had meer ervaring. Ik kan beter mikken dan Gale, maar ik heb dan ook meer ervaring dan hij. Gale is weer onovertroffen met vallen en strikken. 'Redelijk,' zeg ik.

'Ze is fantastisch,' zegt Peeta. 'Mijn vader koopt haar eekhoorns. Dan zegt hij altijd dat de pijlen nooit door het lijf gaan. Ze raakt ze allemaal in het oog. Net als de konijnen die ze aan de slager verkoopt. Ze kan zelfs herten neerschieten.'

Ik ben met stomheid geslagen door de manier waarop Peeta over mijn jachttechnieken praat. Ten eerste dat het hem ooit is opgevallen. Ten tweede dat hij me zo ophemelt. 'Waar ben je mee bezig?' vraag ik achterdochtig.

'Waar ik mee bezig ben? Als hij je wil helpen, moet hij wel weten wat je kunt. Je moet jezelf niet onderschatten,' zegt Peeta.

Om de een of andere reden schiet dit me in het verkeerde keelgat. 'En jij dan? Ik heb je gezien op de markt. Jij tilt zo een zak meel van vijfenveertig kilo op,' snauw ik hem toe. 'Zeg dat maar tegen hem. Dat is niet niets.'

'Ja, en ik weet zeker dat de arena straks vol ligt met zakken meel die ik naar mensen kan gooien. Het is niet hetzelfde als met een wapen om kunnen gaan. Dat weet jij ook wel,' werpt hij terug.

'Hij kan worstelen,' zeg ik tegen Haymitch. 'Hij is vorig jaar tweede geworden bij de schoolkampioenschappen, net achter zijn broer.'

'Wat heb ik daar nou aan? Heb jij ooit iemand zijn tegenstander dood zien worstelen?' vraagt Peeta vol afgrijzen.

'Er wordt ook altijd man tegen man gevochten. Je hoeft alleen maar ergens een mes vandaan zien te halen, dan maak je in elk geval een kans. Als ik verrast word, ben ik er geweest!' Ik hoor hoe mijn stem omhoogschiet van kwaadheid.

'Maar dat word je niet! Jij gaat ergens in een boom rauwe eekhoorns zitten eten terwijl je iedereen om de beurt met een pijl omlegt. Weet je wat mijn moeder tegen me zei toen ze afscheid van me kwam nemen? Ik dacht dat ze me wilde opbeuren, want ze zei dat District 12 misschien eindelijk een winnaar zou hebben. Toen besefte ik dat ze het niet over mij had, maar over jou!' barst Peeta uit.

'Welnee, ze bedoelde jou,' zeg ik met een wegwerpgebaar.

'Ze zei: "Ze is een taaie, dat kind." Zé,' zegt Peeta.

Ik sta met mijn mond vol tanden. Heeft zijn moeder dat echt over mij gezegd? Schat ze mij hoger in dan haar zoon? Ik zie de pijn in Peeta's ogen en weet dat hij niet liegt.

Plotseling ben ik weer achter de bakkerij; ik voel de ijzige regen over mijn rug stromen, het gapende gat in mijn maag. Ik klink elf jaar oud als ik mijn mond opendoe. 'Maar alleen omdat iemand me heeft geholpen.'

Peeta's ogen schieten even naar het broodje in mijn handen en ik weet dat hij ook aan die dag moet denken. Maar hij haalt slechts zijn schouders op. 'Jij wordt in de arena heus wel geholpen door mensen. Ze zullen elkaar verdringen om je te mogen sponsoren.'

'Dat geldt net zo goed voor jou,' zeg ik.

Peeta rolt met zijn ogen naar Haymitch. 'Ze heeft geen flauw benul. Van de indruk die ze kan maken.' Hij glijdt met zijn vingernagel over een houtnerf in de tafel en weigert me aan te kijken.

Waar heeft hij het in vredesnaam over? Mensen die mij helpen? Toen we doodgingen van de honger werd ik door niemand geholpen! Door niemand, behalve door Peeta. Toen ik eenmaal iets te ruilen had, werd het anders. Ik ben een harde onderhandelaar. Toch? Welke indruk maak ik? Dat ik zwak en hulpbehoevend ben? Probeert hij te zeggen dat ik goede zaken deed omdat mensen medelijden met me hadden? Ik probeer te bedenken of dat waar is. Misschien waren sommige handelaren af en toe iets te royaal, maar ik heb dat altijd toegeschreven aan het feit dat ze mijn vader al zo lang kenden. En bovendien lever ik eersteklas wild. Niemand had medelijden met me!

Ik kijk boos naar het broodje, in de volle overtuiging dat hij het beledigend bedoelde.

Na een tijdje zegt Haymitch: 'Zo, goed. Zo, zo, zo. Katniss, het is absoluut niet zeker dat er pijlen en bogen in de arena zullen zijn, maar tijdens je privésessie met de Spelmakers moet je laten zien wat je kunt. Tot die tijd blijf je uit de buurt van alles wat met boogschieten te maken heeft. Ben je goed in vallen zetten?'

'Ik ken een paar basisstrikken,' mompel ik.

'Dat kan van betekenis zijn als het op eten aankomt,' zegt Haymitch. 'En Peeta, ze heeft gelijk, in de arena is het wel degelijk van belang of je sterk bent. Heel vaak maakt fysieke kracht net het verschil voor een deelnemer. In het Trainingscentrum hebben ze ook gewichten, maar je moet niet laten zien hoeveel je kunt tillen waar de andere tributen bij zijn. Het plan is voor jullie allebei hetzelfde. Jullie gaan naar de groepstraining. Gebruik die tijd om iets te leren wat je nog niet kunt. Speerwerpen. Knuppelzwaaien. Een degelijke knoop leggen. Pas bij je privésessie laat je zien waar je echt goed in bent. Ben ik duidelijk?' vraagt Haymitch.

Peeta en ik knikken.

'Nog één ding. Ik wil dat jullie in het openbaar geen minuut van elkaars zijde wijken,' zegt Haymitch. We beginnen allebei te protesteren, maar Haymitch slaat met zijn vlakke hand op de tafel. 'Geen minuut! Hier wordt niet over gediscussieerd! Jullie zouden doen wat ik zei! Jullie doen alles samen en je doet alsof je elkaar aardig vindt. En nu wegwezen. Om tien uur staat Effie bij de lift om jullie naar de training te brengen.'

Ik bijt op mijn lip, stamp terug naar mijn kamer en sla zo hard met mijn deur dat Peeta het wel moet horen. Ik ga op bed zitten en ik haat Haymitch, ik haat Peeta, ik haat mezelf omdat ik over die dag lang geleden in de regen ben begonnen.

Wat een grap! Peeta en ik die net doen alsof we vrienden zijn! Die elkaars sterke punten ophemelen en erop staan dat de ander zijn eigen kunnen niet wegwuift. Want in werkelijkheid moeten we daar op een gegeven moment toch echt mee ophouden en accepteren dat we keiharde tegenstanders zijn. En ik zou bereid zijn om daar nu mee te beginnen als Haymitch ons niet die stomme opdracht had gegeven om tijdens de training bij elkaar te blijven. Het is mijn eigen schuld, denk ik, omdat ik gezegd heb dat hij ons niet afzonderlijk hoefde te coachen. Maar daar bedoelde ik niet mee dat ik alles samen met Peeta wilde doen. Die overigens duidelijk ook niet staat te springen om een team met mij te vormen.

Ik hoor Peeta's stem in mijn hoofd. 'Ze heeft geen flauw benul. Van de indruk die ze kan maken.' Duidelijk denigrerend bedoeld. Toch? Maar een piepklein stemmetje in mijn hoofd vraagt zich af of het misschien een compliment was. Dat hij bedoelde dat ik op een bepaalde manier aantrekkelijk ben. Het is bizar dat hem zo veel dingen aan mij zijn opgevallen. Dat hij zoveel over mijn jachtkunsten weet, bijvoorbeeld. En blijkbaar heb ik ook beter op hem gelet dan ik dacht. Het meel. Het worstelen. Ik heb de jongen met het brood goed in de gaten gehouden.

Het is bijna tien uur. Ik poets mijn tanden en vlecht mijn haar nog een keer strak naar achteren. Door de boosheid waren mijn zenuwen om de andere tributen te ontmoeten even naar de achtergrond gedrukt, maar nu voel ik de angst weer opborrelen. Als ik naar Effie en Peeta loop, die bij de lift staan, merk ik dat ik op mijn nagels bijt. Ik houd er meteen mee op.

De trainingszalen liggen onder de begane grond van ons gebouw. Met deze liften ben je er binnen een minuut. De deuren gaan open naar een gigantische sportzaal vol verschillende soorten wapens en hindernisbanen. Hoewel het nog niet eens tien uur is, zijn wij de laatsten die binnenkomen. De andere tributen staan in een dichte kring bij elkaar. Ze hebben allemaal een vierkante lap stof met hun districtnummer op hun shirt gespeld. Terwijl iemand het nummer '12' op mijn rug speldt, werp ik een snelle blik op de rest. Peeta en ik zijn de enigen met dezelfde kleding aan.

Zodra we in de kring gaan staan, komt de hoofdtrainster, een lange, atletische vrouw die Atala heet, naar voren om het trainingsschema uit te leggen. Op vaste plekken bevinden zich allerlei specialisten op verschillende gebieden. We zijn vrij om van onderdeel naar onderdeel te gaan aan de hand van de instructies van onze mentor. Bij sommige onderdelen worden overlevingstechnieken gegeven, bij andere vechtsporten. Het is verboden om met een andere tribuut vechtoefeningen te doen, van welke aard dan ook. Er zijn assistenten aanwezig voor als we met een partner willen trainen.

Als Atala de lijst met onderdelen begint op te lezen, schieten mijn ogen onwillekeurig langs de andere tributen. Het is voor het eerst dat we allemaal bij elkaar zijn, op neutraal terrein, in gewone kleren. De moed zakt me in de schoenen. Bijna alle jongens en minstens de helft van de meisjes zijn groter dan ik, ook al hebben veel van de tributen nooit behoorlijk te eten gekregen. Je ziet het aan hun botten, hun huid, de holle blik in hun ogen. Ik mag dan kleiner van stuk zijn, maar alles bij elkaar heeft de vindingrijkheid van mijn familie me op dat gebied een voorsprong gegeven. Ik sta rechtop en ik ben sterk, ook al ben ik mager. Het vlees en de planten uit het bos hebben me, samen met de inspanning die het altijd heeft gekost om ze te vinden, een gezonder lijf gegeven dan de meeste mensen hier om me heen.

De uitzonderingen zijn de jongeren uit de rijkere districten, de vrijwilligers, degenen die hun hele leven gevoed en getraind zijn voor dit moment. De tributen uit 1, 2 en 4 zien er traditiegetrouw zo uit. Het is officieel tegen de regels om tributen te trainen voor ze in het Capitool aankomen, maar het gebeurt elk jaar weer. In District 12 noemen we hen de Beroepstributen, of gewoon de Beroeps. En de kans is groot dat een van hen de winnaar zal worden.

De lichte voorsprong die ik had toen ik het Trainingscentrum binnenkwam, mijn vlammende entree van gisteravond, lijkt in de aanwezigheid van mijn tegenstanders als sneeuw voor de zon te verdwijnen. De andere tributen waren jaloers op ons, maar niet omdat wíj zo geweldig waren – omdat onze stylisten dat waren. Nu zie ik niets dan minachting in de ogen van de Beroepstributen. Ze moeten elk twintig tot vijftig kilo zwaarder zijn dan ik. Ze stralen een en al arrogantie en wreedheid uit. Als Atala zegt dat we aan de slag kunnen, lopen ze rechtstreeks naar de dodelijkst uitziende wapens in de zaal, die ze zonder enige moeite hanteren.

Ik sta net te bedenken dat ik mazzel heb dat ik zo snel kan rennen als Peeta mijn arm aanstoot – ik schrik me rot. Hij staat nog steeds naast me, geheel volgens de instructies van Haymitch, en kijkt me ernstig aan. 'Waar wil je beginnen?'

Ik kijk om me heen naar de Beroepstributen die zich staan uit te sloven en overduidelijk hun best doen de andere deelnemers te intimideren. Dan kijk ik naar de anderen, ondervoed en onhandig, die bibberig hun eerste les krijgen met een mes of een bijl.

'We kunnen wel wat knopen gaan leggen,' zeg ik.

'Helemaal mee eens,' zegt Peeta. We steken over naar een lege werkplek met een leraar die erg blij lijkt dat hij een paar leerlingen krijgt. Ik heb zo het idee dat de knopenklas niet de drukst bezochte plek van de Hongerspelen is. Als hij doorheeft dat ik iets van strikken weet, laat hij ons een eenvoudige, zeer goed werkende val zien waardoor iemand aan één been aan een boom komt te bungelen. We concentreren ons een uur lang op deze techniek en hebben hem dan allebei onder de knie. Dan gaan we door naar camouflage. Peeta lijkt dit onderdeel oprecht leuk te vinden; hij smeert een mengsel van modder en klei en bessensap uit op zijn bleke huid en vlecht dekmantels van klimplanten en bladeren. De leraar van het camouflageonderdeel is laaiend enthousiast over zijn kunnen.

'Ik doe de taarten,' bekent Peeta aan mij.

'De taarten?' vraag ik. Mijn aandacht werd net even volledig in beslag genomen door de jongen uit District 2, die van dertien meter afstand zijn speer door het hart van een oefenpop werpt. 'Welke taarten?'

'Thuis. De geglaceerde, voor de bakkerij,' zegt hij.

Hij bedoelt de taarten die in de etalage staan te pronken. Kunststukjes met bloemen en mooie dingen die er met glazuur op zijn geschilderd. Ze zijn voor verjaardagen en nieuwjaarsdag. Als we op het plein zijn, sleurt Prim me altijd mee om ze te bewonderen, hoewel we er nooit een zouden kunnen betalen. Maar er is al zo weinig moois in District 12, dus ik kan haar dat ene pleziertje moeilijk ontzeggen.

Ik kijk nog eens wat scherper naar de schildering op Peeta's arm. Het afwisselende patroon van donker en licht lijkt op zonlicht dat door de bladeren in het bos valt. Ik vraag me af hoe hij dat weet, want ik betwijfel of hij ooit voorbij het hek is geweest. Heeft hij dit puur door die verwaarloosde appelboom in zijn achtertuin weten op te pikken? Op de een of andere manier irriteert dit hele gedoe me mateloos – zijn schutkleurkunsten, die onbereikbare taarten, de loftuitingen van de camouflage-expert.

'Fantastisch. Jammer dat je iemand niet dood kunt glazuren,' zeg ik.

'Doe nou maar niet zo laatdunkend. Je weet nooit wat je in de arena tegenkomt. Stel nou dat het een gigantische taart is...' begint Peeta.

'Stel nou dat we eens verdergingen,' onderbreek ik hem.

En zo gaan de drie daaropvolgende dagen voorbij, terwijl Peeta en ik stilletjes van onderdeel naar onderdeel gaan. We leren wel degelijk een paar waardevolle dingen, van vuur maken tot messen werpen en schuilplaatsen bouwen. Ondanks Haymitch' opdracht om niet te goed over te komen, blinkt Peeta uit in de gevechten van man tot man, en ik draai mijn hand niet om voor de eetbareplantentest. Maar we blijven uit de buurt van het boogschieten en gewichtheffen, omdat we dat voor onze privésessies willen bewaren.

De Spelmakers zijn aan het begin van de eerste dag gekomen. Een stuk of twintig mannen en vrouwen in dieppaarse gewaden. Ze zitten op de hoge tribunes die de sportzaal omringen, lopen soms rond om naar ons te kijken, maken aantekeningen, of eten bij het eindeloze buffet dat voor hen is neergezet, waarbij ze de tributen negeren. Maar ze lijken Peeta en mij goed in de gaten te houden. Ik heb al een paar keer opgekeken en een van hun starende blikken opgevangen. Tijdens het eten overleggen ze ook met de trainers. Als we terugkomen zien we hen altijd allemaal bij elkaar zitten.

Het ontbijt en het avondeten worden op onze eigen verdieping geserveerd, maar de lunch eten we alle vierentwintig tegelijk in een eetzaal naast de sportruimte. Het eten staat verspreid op wagentjes door de zaal en je mag zelf opscheppen. De Beroepstributen gaan meestal luidruchtig bij elkaar aan één tafel zitten, alsof ze zo hun superioriteit willen bevestigen, willen laten zien dat ze niet bang zijn voor elkaar en dat de rest van ons hun aandacht niet waard is. De meeste andere tributen zitten alleen, als verloren schaapjes. Niemand zegt iets tegen Peeta en mij. Wij eten samen, en aangezien Haymitch er de hele tijd op blijft hameren, proberen we ondertussen ook een vriendelijk gesprek te voeren.

Het valt niet mee om een onderwerp te vinden. Over thuis praten is pijnlijk. Over het nu praten is ondraaglijk. Op een gegeven moment kiepert Peeta ons broodmandje om en merkt op dat ze er naast het verfijnde brood uit het Capitool heel attent allerlei soorten brood uit de verschillende districten in hebben gestopt. De boterhammen in de vorm van een vis, groenig van het zeewier, uit District 4. Het halvemaansbrood met zaden erop uit District 11. Hoewel het allemaal van hetzelfde deeg gemaakt is, ziet het er op de een of andere manier veel smakelijker uit dan de lelijke hompen die we bij ons thuis altijd op ons bord krijgen.

'Zo zie je maar weer,' zegt Peeta, terwijl hij het brood terug in het mandje legt.

'Je weet wel veel,' zeg ik.

'Alleen over brood,' antwoordt hij. 'Oké, nu lachen alsof ik iets grappigs heb gezegd.'

We laten allebei een redelijk overtuigend lachje horen en negeren de blikken uit de rest van de zaal.

'Goed, ik blijf vriendelijk glimlachen terwijl jij doorpraat,' zegt Peeta. We raken allebei uitgeput door Haymitch' opdracht om aardig tegen elkaar te doen. Want sinds ik mijn deur dichtgeslagen heb, hangt er een kille sfeer tussen ons. Maar we moeten doen wat ons gezegd is.

'Heb ik je wel eens verteld over die keer dat ik ben achtervolgd door een beer?' vraag ik.

'Nee, maar het klinkt erg boeiend,' zegt Peeta.

Ik doe mijn best om het waargebeurde verhaal, waarin ik zo dom was een zwarte beer uit te dagen over de vraag wie van ons recht had op een bijenkorf, met een levendig gezicht te vertellen. Peeta lacht en stelt precies op het juiste moment vragen. Hij is hier veel beter in dan ik.

Op de tweede dag, als we ons aan het speerwerpen wagen, fluistert hij tegen me: 'Volgens mij worden we gevolgd.'

Ik werp mijn speer, wat ik overigens best goed kan, als ik tenminste niet heel ver hoef te gooien, en zie dat het kleine meisje uit District 11 een eindje verderop naar ons staat te kijken. Zij is het twaalfjarige kind dat me qua postuur zo aan Prim deed denken. Van dichtbij lijkt ze niet ouder dan tien. Ze heeft heldere, donkere ogen en een bruine, satijnen huid, en ze staat een beetje op haar tenen met haar armen licht gespreid langs haar zij, alsof ze bij het minste of geringste geluid kan opvliegen. Het is onmogelijk om niet aan een vogeltje te denken.

Ik raap nog een speer op terwijl Peeta de zijne gooit. 'Ik geloof dat ze Rue heet,' zegt hij zacht.

Ik bijt op mijn lip. *Rue*, wijnruit, is een klein geel bloemetje dat in het Weiland groeit. Rue, wijnruit. Primrose, sleutelbloem. Zelfs kletsnat zouden ze allebei nog geen dertig kilo wegen.

'En wat moeten wij met haar?' vraag ik, vinniger dan ik het bedoelde.

'Niets,' antwoordt hij. 'Ik houd gewoon het gesprek gaande.'

Nu ik weet dat ze er is, is het meisje moeilijk te negeren. Ze komt bij verschillende onderdelen stilletjes achter ons aan om mee te doen. Net als ik is ze goed met planten, klimt ze snel en kan ze goed mikken. Met een katapult weet ze het doel keer op keer te raken. Maar wat is een katapult tegenover een kerel van honderd kilo met een zwaard?

Op de District 12-verdieping onderwerpen Haymitch en Effie ons ondertussen tijdens het ontbijt en diner aan een kruisverhoor over elke minuut van de dag. Over wat we hebben gedaan, wie er naar ons keek, hoe de andere tributen het doen. Cinna en Portia zijn er niet bij, dus er is niemand die wat gezond verstand aan de maaltijd kan toevoegen. Niet dat Haymitch en Effie nog bekvechten. In plaats daarvan lijken ze het helemaal met elkaar eens te zijn, vastbesloten ons in topvorm te krijgen. Ze blijven maar aanwijzingen geven over wat we wel en niet moeten doen tijdens de training. Peeta luistert geduldig, maar ik krijg er genoeg van en word chagrijnig.

Als we de tweede avond eindelijk naar ons bed weten te ontsnappen, mompelt Peeta: 'Iemand zou Haymitch wat alcohol moeten geven.'

Ik maak een geluid dat ergens tussen gesnuif en gelach in zit. Dan roep ik mezelf tot de orde. Ik word er helemaal gek van om te moeten bijhouden wanneer we nou zogenaamd wel vrienden zijn en wanneer niet. Als we de arena binnengaan weet ik in elk geval waar we aan toe zijn. 'Niet doen. Laten we elkaar niet voor de gek houden als er niemand in de buurt is.'

'Best, Katniss,' zegt hij vermoeid. Daarna praten we alleen nog met elkaar als er andere mensen bij zijn.

Op de derde trainingsdag worden we tijdens de lunch weggeroepen voor onze privésessies met de Spelmakers. District voor district, eerst de jongens- en dan de meisjestribuut. Zoals gewoonlijk staat District 12 als laatste op het lijstje. We blijven in de eetzaal hangen omdat we niet echt weten waar we anders heen zouden moeten. Niemand komt terug als hij eenmaal weg is gegaan. Terwijl de kamer langzaam leegloopt, wordt de druk om aardig te doen minder. Als ze Rue wegroepen, zijn we alleen. We blijven zwijgend zitten tot ze Peeta komen halen. Hij staat op.

'Denk aan wat Haymitch zei over dat je sowieso de gewichten moet gooien.' De woorden rollen zonder mijn toestemming uit mijn mond.

'Bedankt. Ik zal het doen,' zegt hij. 'En jij... recht schieten, hè.'

Ik knik. Ik snap niet waarom ik überhaupt iets heb gezegd. Hoewel ik als ik verlies liever heb dat Peeta wint dan een van de anderen. Beter voor ons district, voor mijn moeder en Prim.

Na ongeveer een kwartier wordt mijn naam geroepen. Ik strijk mijn haar glad, trek mijn schouders naar achteren en loop de sportzaal in. Ik weet meteen dat het mis is. Ze zitten hier al te lang, de Spelmakers. Hebben al drieëntwintig andere demonstraties moeten aanzien. Hebben te veel wijn op, de meesten in elk geval. Willen niets liever dan naar huis.

Er zit niets anders op dan gewoon door te gaan met het plan. Ik loop naar het boogschuttersonderdeel. Eindelijk, míjn wapens! Mijn handen jeuken al dagen om ze te mogen vastpakken. Bogen van hout en plastic en ijzer en materialen waarvan ik de naam niet eens weet. Pijlen met veren die in perfecte, gelijke lijnen zijn gesneden. Ik kies een boog uit, span hem en sla de bijbehorende pijlkoker over mijn schouder. Er is een schietbaan, maar die is veel te saai. De geijkte schietschijven en menselijke silhouetten. Ik loop naar het midden van de zaal en kies mijn eerste doelwit uit. De pop die voor de messentraining wordt gebruikt. Zodra ik de boog naar achteren trek weet ik dat er iets niet klopt. De pees is strakker dan bij de boog die ik thuis gebruik. De pijl is harder. Ik mis de pop op meerdere centimeters en verlies de weinige aandacht die ik had afgedwongen. Heel even blijf ik vernederd staan, dan loop ik terug naar de schietschijf. Ik schiet telkens opnieuw, tot ik deze nieuwe wapens in mijn vingers heb.

Terug in het midden van de sportzaal neem ik mijn beginpositie weer in en spiets de pop recht in het hart. Daarna schiet ik het touw doormidden waar de zandzak aan hangt die voor het boksen wordt gebruikt – de zak scheurt open als hij op de grond valt. Zonder te stoppen maak ik een koprol, kom op één knie overeind en laat een pijl in een van de lampen vliegen die hoog boven de zaalvloer hangen. Er spat een regen van vonken uit de houder.

Dit is voortreffelijk schietwerk. Ik draai me om naar de Spelmakers. Een paar knikken goedkeurend, maar het overgrote deel heeft alleen maar oog voor het gebraden varken dat net op hun eettafel is gezet.

Plotseling ben ik woedend dat ze nog niet eens het fatsoen kunnen opbrengen om naar me te kijken, terwijl mijn leven nota bene op het spel staat. Een dood varken is blijkbaar belangrijker dan ik. Mijn hart begint te bonken en ik voel mijn gezicht gloeien. Zonder erbij na te denken haal ik een pijl uit mijn koker en schiet hem recht naar de tafel van de Spelmakers. Ik hoor kreten van schrik terwijl ze achteruit deinzen. De pijl doorboort de appel in de bek van het varken en spietst hem tegen de muur erachter. Iedereen staart me vol ongeloof aan.

'Bedankt voor uw aandacht,' zeg ik. Dan maak ik een lichte buiging en loop naar de uitgang, zonder dat iemand heeft gezegd dat ik mocht gaan.

hoofdstuk 8

Terwijl ik naar de lift been, smijt ik mijn boog naar de ene kant en mijn pijlkoker naar de andere. Ik loop de verbijsterde Avox die bij de liften op wacht staan straal voorbij en beuk met mijn vuist op de knop naar de twaalfde etage. De deuren glijden dicht en ik zoef omhoog. Ik haal nog net mijn verdieping voor de tranen over mijn wangen beginnen te stromen. Ik hoor dat de anderen me roepen vanuit de zitkamer, maar ik vlieg door de gang naar mijn kamer, doe de deur op slot en laat mezelf op bed vallen. Dan barst ik echt in snikken uit.

Nou, ik heb het voor elkaar. Ik heb alles verpest! Als ik ook maar een schijn van kans maakte, dan is die verkeken toen ik die pijl op de Spelmakers afschoot. Wat zullen ze nu met me doen? Me arresteren? Me terechtstellen? Mijn tong afsnijden en een Avox van me maken, zodat ik de toekomstige tributen van Panem kan bedienen? Wat bezielde me om op de Spelmakers te schieten? Dat deed ik natuurlijk niet, ik schoot op de appel omdat ik zo boos was dat ik genegeerd werd. Ik was niet van plan om iemand te vermoorden. Anders was diegene nu wel dood geweest.

Ach, wat maakt het ook uit? Ik had de Spelen toch nooit gewonnen. Het is niet belangrijk wat er nu met mij zal gebeuren. Waar ik echt bang voor ben, is wat ze wellicht met mijn moeder en Prim gaan doen, hoe mijn gezin nu misschien zal moeten boeten voor mijn impulsiviteit. Zouden ze hun karige bezittingen in beslag nemen, of mijn moeder naar de gevangenis sturen en Prim naar het kindertehuis, of hen vermoorden? Ze zullen hen toch niet vermoorden, of wel? Waarom ook niet? Wat kan hun het schelen?

Ik had moeten blijven om mijn excuses aan te bieden. Of moeten lachen, alsof het een grote grap was. Dan had ik misschien nog een milde straf gekregen. Maar in plaats daarvan ben ik zo onrespectvol als maar zijn kan de zaal uit gestampt.

Haymitch en Effie kloppen op mijn deur. Ik schreeuw dat ze weg moeten gaan en uiteindelijk doen ze dat ook. Het duurt minstens een uur voor ik uitgehuild ben. Daarna blijf ik opgekruld op bed liggen, aai de zijden lakens en kijk naar de zon die ondergaat achter het Capitool met zijn kunstmatige kleuren.

Eerst verwacht ik dat ik opgehaald zal worden door bewakers. Maar naarmate de tijd verstrijkt lijkt dat minder aannemelijk. Ik word wat rustiger. Ze hebben nog steeds een meisjestribuut uit District 12 nodig, of niet soms? Als de Spelmakers me willen straffen, dan kan dat voor het oog van de natie. Ze kunnen wachten tot ik in de arena ben en vervolgens uitgehongerde wilde dieren op me af sturen. En reken maar dat ze er dan voor zullen zorgen dat ik geen pijl en boog heb om me te verdedigen.

Maar voor die tijd zullen ze me zo'n lage score geven dat geen zinnig mens me zal sponsoren. Dat gaat vanavond gebeuren. Aangezien de training besloten is, maken de Spelmakers per speler een score bekend. Die geeft het publiek een uitgangspositie voor de weddenschappen die gedurende de Spelen gehouden zullen worden. Het getal, tussen de één en de twaalf, waarbij één hopeloos slecht en twaalf onhaalbaar hoog is, geeft de potentie aan van de tribuut in kwestie. Het cijfer geeft geen garanties over de uiteindelijke winnaar. Het is slechts een indicatie van het talent dat een tribuut tijdens de training heeft laten zien. Vaak vallen, vanwege de wisselende omstandigheden in de eigenlijke arena, de tributen met de hoogste scores vrijwel meteen uit. En een paar jaar geleden had de jongen die de Spelen won slechts een drie gekregen. Toch kunnen de scores in het voor- of nadeel van een tribuut werken als het op sponsors aankomt. Ik had gehoopt dat mijn schietkunsten me misschien een zes of een zeven zouden opleveren, ook al ben ik niet heel sterk. Nu weet ik zeker dat ik de laagste score van alle vierentwintig deelnemers zal krijgen. Als niemand me sponsort, is de kans dat ik blijf leven bijna nihil.

Als Effie op de deur klopt en vraagt of ik kom eten, besluit ik dat ik net zo goed kan gaan. De scores worden vanavond uitgezonden. Ik kan niet eeuwig blijven zwijgen over wat er is gebeurd. Ik loop naar de badkamer om mijn gezicht te wassen, maar het blijft rood en vlekkerig.

Iedereen zit aan tafel te wachten, zelfs Cinna en Portia. Ik wilde dat de stylisten niet waren gekomen, want om de een of andere reden vind ik het geen prettig idee hen teleur te moeten stellen. Het voelt alsof ik zomaar zonder erbij na te denken al het goede werk dat zij bij de openingsceremonie hebben verricht weer teniet heb gedaan. Ik kijk niemand aan en lepel piepkleine hapjes vissoep naar binnen. De zoute smaak doet me aan mijn tranen denken.

De volwassenen beginnen wat over de weersverwachtingen te keuvelen en ik laat mijn blik die van Peeta kruisen. Hij trekt zijn wenkbrauwen op. Een vraag. Wat is er gebeurd? Ik schud alleen heel even mijn hoofd. Dan, als het hoofdgerecht wordt opgediend, hoor ik Haymitch vragen: 'Goed, genoeg gekletst, hoe slecht waren jullie precies vandaag?'

Peeta springt erop in. 'Ik vraag me af of het iets uitmaakt. Toen ik aan de beurt was nam niemand zelfs maar de moeite om naar me te kijken. Ze waren een of ander drinklied aan het zingen volgens mij. Dus ik heb maar wat zware voorwerpen in het rond gesmeten tot ze zeiden dat ik kon gaan.'

Daar voel ik me iets beter door. Peeta heeft de Spelmakers weliswaar niet aangevallen, maar ze hebben zich bij hem tenminste ook zo irritant gedragen.

'En jij, schat?' vraagt Haymitch.

Op de een of andere manier word ik zo boos van Haymitch die me schat noemt dat ik in elk geval kan praten. 'Ik heb een pijl naar de Spelmakers geschoten.'

Iedereen houdt op met eten. 'Wát?' Het afgrijzen in Effies stem bevestigt mijn ergste vermoedens.

'Ik heb een pijl naar hen geschoten. Niet echt naar hen. In hun richting. Het is precies zoals Peeta vertelde, ik was aan het schieten en ze negeerden me gewoon en ik... ik werd zo boos dat ik een appel uit de bek van dat stomme gebraden varken van ze heb geschoten!' zeg ik opstandig.

'En wat zeiden ze?' vraagt Cinna voorzichtig.

'Niets. Of ik weet het niet, eigenlijk. Ik ben weggelopen,' zeg ik.

'Zonder toestemming?' zegt Effie naar adem snakkend.

'Ik heb mezelf toestemming gegeven,' zeg ik. Ik moet opeens denken aan wat ik Prim heb beloofd, dat ik echt zou proberen te winnen, en ik krijg het gevoel alsof er duizend kilo steenkool op me is gevallen.

'Nou, dat hebben we in elk geval gehad,' zegt Haymitch. Dan begint hij boter op zijn broodje te smeren.

'Denk je dat ze me zullen arresteren?' vraag ik.

'Lijkt me stug. Wordt erg lastig om je nu nog te vervangen,' zegt Haymitch.

'En mijn familieleden?' vraag ik. 'Zullen die gestraft worden?'

'Denk het niet. Niet erg logisch. Wil het enig waardevol effect op het volk hebben, dan moeten ze onthullen wat er in het Trainingscentrum is gebeurd. Mensen zouden moeten weten wat je hebt gedaan. Maar dat kan niet, want het is geheim, dus dat zou vergeefse moeite zijn,' zegt Haymitch. 'Kans is groter dat ze je het leven zuur gaan maken in de arena.'

'Nou ja, dat hadden ze ons toch al beloofd,' zegt Peeta.

'Helemaal waar,' zegt Haymitch. En ik besef dat het onmogelijke is gebeurd. Ze hebben me zowaar weten op te vrolijken. Haymitch pakt met zijn handen een varkenskarbonade, waarop Effie haar wenkbrauwen fronst, en sopt hem in zijn wijn. Hij scheurt een stuk vlees af en begint te grinniken. 'Hoe keken ze?'

Ik voel mijn mondhoek omhoogtrekken. 'Geschokt. Doodsbang. Eh, belachelijk, sommigen.' Er komt een beeld op in mijn hoofd. 'Eén man viel naar achteren in een schaal met punch.'

Haymitch buldert van het lachen en we doen allemaal mee, op Effie na, hoewel zelfs zij een glimlachje niet kan onderdrukken. 'Nou, ze hebben het verdiend. Ze worden ervoor betaald om naar jou te kijken. En dat jullie uit District 12 komen is nog geen excuus om jullie te negeren.' Dan schieten haar ogen heen en weer alsof ze iets volstrekt ongehoords heeft gezegd. 'Het spijt me, maar zo denk ik erover,' zegt ze tegen niemand in het bijzonder.

'Nu krijg ik een superslechte score,' zeg ik.

'De scores doen er alleen toe als ze heel goed zijn, niemand besteedt veel aandacht aan de slechte of gemiddelde cijfers. Voor hetzelfde geld houd je je talenten geheim om expres een lage score te krijgen. Er zijn mensen die die tactiek toepassen,' zegt Portia.

'Ik hoop dat mensen de vier die ik waarschijnlijk ga krijgen ook zo interpreteren,' zegt Peeta. 'Als het niet lager is. Echt, volgens mij hadden ze nog nooit iets saaiers gezien dan iemand die een zware bal optilt en hem vervolgens een paar meter weggooit. Eentje kwam bijna op mijn voet terecht.'

Ik grijns naar hem en besef dat ik uitgehongerd ben. Ik snijd een stuk varkensvlees af, haal het door de aardappelpuree en begin te eten. Geen paniek. Mijn familie is veilig. En als zij veilig zijn, is er niet echt iets aan de hand.

Na het eten gaan we naar de zitkamer om op tv naar de bekendmaking van de scores te kijken. Eerst laten ze een foto van de tribuut zien, en dan komt de score daaronder te staan. De Beroepstributen zitten uiteraard allemaal in de acht-tot-tienregionen. De meeste andere spelers krijgen gemiddeld een vijf. Kleine Rue heeft verrassend genoeg een zeven. Ik weet niet wat ze aan de jury heeft laten zien, maar ze is zo klein dat het wel iets indrukwekkends geweest moet zijn.

District 12 is zoals gewoonlijk weer als laatste aan de beurt. Peeta weet er een acht uit te slepen, dus er moeten in elk geval een paar Spelmakers op hem gelet hebben. Ik druk mijn nagels in mijn handpalmen als mijn gezicht in beeld komt en bereid me voor op het ergste. Dan verschijnt het cijfer elf op het scherm.

Elf!

Effie Prul slaakt een schril kreetje en iedereen klopt me op de rug en juicht en feliciteert me. Maar het voelt onwerkelijk.

'Er moet een fout gemaakt zijn. Hoe... hoe kan dat nou?' vraag ik aan Haymitch.

'Ze vonden je opvliegendheid blijkbaar leuk,' zegt hij. 'Ze moeten een programma maken. Ze kunnen wel wat spelers met pit gebruiken.'

'Katniss, het meisje dat in vuur en vlam stond,' zegt Cinna, terwijl hij me omhelst. 'O, wacht maar tot je je interviewjurk ziet.'

'Nog meer vlammen?' vraag ik.

'Een soort van,' zegt hij schalks.

Peeta en ik feliciteren elkaar – weer een ongemakkelijk moment. We hebben het allebei goed gedaan, maar wat betekent dat voor de ander? Zodra het kan vlucht ik naar mijn kamer en kruip weg onder de dekens. De zware dag, met name het huilen, heeft me uitgeput. Ik doezel weg, opgelucht door dit uitstel van executie, terwijl het getal elf nog steeds achter mijn oogleden flitst.

Als de dag aanbreekt blijf ik nog een tijdje in bed liggen en kijk naar de zon die opkomt op deze prachtige ochtend. Het is zondag. Een vrije dag, thuis. Ik vraag me af of Gale al in het bos is. Meestal gebruiken we de hele zondag om te hamsteren voor de rest van de week. Vroeg op, jagen en plukken, en dan verhandelen in de As. Ik denk aan Gale zonder mij. We kunnen allebei ook alleen jagen, maar we zijn beter met z'n tweeën. Vooral als we groter wild te pakken proberen te krijgen. Maar met een partner gingen ook de kleinere dingen veel gemakkelijker en werd zelfs de zware taak om onze families van voedsel te voorzien nog leuk.

Ik was al een halfjaar met veel moeite in mijn eentje bezig toen ik Gale voor het eerst tegenkwam in het bos. Het was een zondag in oktober, de lucht was koel en rook sterk naar alles wat dood-ging. 's Ochtends had ik met de eekhoorns om noten gevochten en gedurende de iets warmere middag had ik door ondiepe poeltjes gewaad om kattenkruid te oogsten. Het enige vlees dat ik had ge-schoten, was een eekhoorn die zo ongeveer over mijn tenen rende in zijn zoektocht naar eikels, maar de dieren zouden tenminste nog steeds rondlopen als de sneeuw mijn andere voedselbronnen onbe-reikbaar maakte. Ik was dieper het bos in gedwaald dan anders en ging haastig met mijn zware jutezakken op weg naar huis toen ik een dood konijn tegenkwam. Hij hing ongeveer dertig centimeter boven mijn hoofd aan een dun draadje om zijn nek. Een meter of vijftien verderop hing er nog een. Ik herkende de hangstrikken, want die gebruikte mijn vader ook. Als de prooi gevangen is wordt hij de lucht in getrokken, buiten het bereik van andere hongerige dieren. Ik probeerde al de hele zomer strikken te gebruiken, zonder resultaat, dus ik kon het niet laten om mijn zakken neer te zetten en deze te bekijken. Mijn vingers raakten net de draad boven een van de konijnen aan toen een stem riep: 'Dat is gevaarlijk.'

Ik sprong minstens een meter achteruit terwijl Gale vanachter een boom tevoorschijn kwam. Hij moet al die tijd al naar me heb-ben staan kijken. Hij was nog maar veertien, maar ik schatte hem ruim één meter vijfentachtig en in mijn ogen deed hij niet onder voor een volwassene. Ik had hem wel eens in de Laag en op school gezien. En één andere keer. Hij had zijn vader verloren bij dezelfde explosie die de mijne ook had gedood. In januari was ik erbij ge-weest toen ook hij zijn medaille voor heldenmoed ontving in het Gerechtsgebouw – nóg een oudste kind zonder vader. Ik weet nog hoe zijn twee kleine broertjes zich aan hun moeder vastklampten, een vrouw met een uitpuilende buik waaraan je kon zien dat ze binnen een paar dagen zou bevallen.

'Hoe heet je?' vroeg hij, terwijl hij naar me toe kwam en het konijn uit de strik haalde. Aan zijn riem hingen er nog drie.

'Katniss,' zei ik nauwelijks verstaanbaar.

'Nou, Catnip, op stelen staat de doodstraf, of wist je dat soms niet?' zei hij.

'Katniss,' zei ik harder. 'En ik was hem niet aan het stelen. Ik wilde alleen even je strik bekijken. In die van mij zit nooit iets.'

Hij keek me dreigend aan, niet overtuigd. 'Hoe kom je dan aan die eekhoorn?'

'Geschoten.' Ik haalde mijn boog van mijn schouder. Ik gebruikte nog steeds de kleine variant die mijn vader voor me had gemaakt, maar ik oefende al zoveel mogelijk met de echte. Ik hoopte dat ik tegen de lente wat groter wild zou kunnen schieten.

Gales ogen richtten zich op de boog. 'Mag ik die eens zien?'

Ik gaf hem aan hem. 'Denk eraan, op stelen staat de doodstraf.'

Dat was de eerste keer dat ik hem ooit heb zien lachen. Het veranderde hem van een angstwekkend persoon in iemand die je graag zou willen kennen. Maar het duurde zeker een paar maanden voor ik teruglachte.

We raakten aan de praat over jagen. Ik zei dat ik misschien een boog voor hem had als hij ergens mee kon ruilen. Geen eten. Ik wilde kennis. Ik wilde mijn eigen strikken kunnen zetten waarmee ik in één dag een riem vol dikke konijnen kon vangen. Hij zei dat we wellicht tot een overeenkomst konden komen. Terwijl de seizoenen verstreken begonnen we mondjesmaat onze kennis uit te wisselen, onze wapens, onze geheime plekjes waar het stikte van de wilde pruimen of kalkoenen. Hij leerde me strikken zetten en vissen. Ik liet hem zien welke planten eetbaar waren en gaf hem uiteindelijk een van onze kostbare bogen. En toen, op een dag, zonder dat een van ons het hardop uitsprak, werden we een team. We verdeelden het werk en de buit. Zorgden ervoor dat onze families te eten hadden.

Gale gaf me een gevoel van veiligheid dat ik sinds de dood van mijn vader niet meer had gehad. Zijn gezelschap verdreef de eenzaamheid van de lange uren in het bos. Ik was een veel betere jager als ik niet de hele tijd over mijn schouder hoefde te kijken, als iemand me rugdekking gaf. Maar hij werd zoveel meer dan een jachtpartner. Hij werd mijn hartsvriend, iemand met wie ik gedachten kon delen die ik binnen het hek nooit zou kunnen uitspreken. In ruil daarvoor vertrouwde hij mij de zijne toe. Als ik samen met Gale buiten in het bos was... dan was ik soms zowaar gelukkig.

Ik noem hem mijn vriend, maar het afgelopen jaar leek dat woord te oppervlakkig voor wat Gale voor mij betekent. Er gaat een steek van verlangen door mijn borst. Was hij maar hier bij me! Maar dat wil ik natuurlijk niet. Ik wil hem niet in de arena hebben waar hij binnen een paar dagen dood zou gaan. Ik... ik mis hem gewoon. En ik vind het verschrikkelijk om zo alleen te zijn. Mist hij mij ook? Dat moet wel.

Ik denk aan de elf die gisteravond onder mijn naam knipperde. Ik weet precies wat hij tegen me zou zeggen. 'Nou, daar is nog ruimte voor verbetering.' En dan zou hij me een grijns toewerpen die ik nu zonder aarzelen zou beantwoorden.

Onwillekeurig vergelijk ik mijn band met Gale met mijn zogenaamde band met Peeta. Aan Gales motieven twijfel ik nooit, aan die van Peeta constant. Het is niet echt een eerlijke vergelijking. Gale en ik zijn bij elkaar gebracht door een gemeenschappelijke noodzaak om te overleven. Peeta en ik weten dat het overleven van de ander onze eigen dood betekent. Hoe kun je dat buiten beschouwing laten?

Effie klopt op de deur en helpt me eraan herinneren dat er weer een 'grote, grote, grote dag!' in het verschiet ligt. Morgenavond worden onze interviews live uitgezonden. Het hele team zal er wel de handen vol aan hebben om ons daarvoor klaar te maken.

Ik sta op, neem een snelle douche, waarbij ik iets beter let op de knopjes die ik indruk, en ga naar de eetzaal. Peeta, Effie en Haymitch zitten met de koppen bij elkaar rond de tafel te smoezen. Dat is wel een beetje vreemd, maar de honger wint het van mijn nieuwsgierigheid en ik schep mijn bord vol met ontbijt voor ik aanschuif.

De stoofpot zit vandaag vol malse stukjes lam en gedroogde pruimen. Zalig op het bedje van wilde rijst. Ik heb de halve berg al naar binnen gewerkt als ik besef dat er niemand praat. Ik neem een grote slok sinaasappelsap en veeg mijn mond af. 'Zo, wat gaan we doen? Vandaag ga je de interviews met ons repeteren, toch?'

'Dat klopt,' zegt Haymitch.

'Je hoeft niet te wachten tot ik klaar ben, hoor. Ik kan luisteren en eten tegelijk,' zeg ik.

'Nou, de plannen zijn gewijzigd. Wat onze huidige aanpak betreft,' zegt Haymitch.

'Hoe bedoel je?' vraag ik. Het is me niet helemaal duidelijk wat onze huidige aanpak precies inhoudt. We moesten niet te veel ons best doen waar de andere tributen bij waren, verder kom ik eigenlijk niet wat onze strategie betreft.

Haymitch haalt zijn schouders op. 'Peeta heeft gevraagd of hij apart gecoacht kan worden.'

hoofdstuk 9

Verraad. Dat is het eerste wat ik voel, en dat slaat helemaal nergens op. Voor verraad had er eerst vertrouwen moeten zijn. Tussen Peeta en mij. En vertrouwen hoorde niet bij de afspraak. We zijn tributen. Maar de jongen die een pak slaag riskeerde door mij een brood te geven, die me in de strijdwagen overeind hield, die voor me heeft gelogen over het roodharige Avoxmeisje, die erop stond dat Haymitch op de hoogte was van het feit dat ik goed kan jagen... Ben ik hem onwillekeurig toch een beetje gaan vertrouwen?

Aan de andere kant ben ik opgelucht dat we nu niet meer hoeven te doen alsof we vrienden zijn. We waren misschien stom genoeg om een soort broze band te laten ontstaan, maar die is nu in elk geval verbroken. En dat werd ook wel tijd. De Spelen beginnen over twee dagen, en vertrouwen geeft ons alleen maar een zwakke plek. Wat de aanleiding voor Peeta's besluit ook geweest is (en ik vermoed dat het iets te maken heeft met het feit dat ik beter gepresteerd heb dan hij tijdens de training), ik zou hem er alleen maar dankbaar voor moeten zijn. Misschien heeft hij gewoon eindelijk geaccepteerd dat we maar beter zo snel mogelijk openlijk kunnen toegeven dat we elkaars vijanden zijn.

'Prima,' zeg ik. 'Wat is het schema?'

'Jullie hebben allebei vier uur met Effie over de presentatie en vier met mij over de inhoud,' zegt Haymitch. 'Jij begint met Effie, Katniss.'

Ik kan me niet voorstellen waarom Effie vier uur nodig zou hebben om mij wat dan ook te leren, maar ze houdt me tot de allerlaatste minuut bezig. We gaan naar mijn kamer, waar ze me een lange jurk en hoge hakken aantrekt – niet dezelfde als ik bij het echte interview zal dragen – en zegt hoe ik moet lopen. De schoenen zijn het ergst. Ik heb nog nooit hakken aangehad en ik kan er maar niet aan wennen om in feite op de bal van mijn voeten rond te moeten wankelen. Maar Effie rent vierentwintig uur per dag op die dingen rond, en ik ben vastbesloten dat als zíj het kan, ik het ook moet kunnen. De jurk vormt een ander probleem. Hij raakt de hele tijd in de knoop rond mijn schoenen dus ik hijs hem steeds omhoog, waarna Effie als een havik naar beneden duikt, me op mijn handen mept en roept: 'Niet boven de enkel!' Als ik het lopen eindelijk onder de knie heb, hebben we nog zitten, houding (blijkbaar heb ik de neiging om mijn hoofd in te trekken), oogcontact, handgebaren en lachen. Lachen draait vooral om mé́r lachen. Effie laat me tientallen afgezaagde zinnen zeggen waarbij ik moet beginnen met een glimlach, ondertussen moet glimlachen, of moet eindigen met een glimlach. Als het lunchtijd is, trillen mijn wangspieren van al die bovenmatige inspanning.

'Nou, meer kan ik niet voor je doen,' zegt Effie met een zucht. 'Denk eraan, Katniss, je wilt dat het publiek je leuk vindt.'

'En jij denkt dat dat niet het geval zal zijn?' vraag ik.

'Niet als je de hele tijd zo boos naar ze kijkt. Waarom bewaar je dat niet voor in de arena? Beeld je maar in dat je onder vrienden bent,' zegt Effie.

'Ze wedden op hoe lang ik zal blijven leven!' barst ik uit. 'Het zíjn mijn vrienden niet!'

'Nou, dan doe je maar alsof!' snauwt Effie. Dan herstelt ze zich en schenkt me een stralende glimlach. 'Kijk, zo. Ik lach naar je, ook al haal je me het bloed onder de nagels vandaan.'

'Ja, het komt echt heel overtuigend over,' zeg ik. 'Ik ga eten.' Ik schop mijn hakken uit en stamp naar de eetkamer terwijl ik mijn jurk tot mijn dijen optrek.

Peeta en Haymitch lijken in opperbeste stemming, dus ik ga ervan uit dat de inhoudelijke training beter wordt dan deze ochtend. Ik had er niet verder naast kunnen zitten. Na de lunch neemt Haymitch me mee naar de zitkamer, dirigeert me naar de bank en zit me dan een tijd alleen maar met gefronste wenkbrauwen aan te kijken.

'Wat?' vraag ik uiteindelijk.

'Ik probeer te bedenken wat we met jou gaan doen,' zegt hij. 'Hoe we je gaan presenteren. Word je charmant? Gereserveerd? Strijdlustig? Tot nu toe heb je het schitterend gedaan. Je hebt jezelf als vrijwilliger aangeboden om je zusje te redden. Cinna heeft je er onvergetelijk uit laten zien. Je hebt bijna de hoogste trainingsscore. De mensen zijn gefascineerd, maar niemand weet wie je bent. De indruk die je morgen zult maken, zal bepalen wat ik qua sponsors voor je zal kunnen doen,' zegt Haymitch.

Ik kijk mijn hele leven al naar de tributeninterviews en ik weet dat hij gelijk heeft. Als je het publiek aanspreekt, of dat nou komt doordat je grappig, meedogenloos of excentriek bent, krijg je meer steun.

'Wat gaat Peeta doen? Of mag ik dat niet vragen?' zeg ik.

'Sympathiek. Hij heeft een soort natuurlijke zelfspot over zich,' zegt Haymitch. 'Terwijl jij eerder nors en wantrouwig overkomt als je je mond opendoet.'

'Niet waar!' zeg ik.

'Kom nou. Ik weet niet waar je dat vrolijke, huppelende meisje in de strijdwagen vandaan hebt gehaald, maar ik heb haar voor of na die tijd niet meer gezien,' zegt Haymitch.

'Terwijl jij me toch zo veel reden geeft om vrolijk te zijn,' werp ik terug.

'Maar ík hoef jou niet leuk te vinden. Ik ga je niet sponsoren. Dus doe maar alsof ik het publiek ben,' zegt Haymitch. 'Breng me in verrukking.'

'Best!' grom ik. Haymitch neemt de rol van interviewer op zich en ik probeer zijn vragen op een innemende manier te beantwoorden. Maar het lukt niet. Ik ben te boos op Haymitch om wat hij heeft gezegd en omdat ik die vragen überhaupt moet beantwoorden. Ik kan alleen maar denken aan hoe onrechtvaardig dit alles is, de hele Hongerspelen. Waarom spring ik als een afgerichte hond in het rond in een poging leuk gevonden te worden door mensen die ik haat? Hoe langer het interview duurt, hoe meer mijn woede omhoog lijkt te komen, tot ik de antwoorden letterlijk naar hem uitspuug.

'Goed, genoeg,' zegt hij. 'We moeten een andere insteek bedenken. Je bent niet alleen vijandig, ik weet ook niets over je. Ik heb je vijftig vragen gesteld en ik heb nog steeds geen enkel beeld van je leven, je familie, wat belangrijk voor je is. Ze willen je leren kennen, Katniss.'

'Maar dat wil ik niet! Ze hebben mijn toekomst al afgepakt! Mijn verleden mogen ze niet hebben!' zeg ik.

'Lieg dan! Verzin iets!' zegt Haymitch.

'Ik kan niet goed liegen,' zeg ik.

'Nou, dat zou ik dan maar gauw leren. Je hebt ongeveer net zo veel uitstraling als een dooie slak,' zegt Haymitch.

Au. Dat doet zeer. Zelfs Haymitch merkt blijkbaar dat hij te ver is gegaan, want zijn toon wordt milder. 'Ik heb een idee. Probeer eens deemoedig te doen.'

'Deemoedig,' herhaal ik.

'Alsof je niet kunt geloven dat een klein meisje uit District 12 het zo goed gedaan heeft. Dit is allemaal meer dan je ooit hebt durven dromen. Praat over Cinna's kleren. Zeg dat de mensen zo aardig zijn. Dat je de stad zo bijzonder vindt. Als je niet over jezelf wilt praten, probeer dan in elk geval het publiek te paaien. Koppel het gewoon de hele tijd terug. Dweep.'

De uren daarna zijn een marteling. Het is meteen duidelijk dat ik niet kan dwepen. We proberen me brutaal te laten zijn, maar daar ben ik niet arrogant genoeg voor. Het blijkt dat ik te 'kwetsbaar' ben om meedogenloos te zijn. Ik ben niet gevat. Grappig. Sexy. Of mysterieus.

Aan het eind van de sessie ben ik helemaal niemand. Ergens rond 'gevat' is Haymitch begonnen met drinken, en er is een akelige ondertoon in zijn stem geslopen. 'Ik geef het op, schat. Geef gewoon antwoord op de vragen en probeer de mensen niet te laten zien hoe hartgrondig je ze veracht.'

Die avond dineer ik op mijn kamer en ik bestel een buitensporige hoeveelheid delicatessen. Ik eet mezelf misselijk en reageer vervolgens mijn woede af op Haymitch, op de Hongerspelen, op elk levend wezen in het Capitool, door de borden kapot te smijten in mijn kamer. Als het meisje met het rode haar binnenkomt om mijn bed open te slaan, worden haar ogen groot bij het zien van de troep. 'Laat maar!' roep ik tegen haar. 'Laat maar lekker liggen!'

Haar haat ik ook, met haar veelzeggende, verwijtende blik die me een lafaard noemt, een monster, een marionet van het Capitool, zowel toen als nu. Voor haar geschiedt er waarschijnlijk eindelijk gerechtigheid. Mijn dood zal in elk geval helpen het leven van de jongen in het bos te vergelden.

Maar in plaats van de kamer uit te vluchten doet het meisje de deur achter zich dicht en loopt naar de badkamer. Ze komt terug met een vochtige doek, veegt voorzichtig mijn gezicht schoon en dept dan het bloed van mijn handen, want ik heb me gesneden aan een gebroken bord. Waarom doet ze dat? Waarom laat ik haar begaan?

'Ik had je moeten proberen te redden,' fluister ik.

Ze schudt haar hoofd. Betekent dat dat het goed was dat we werkeloos hebben toegekeken? Dat ze me heeft vergeven?

'Nee, het was fout,' zeg ik.

Ze tikt met haar vingers tegen haar lippen en wijst dan naar mijn borst. Volgens mij bedoelt ze dat ik anders ook alleen maar als Avox was geëindigd. Dat is waarschijnlijk ook zo. Als Avox, of dood.

Het uur daarna help ik het roodharige meisje met het opruimen van de kamer. Als alle rotzooi in een afvalbuis is gegooid en de etensresten zijn weggepoetst, slaat ze mijn bed open. Ik kruip als een kind van vijf onder de dekens en laat haar me instoppen. Dan gaat ze weg. Ik wil dat ze bij me blijft tot ik in slaap val. Dat ze er is als ik wakker word. Ik wil de bescherming van dit meisje, ook al had zij nooit de mijne.

's Ochtends zit niet het meisje, maar mijn voorbereidingsteam op me te wachten. Mijn lessen met Effie en Haymitch zijn afgelopen. Deze dag is van Cinna. Hij is mijn laatste hoop. Misschien kan hij me er zo mooi uit laten zien dat het niemand nog iets kan schelen wat er uit mijn mond komt.

Het team is tot laat in de middag met me in de weer; ze veranderen mijn huid in satijn, drukken sjablonen op mijn armen, verven vlammen op mijn twintig volmaakte nagels. Dan gaat Venia aan de slag met mijn haar, ze vlecht er rode strengen doorheen in een model dat begint bij mijn linkeroor, om mijn hoofd loopt en dan in een vlecht over mijn rechterschouder valt. Ze wissen mijn gezicht uit met een laag bleke make-up en halen dan mijn prominentste gelaatstrekken weer naar voren. Enorme donkere ogen, volle rode lippen, wimpers die brokjes licht in het rond strooien als ik met ze knipper. Ten slotte bedekken ze mijn lichaam met een poeder van stofgoud dat me van top tot teen laat glinsteren.

Dan komt Cinna binnen met iets wat naar ik aanneem mijn jurk is, maar ik kan het niet goed zien omdat er een hoes omheen zit. 'Ogen dicht,' beveelt hij.

Ik voel de zijden voering als ze de jurk over mijn naakte lijf laten glijden, en dan het gewicht ervan. Hij moet minstens achttien kilo wegen. Ik grijp Octavia's hand terwijl ik nietsziend in mijn schoenen stap, en ik ben blij te merken dat ze zeker vijf centimeter lager zijn dan het paar waar Effie me mee heeft laten oefenen. Er wordt wat gesjord en rechtgetrokken. Dan is het stil.

'Mag ik mijn ogen opendoen?' vraag ik.

'Ja,' zegt Cinna. 'Toe maar.'

Het wezen dat voor me in de manshoge spiegel staat komt uit

een andere wereld. Waar huid glinstert en ogen schitteren en ze blijkbaar kleren van juwelen maken. Want mijn jurk, o, mijn jurk is volledig bedekt met glimmende edelstenen, rood en geel en wit met stukjes blauw die de puntjes van het vlammenontwerp accentueren. Elke kleine beweging wekt de indruk dat ik word verzwolgen door tongen van vuur.

Ik ben niet mooi. Ik ben niet beeldschoon. Ik straal als de zon.

Een tijdlang staan we allemaal naar mij te staren. 'O, Cinna,' fluister ik uiteindelijk. 'Dank je wel.'

'Draai eens rond voor me,' zegt hij. Ik spreid mijn armen en zwier in de rondte. Het voorbereidingsteam joelt van bewondering.

Cinna stuurt het team weg en laat me bewegen in de jurk en schoenen, die veel en veel beter te doen zijn dan die van Effie. De jurk hangt zo dat ik de rok niet hoef op te tillen tijdens het lopen – dat is in elk geval één zorg minder.

'En, ben je helemaal klaar voor het interview?' vraagt Cinna. Ik zie aan zijn blik dat hij met Haymitch heeft gepraat. Dat hij weet hoe verschrikkelijk slecht ik ben.

'Ik bak er helemaal niets van. Haymitch zei dat ik een dode slak was. We hebben van alles geprobeerd, maar ik kon het gewoon niet. Het lukt me gewoon niet om een van de mensen te zijn die hij wil dat ik ben,' zeg ik.

Cinna denkt er even over na. 'Waarom ben je niet gewoon jezelf?'

'Mezelf? Dat mag ook niet. Haymitch zegt dat ik nors en vijandig ben,' zeg ik.

'Tja, dat ben je ook... tegen Haymitch,' zegt Cinna grijnzend. 'Ik vind je helemaal niet zo. Het voorbereidingsteam aanbidt je. Je hebt zelfs de Spelmakers voor je gewonnen. En wat de inwoners van het Capitool betreft, nou ja, die hebben het allemaal alleen maar over jou. Het is onmogelijk om jouw pit níét te bewonderen.'

Mijn pit. Zo had ik er nog niet over nagedacht. Ik weet niet precies wat het betekent, maar het suggereert dat ik een vechter ben. Op een soort van dappere manier. Ik ben heus niet altijd on-aardig. Oké, misschien ben ik niet meteen dol op iedereen die ik ontmoet, misschien is mijn glimlach schaars, maar ik geef wel de-gelijk om sommige mensen.

Cinna pakt mijn ijskoude vingers in zijn warme handen. 'Stel je eens voor dat je bij het beantwoorden van de vragen doet alsof je tegen een vriend van thuis praat. Wie zou je beste vriend zijn?' vraagt Cinna.

'Gale,' zeg ik meteen. 'Maar dat slaat nergens op, Cinna. Ik zou dat soort dingen over mezelf nooit aan Gale vertellen. Dat weet hij allemaal allang.'

'En mij? Zou je mij als een vriend kunnen beschouwen?' vraagt Cinna.

Van alle mensen die ik heb ontmoet sinds ik van huis ben ver-trokken, is Cinna verreweg mijn favoriet. Ik vond hem meteen al aardig en hij heeft me nog geen moment teleurgesteld. 'Ik denk het wel, maar...'

'Ik zit straks met de andere stylisten op de eerste tribune. Je kunt me recht aankijken. Als er een vraag wordt gesteld zoek je mij en geef je zo eerlijk mogelijk antwoord,' zegt Cinna.

'Zelfs als ik iets vreselijks denk?' vraag ik. Want dat zou ten-slotte zomaar kunnen.

'Juist als je iets vreselijks denkt,' zegt Cinna. 'Zul je het probe-ren?'

Ik knik. Het is een plan. Of in elk geval een strohalm om me aan vast te klampen.

Veel te snel is het tijd om te gaan. De interviews worden gehouden op een podium dat voor het Trainingscentrum is op-gebouwd. Zodra ik mijn kamer verlaat, zal het maar een paar minuten duren voor ik tegenover het publiek zit, de camera's, heel Panem.

Als Cinna de deurknop omdraait, leg ik mijn hand op de zijne. 'Cinna...' Ik ben helemaal overmand door plankenkoorts.

'Vergeet niet dat ze nu al van je houden,' zegt hij liefdevol. 'Wees gewoon jezelf.'

Bij de lift voegen we ons bij de rest van de District 12-groep. Portia en haar ploeg hebben hard gewerkt. Peeta ziet er oogverblindend uit in een zwart pak met vlamaccenten. We zien er goed uit samen, maar het is een opluchting dat we niet precies hetzelfde aanhebben. Haymitch en Effie zijn helemaal opgedirkt voor de gelegenheid. Ik ontloop Haymitch, maar aanvaard Effies complimenten wel. Effie mag dan soms vermoeiend en stom zijn, ze is tenminste niet zo verschrikkelijk negatief als Haymitch.

Als de lift opengaat worden we met de andere tributen opgesteld om het podium op te lopen. Tijdens de interviews zitten we alle vierentwintig in een grote halve cirkel. Ik ben de een-na-laatste, want het meisje gaat bij elk district voor de jongen. Wat zou ik graag als eerste gaan en alles meteen achter de rug hebben! Nu moet ik luisteren hoe gevat, grappig, deemoedig, strijdlustig en charmant iedereen is voordat ik aan de beurt ben. Bovendien raakt het publiek natuurlijk verveeld, net als de Spelmakers. En ik kan nou niet bepaald een pijl in de menigte schieten om hun aandacht te trekken.

Net voor we het podium op marcheren komt Haymitch achter Peeta en mij tevoorschijn en gromt: 'Denk eraan, jullie zijn nog steeds reuze gelukkig met elkaar. Dus gedraag je daarnaar.'

Hè? Ik dacht dat we dat hadden afgeschaft op het moment dat Peeta afzonderlijk gecoacht wilde worden. Maar dat zal dan wel een privé- en geen openbare aangelegenheid geweest zijn. Hoe dan ook, we hebben nu toch nauwelijks de kans om iets samen te doen aangezien we in een lange rij achter elkaar aan naar onze stoelen moeten lopen en gaan zitten.

Ik ben het podium nog niet op of mijn ademhaling wordt gejaagd en oppervlakkig. Het bloed bonkt in mijn slapen. Ik ben blij als ik bij mijn stoel ben, want met die hakken en mijn trillende benen ben ik bang dat ik zal struikelen. Hoewel de avond al valt, straalt de Stadscirkel feller dan de zon op een zomerdag. Er is een verhoogd zitgedeelte opgericht voor de belangrijke gasten; de stylisten domineren de eerste rij. De camera's zullen zich op hen richten als de menigte op hun handwerk reageert. Een groot balkon van een gebouw rechts is gereserveerd voor de Spelmakers. De meeste andere balkons zijn in beslag genomen door televisieploegen. Maar de Stadscirkel en de straten die erop uitkomen zien zwart van de mensen. Er zijn alleen staanplaatsen. In de huizen en buurtcentra van het hele land staan alle televisies aan. Elke inwoner van Panem kijkt. Vanavond valt de stroom nergens uit.

Caesar Flickerman, de man die de interviews al meer dan veertig jaar presenteert, springt het podium op. Het is een beetje eng omdat zijn uiterlijk al die tijd vrijwel niet veranderd is. Hetzelfde gezicht onder een dikke laag spierwitte make-up. Hetzelfde kapsel dat hij voor elke Hongerspelen in een andere kleur verft. Hetzelfde officiële pak, nachtblauw, bespikkeld met honderden piepkleine bolletjes die twinkelen als sterren. In het Capitool opereren ze mensen om hen er jonger en dunner uit te laten zien. In District 12 is het een soort prestatie om er oud uit te zien, omdat zo veel mensen vroeg sterven. Als je een bejaarde ziet wil je diegene feliciteren met zijn ouderdom, vragen hoe je dat doet, overleven. Een fors iemand wordt benijd omdat die niet zoals de meesten van ons op een houtje hoeft te bijten. Maar hier is het anders. Rimpels zijn niet begerenswaardig. Een ronde buik is geen teken van succes.

Dit jaar is het haar van Caesar kobaltblauw, en zijn oogleden en lippen hebben dezelfde kleur. Hij ziet er bizar uit, maar minder angstaanjagend dan vorig jaar toen zijn kleur vuurrood was en hij leek te bloeden. Caesar maakt een paar grappen om het publiek op te warmen, maar komt dan ter zake.

De meisjestribuut uit District 1, die er uitdagend uitziet in haar gouden doorkijkjurk, loopt naar het midden van het podium waar Caesar haar interview zal afnemen. Het is wel duidelijk dat haar mentor geen enkele moeite had om een insteek voor haar te verzinnen. Dat golvende blonde haar, die smaragdgroene ogen, haar lange, weelderige lichaam... Ze is door en door sexy.

Elk interview duurt maar drie minuten. Dan gaat er een zoemer en is de volgende tribuut aan de beurt. Ik moet het Caesar nageven, hij doet echt zijn best om de tributen te laten schitteren. Hij is aardig, probeert zenuwachtige deelnemers op hun gemak te stellen, lacht om flauwe grapjes en kan een zwak antwoord in iets gedenkwaardigs veranderen door de manier waarop hij reageert.

Ik zit, zoals Effie me heeft voorgedaan, als een dame op mijn stoel terwijl de districten voorbijglijden. Twee, drie, vier. Iedereen lijkt een bepaalde invalshoek te benadrukken. De enorme jongen uit District 2 is een meedogenloze moordmachine. Het meisje met de vossensnuit uit District 5 is sluw en ongrijpbaar. Ik zag Cinna meteen zodra hij ging zitten, maar zelfs zijn aanwezigheid maakt me niet rustig. Acht, negen, tien. De manke jongen uit 10 zegt niet veel. Mijn handpalmen zweten gigantisch, maar de edelstenenjurk neemt geen vocht op en mijn handen glijden er meteen vanaf als ik ze droog probeer te vegen. Elf.

Rue, die een ragfijne jurk draagt, met vleugels en al, fladdert naar Caesar toe. De menigte verstomt bij het zien van dit betoverende, sprietige tribuutje. Caesar is erg lief voor haar, geeft haar een compliment voor de zeven die ze bij de training heeft gehaald, een prachtige score voor zo'n klein meisje. Als hij vraagt wat haar sterkste punt zal zijn in de arena aarzelt ze geen moment. 'Mij krijg je niet zomaar te pakken,' zegt ze. 'En als ze me niet te pakken kunnen krijgen, kunnen ze me ook niet vermoorden. Dus schrijf me maar niet meteen af.'

'Dat zou ik nooit doen,' zegt Caesar bemoedigend.

De jongenstribuut uit District 11, Thresh, heeft dezelfde donkere huid als Rue, maar daar houdt de vergelijking ook mee op. Hij is een van de reuzen, bijna twee meter lang en met een lijf als een os, maar het viel me op dat hij de uitnodigingen van de Beroepstributen om bij hun groep te komen telkens afsloeg. In plaats daarvan was hij erg op zichzelf, praatte met niemand en leek weinig belangstelling te tonen voor de training. Toch heeft hij een tien gescoord, en je kunt je goed voorstellen dat hij indruk heeft gemaakt op de Spelmakers. Hij negeert Caesars pogingen tot een gezellig gesprek en antwoordt met ja of nee of zwijgt alleen maar.

Was ik maar zo groot als hij, dan kon ik gewoon vijandig en nors zijn en was er niets aan de hand! Ik durf te wedden dat de helft van de sponsors hem in elk geval in gedachten houdt. Als ik geld had, zou ik ook op hem inzetten.

En dan wordt Katniss Everdeen omgeroepen en ik voel hoe ik als in een droom opsta en naar het midden van het podium loop. Ik schud Caesars uitgestoken hand en hij is zo vriendelijk om die niet meteen aan zijn pak af te vegen.

'Zo, Katniss, het Capitool is vast iets heel anders dan District 12. Waar ben je nou het meest van onder de indruk hier?' vraagt Caesar.

Hè? Wat zei hij nou? Het lijkt wel alsof de woorden nergens op slaan.

Mijn mond is zo droog als zaagsel. Wanhopig zoek ik Cinna tussen de mensen en kijk hem recht aan. Ik stel me voor dat hij de vraag stelt. 'Waar ben je nou het meest van onder de indruk hier?' Ik pijnig mijn hersenen op zoek naar iets waar ik hier blij van ben geworden. *Eerlijk zijn*, denk ik. *Eerlijk zijn.*

'De lamsstoofschotel,' weet ik uit te stoten.

Caesar lacht, en vaag merk ik dat een deel van het publiek met hem meedoet.

'Die met de gedroogde pruimen?' vraagt Caesar. Ik knik. 'O, daar kan ik ook nooit genoeg van krijgen.' Verschrikt draait hij zich zijdelings om naar het publiek, zijn hand op zijn buik. 'Je ziet het toch niet, hè?' Ze schreeuwen hem geruststellend toe en applaudisseren. Dat bedoelde ik over Caesar. Hij doet zijn best je te redden.

'Maar zeg, Katniss,' zegt hij vertrouwelijk. 'Toen je naar buiten kwam tijdens de openingsceremonie stond mijn hart echt even stil. Wat vond je van dat kostuum?'

Cinna trekt een wenkbrauw naar me op. Eerlijk zijn. 'Nadat ik over mijn angst om levend verbrand te worden heen was, bedoel je?' vraag ik.

Hard gelach. Het publiek meent het.

'Ja. Begin daar maar,' zegt Caesar.

Dit moest ik sowieso nog zeggen tegen Cinna, mijn vriend. 'Ik vond dat Cinna briljant was en dat het het allermooiste kostuum was dat ik ooit had gezien en ik kon niet geloven dat ik het aanhad. Ik kan ook niet geloven dat ik dit aanheb, trouwens.' Ik til mijn jurk op om de rok te spreiden. 'Ik bedoel, moet je kijken!'

Terwijl het publiek ooh en aah roept zie ik dat Cinna een piepkleine draaibeweging maakt met zijn vinger. Maar ik begrijp wat hij wil zeggen. 'Draai eens rond voor me.'

Ik tol één keer om mijn as en men reageert onmiddellijk.

'O, doe dat nog eens!' zegt Caesar, dus ik doe mijn armen omhoog en wervel rond en rond, laat de wijde rok zwieren, laat de jurk me in vlammen hullen. Het publiek barst in juichen uit. Als ik stilsta, grijp ik Caesars arm vast.

'Niet ophouden!' zegt hij.

'Ik moet wel, ik ben zo duizelig!' Ik ben ook aan het giechelen, wat best eens voor het eerst van mijn leven zou kunnen zijn. Maar de zenuwen en de pirouettes stijgen naar mijn hoofd.

Caesar slaat een beschermende arm om me heen. 'Maak je geen zorgen, ik hou je stevig vast. We zouden niet willen dat je je mentor achterna ging.'

Iedereen joelt als de camera's zich op Haymitch richten, die intussen beroemd is om zijn valpartij tijdens de boete. Hij wuift ze goedmoedig weg en wijst terug naar mij.

'Niks aan de hand,' verzekert Caesar de menigte. 'Bij mij is ze veilig. En dan nu even over die trainingsscore. El-luf. Kun je een tipje van de sluier oplichten over wat er daarbinnen is gebeurd?'

Ik werp een blik op de Spelmakers op het balkon en bijt op

mijn lip. 'Ehm... ik kan alleen zeggen dat het volgens mij de eerste keer was.'

De camera's zoomen in op de Spelmakers, die zitten te grinniken en te knikken.

'Kwel ons niet zo!' zegt Caesar alsof hij echt pijn heeft. 'Details. We willen details.'

Ik richt me tot het balkon. 'Ik mag er zeker niet over praten?'

De Spelmaker die in de punchschaal viel schreeuwt: 'Zo is dat!'

'Bedankt,' zeg ik. 'Het spijt me. Ik kan er niets over zeggen.'

'Laten we dan eens teruggaan naar het moment waarop de naam van je zusje werd voorgelezen tijdens de boete,' zegt Caesar. Hij is nu een stuk rustiger. 'En jij je als vrijwilliger opwierp. Kun je ons iets over haar vertellen?'

Nee. Nee, niet jullie allemaal. Maar Cinna misschien wel. Volgens mij beeld ik me het verdriet op zijn gezicht niet in. 'Ze heet Prim. Ze is nog maar twaalf. En ik hou meer van haar dan van wie ook ter wereld.'

Je kunt nu een speld horen vallen in de Stadscirkel.

'Wat heeft ze tegen je gezegd? Na de boete?' vraagt Caesar.

Eerlijk zijn. Eerlijk zijn. Ik slik moeizaam. 'Ze zei dat ik heel erg mijn best moest doen om te winnen.' Het publiek hangt ademloos aan mijn lippen.

'En wat zei jij toen?' dringt Caesar zachtjes aan.

Maar in plaats van warmte voel ik een ijzige starheid door mijn lichaam gaan. Mijn spieren spannen zich aan zoals ze ook doen voor ik een prooi doodmaak. Als ik antwoord geef, klinkt mijn stem een octaaf lager. 'Ik heb gezworen dat ik dat zou doen.'

'Dat geloof ik graag,' zegt Caesar terwijl hij me een kneepje geeft. De zoemer gaat. 'Helaas, de tijd is om. Heel veel succes, Katniss Everdeen, tribuut uit District 12.'

Het applaus houdt nog lang aan nadat ik ben gaan zitten. Ik kijk naar Cinna om te zien of ik het goed heb gedaan. Hij steekt heel subtiel zijn duimen omhoog.

Ik ben nog steeds in een soort roes tijdens het eerste gedeelte van Peeta's interview. Maar hij heeft het publiek vanaf de eerste seconde in zijn zak – ik hoor ze lachen, naar hem schreeuwen. Hij speelt de ultieme bakkerszoon en vergelijkt de tributen met de broden uit hun districten. Daarna vertelt hij een grappige anekdote over de gevaren van de Capitooldouches. 'Zeg eens eerlijk, ruik ik nog steeds naar rozen?' vraagt hij aan Caesar, en dan volgt er een hele act waarbij ze om de beurt aan elkaar snuffelen en het publiek volledig uit zijn dak gaat. Ik heb mijn hoofd er net weer een beetje bij als Caesar vraagt of hij thuis een vriendin heeft.

Peeta aarzelt en schudt dan niet erg overtuigend zijn hoofd.

'Zo'n knappe vent als jij. Je hebt vast wel een oogje op iemand. Vooruit, hoe heet ze?' zegt Caesar.

Peeta zucht. 'Nou ja, er is wel één meisje. Ik ben al heel lang verliefd op haar. Maar ik weet vrij zeker dat ze tot de boete geen idee had van mijn bestaan.'

Meelevende geluiden uit de menigte. Onbeantwoorde liefde, daar kunnen ze iets mee.

'Heeft ze een ander?' vraagt Caesar.

'Dat weet ik niet, maar er zijn een heleboel jongens die haar leuk vinden,' zegt Peeta.

'Nou, ik weet het goed gemaakt. Je wint, je gaat naar huis – dan kan ze je niet meer afwijzen, toch?' zegt Caesar bemoedigend.

'Ik denk niet dat dat gaat werken. Winnen... zal in mijn geval niet helpen,' zegt Peeta.

'Waarom niet, in vredesnaam?' vraagt Caesar verbijsterd.

Peeta wordt zo rood als een biet. Hij stamelt: 'Omdat... omdat... ze hier samen met mij naartoe is gekomen.'

DEEL II

DE SPELEN

hoofdstuk 10

Even houden de camera's Peeta's neergeslagen ogen vast terwijl zijn woorden tot ons doordringen. Dan zie ik mijn gezicht, mijn mond half open in een mengeling van verbazing en protest, uitvergroot op elk scherm terwijl ik besef: *mij! Hij bedoelt mij!* Ik pers mijn lippen op elkaar en staar naar de grond, in de hoop dat dit de emoties zal verbergen die in mijn binnenste omhoog beginnen te borrelen.

'O, dat is wel echt pech,' zegt Caesar, en zijn stem klinkt oprecht bedroefd. De menigte mompelt bevestigend, een paar mensen hebben zelfs een gekwelde kreet geslaakt.

'Het is niet zo leuk, nee,' beaamt Peeta.

'Nou, volgens mij kan niemand hier het je kwalijk nemen. Het zou moeilijk zijn om niet voor die jongedame te vallen,' zegt Caesar. 'Wist ze het niet?'

Peeta schudt zijn hoofd. 'Tot nu toe niet.'

Ik durf mijn ogen lang genoeg naar het scherm te laten flitsen om te zien dat ik een onmiskenbare blos op mijn wangen heb.

'Nu zou je haar toch dolgraag terughalen om te vragen wat ze ervan vindt, of niet soms?' vraagt Caesar aan het publiek. De massa joelt instemmend. 'Helaas, regels zijn regels, en de tijd van Katniss Everdeen is om. Nou, heel veel succes, Peeta Mellark, en ik denk dat ik voor heel Panem spreek als ik zeg dat onze harten naar je uitgaan.'

Het gebrul van het publiek is oorverdovend. Peeta heeft alle andere tributen totaal van de kaart geveegd met zijn liefdesverklaring aan mij. Als de menigte eindelijk bedaart, stoot hij een gesmoord 'bedankt' uit en loopt terug naar zijn stoel. We staan op

voor het volkslied. Ik moet mijn hoofd heffen uit het vereiste respect en kan niet voorkomen dat ik zie hoe elk scherm nu gedomi-
neerd wordt door een shot van mij en Peeta, met een meter afstand
tussen ons die in de hoofden van de kijkers nooit overbrugd kan
worden. Arme zielige wij.

Maar ik weet wel beter.

Na het volkslied lopen de tributen in een rij terug, door de
lobby van het Trainingscentrum en naar de liften. Ik zorg ervoor
dat ik in een lift terechtkom waar Peeta beslist níét in zit. De menigte houdt onze entourage van stylisten en mentoren en begeleiders op, dus we hebben alleen elkaar als gezelschap. Niemand
zegt iets. Mijn lift stopt om vier tributen af te zetten voor ik alleen
ben, en dan gaan de deuren open op de twaalfde verdieping. Peeta
is nog maar net uit zijn lift gestapt als ik met mijn vlakke handen
tegen zijn borst sla. Hij verliest zijn evenwicht en botst tegen een
spuuglelijke vaas met nepbloemen erin. De vaas wankelt en valt in
honderden kleine stukjes kapot. Peeta belandt in de scherven en
zijn handen beginnen meteen te bloeden.

'Waar slaat dat nou op?' vraagt hij verbijsterd.

'Je had het recht niet! Je had het recht niet om zomaar die dingen over mij te zeggen!' schreeuw ik tegen hem.

Nu gaat de lift weer open en het hele team zit er in – Effie,
Haymitch, Cinna en Portia.

'Wat is hier aan de hand?' zegt Effie met een licht hysterische
ondertoon in haar stem. 'Ben je gevallen?'

'Nadat zij me duwde,' zegt Peeta, terwijl Effie en Cinna hem
overeind helpen.

Haymitch draait zich naar me om. 'Duwde?'

'Dit was jouw idee, hè? Om mij voor het oog van het hele land
als een of ander dom wicht neer te zetten?' antwoord ik.

'Het was mijn idee,' zegt Peeta, en zijn gezicht vertrekt van pijn
terwijl hij splinters aardewerk uit zijn handpalmen peutert. 'Haymitch heeft me alleen maar geholpen.'

'Ja, Haymitch is erg behulpzaam. Voor jou!' zeg ik.

'Je bént een dom wicht,' zegt Haymitch vol afschuw. 'Denk je dat hij je benadeeld heeft? Die jongen heeft je net iets gegeven wat je in je eentje nooit voor elkaar had kunnen krijgen.'

'Door hem lijk ik nu zwak!' zeg ik.

'Door hem lijk je nu begeerlijk! En laten we wel wezen, je kunt alle hulp gebruiken die je kunt krijgen op dat gebied. Je was ongeveer net zo romantisch als een plas modder tot hij zei dat hij van je hield. En nu houden ze allemaal van je. Ze praten alleen nog maar over jullie. De gedoemde geliefden uit District 12!' zegt Haymitch.

'Maar we zijn geen gedoemde geliefden!' zeg ik.

Haymitch pakt me bij mijn schouders en drukt me tegen de muur. 'Nou en? Het is allemaal één grote show. Het draait allemaal om hoe men je ziet. Het beste wat ik over jou kon zeggen na je interview was dat je best leuk was, hoewel dat op zich al een klein wonder genoemd mag worden. Nu kan ik zeggen dat je een hartenbreekster bent. O, o, o, wat vallen de jongens thuis smachtend aan je voeten. Wat levert meer sponsors op, denk je?'

Zijn vieze wijnadem maakt me misselijk. Ik duw zijn handen van mijn schouders en doe een stap opzij in een poging mijn hoofd weer helder te krijgen.

Cinna komt naar me toe en slaat zijn arm om me heen. 'Hij heeft gelijk, Katniss.'

Ik weet niet wat ik ervan moet denken. 'Jullie hadden het moeten zeggen, dan was ik niet zo stom overgekomen.'

'Nee, je reactie was juist perfect. Als je het had geweten, had het er niet zo echt uitgezien,' zegt Portia.

'Ze maakt zich gewoon zorgen om haar vriendje,' zegt Peeta bars, terwijl hij een bloederige scherf van zich af gooit.

Mijn wangen beginnen weer te gloeien bij de gedachte aan Gale. 'Ik heb geen vriendje.'

'Wat jij wilt, joh,' zegt Peeta. 'Maar ik durf te wedden dat hij slim genoeg is om te weten wanneer hij naar een toneelstukje zit te kijken. En trouwens, jij hebt niet gezegd dat je van míj hield. Dus wat maakt het uit?'

Zijn woorden dringen langzaam tot me door. Mijn woede ebt weg. Ik sta nu in tweestrijd tussen het idee dat ik ben gebruikt en het idee dat ik ben geholpen. Haymitch heeft gelijk. Ik heb mijn interview overleefd, maar wat heb ik nou eigenlijk laten zien? Een onnozel kind dat rondjes draaide in een fonkelende jurk. Giechelend. Het enige moment dat mijn gesprek wat meer inhoud had, was toen ik over Prim praatte. Als je dat met Thresh vergelijkt, met zijn zwijgende, dodelijke kracht, ben ik te verwaarlozen. Onnozel en fonkelend en te verwaarlozen. Nee, niet helemaal te verwaarlozen – ik heb mijn elf punten van de training nog.

Maar nu heeft Peeta een liefdesobject van me gemaakt. Niet alleen van zijn eigen liefde. Als je hem moet geloven heb ik een hele schare bewonderaars. En als het publiek echt gelooft dat we verliefd op elkaar zijn... Ik denk aan hoe heftig men reageerde op zijn bekentenis. Gedoemde geliefden. Haymitch heeft gelijk, ze smullen van dat soort dingen hier in het Capitool. Plotseling ben ik bang dat ik niet goed gereageerd heb.

'Nadat hij had gezegd dat hij verliefd op me was, dacht je toen dat ik misschien ook verliefd op hem was?' vraag ik.

'Ik wel,' zegt Portia. 'Door de manier waarop je de camera's ontweek, en die blos op je wangen.'

De anderen vallen haar bij.

'Je was fantastisch, schat. De sponsors zullen tot om de hoek van de straat voor je in de rij staan,' zegt Haymitch.

Ik schaam me voor mijn reactie. Ik dwing mezelf om Peeta's gelijk te erkennen. 'Sorry dat ik je geduwd heb.'

'Maakt niet uit.' Hij haalt zijn schouders op. 'Hoewel het officieel verboden is.'

'Gaat het een beetje met je handen?' vraag ik.

'Komt wel goed,' zegt hij.

In de stilte die volgt, ruiken we de heerlijke geuren van ons diner die uit de eetkamer zweven. 'Kom, we gaan eten,' zegt Haymitch. We lopen allemaal achter hem aan naar de tafel en gaan zitten. Maar Peeta bloedt te hevig, en Portia neemt hem mee zodat hij behandeld kan worden. We beginnen zonder hen aan de rozenblaadjessoep met room. Tegen de tijd dat we klaar zijn, komen ze terug. Peeta's handen zijn in verband gewikkeld. Ik voel me schuldig – morgen gaan we de arena in. Hij heeft me een dienst bewezen en in ruil daarvoor heb ik hem verwond. Zal ik ooit níét meer bij hem in het krijt staan?

Na het eten kijken we in de zitkamer naar de herhaling. Ik vind mezelf onbenullig en oppervlakkig met al dat gezwier en gegiechel in mijn jurk, hoewel de anderen me verzekeren dat ik charmant ben. Peeta is wél echt charmant en vervolgens totaal verpletterend als de verliefde jongen. En daar ben ik, blozend en verward, mooi door Cinna's handen, begeerlijk door Peeta's bekentenis, tragisch door de omstandigheden, en volgens iedereen onvergetelijk.

Als het volkslied afgelopen is en het scherm zwart, wordt het stil in de kamer. Morgenochtend worden we bij zonsopgang gewekt en klaargemaakt voor de arena. De echte Spelen beginnen om tien uur, omdat veel inwoners van het Capitool pas laat opstaan. Maar de tributen moeten vroeg uit de veren. Niemand kan voorspellen hoe lang we zullen moeten reizen naar de arena die dit jaar voor de Spelen gereed is gemaakt.

Ik weet dat Haymitch en Effie niet met ons mee zullen gaan. Ze vertrekken vanuit hier direct naar het Hoofdkwartier van de Spelen, waar ze het hopelijk gigantisch druk krijgen met het contracteren van onze sponsors en het uitwerken van een strategie over hoe en wanneer ze de donaties bij ons zullen bezorgen. Cinna en Portia zullen met ons meereizen, helemaal tot aan de plek waar we in de arena worden losgelaten. Maar van Haymitch en Effie zullen we hier al definitief afscheid moeten nemen.

Effie pakt ons allebei bij de hand en wenst ons met heuse tranen in haar ogen het allerbeste. Bedankt ons dat we de beste tributen zijn geweest die zij ooit heeft mogen begeleiden. Het was een eer. En dan, omdat het Effie is en ze blijkbaar wettelijk verplicht is iets afschuwelijks te zeggen, voegt ze er nog aan toe: 'Het zou me helemaal niet verbazen als ik volgend jaar eindelijk naar een fatsoenlijk district word bevorderd!'

Dan kust ze ons allebei op de wang en snelt de kamer uit, overmand door het emotionele afscheid, of door de mogelijke verbetering van haar toekomstkansen, dat is niet helemaal duidelijk

Haymitch slaat zijn armen over elkaar en kijkt ons aan.

'Nog een laatste raad?' vraagt Peeta.

'Als de gong gaat, ga je er zo snel mogelijk vandoor. Jullie zijn allebei geen partij voor het bloedbad bij de Hoorn des Overvloeds. Wegwezen daar, creëer zo veel mogelijk afstand tussen jou en de anderen en zoek een waterbron,' zegt hij. 'Begrepen?'

'En daarna?' vraag ik.

'Blijf leven,' zegt Haymitch. Het is dezelfde raad als die hij ons in de trein gaf, maar dit keer is hij niet dronken aan het ginnegappen. En wij knikken alleen maar. Wat valt er nog meer te zeggen?

Als ik naar mijn kamer loop, blijft Peeta nog even hangen om met Portia te praten. Ik ben er blij om. Ik weet niet welke vreemde afscheidswoorden we zullen wisselen, maar ze kunnen wachten tot morgen. Mijn dekbed is teruggeslagen, maar het roodharige Avoxmeisje is nergens te bekennen. Wist ik maar hoe ze heette. Ik had het moeten vragen. Misschien had ze het kunnen opschrijven. Of uitbeelden. Maar misschien zou haar dat uiteindelijk alleen maar straf opleveren.

Ik ga onder de douche staan en boen de gouden verf, de make-up, de geur van schoonheid van mijn lijf. Het enige wat nog overblijft van de inspanningen van het ontwerpteam zijn de vlammen op mijn nagels. Ik besluit ze erop te laten zitten zodat het publiek niet vergeet wie ik ben. Katniss, het meisje dat in vuur en vlam stond. Misschien heb ik op die manier iets waar ik me de komende dagen aan kan vastklampen.

Ik trek een dikke, wollige nachtpon aan en stap in bed. Het duurt ongeveer vijf seconden voor ik besef dat ik nooit in slaap zal vallen. En ik heb mijn slaap verschrikkelijk hard nodig, want in de arena zal elk moment dat ik toegeef aan de vermoeidheid een uitnodiging zijn om me te vermoorden.

Het mag niet baten. Eén uur, twee, drie uren verstrijken, en mijn oogleden weigeren zwaar te worden. Ik blijf de hele tijd piekeren over het soort omgeving waar ze me in zullen gooien. Woestijn? Moeras? Een ijzige vlakte? Ik hoop vurig op bomen, want die kunnen voor een schuilplaats, eten en beschutting zorgen. Er zijn vaak bomen omdat kale landschappen saai zijn en de Spelen anders te snel afgelopen zijn. Maar hoe zal het klimaat zijn? Welke hinderlagen hebben de Spelmakers verborgen om de momenten waarop niet zoveel gebeurt op te leuken? En dan zijn mijn medetributen er ook nog...

Hoe wanhopiger ik de slaap probeer te vatten, hoe meer hij me ontglipt. Uiteindelijk ben ik zelfs te rusteloos om in bed te blijven liggen. Ik ijsbeer heen en weer; mijn hart bonkt, mijn adem stokt. De kamer voelt als een gevangeniscel. Als ik niet snel frisse lucht krijg, ga ik weer met dingen gooien. Ik ren door de gang naar de deur die naar het dak leidt. Hij is niet op slot en staat zelfs op een kier. Misschien is iemand vergeten hem dicht te doen, maar het doet er ook niet toe. Het energieveld rond het dak voorkomt elke wanhopige ontsnappingspoging. En ik wil niet ontsnappen, ik wil alleen mijn longen volzuigen met zuurstof. Ik wil de hemel en de maan zien in de laatste nacht dat er niemand op me jaagt.

Het dak is 's avonds niet verlicht, maar zodra ik mijn blote voeten op de tegels zet, zie ik zijn silhouet dat zwart afsteekt tegen de immer brandende lichten van het Capitool. Er is heel wat tumult beneden op straat, muziek en gezang en getoeter van auto's, wat ik allemaal niet kon horen door het dikke glas van de ramen in mijn kamer. Ik zou nu weer stilletjes weg kunnen glippen zonder dat hij me heeft gezien, hij zou me nooit opmerken met al dat lawaai. Maar de nachtlucht is zo heerlijk dat ik het idee om terug te moeten naar die bedompte kooi van een kamer niet kan verdragen. En wat maakt het ook uit of we praten of niet?

Mijn voeten lopen geruisloos over de tegels. Ik ben nog geen meter bij hem vandaan als ik zeg: 'Je zou beter wat kunnen slapen.'

Hij schrikt maar draait zich niet om. Ik zie dat hij heel licht zijn hoofd schudt. 'Ik wilde het feest niet missen. Het is tenslotte voor ons.'

Ik kom naast hem staan en leun over de balustrade. De brede straten zijn gevuld met dansende mensen. Ik knijp mijn ogen samen om de piepkleine gedaantes beter te kunnen zien. 'Zijn ze verkleed?'

'Wie zal het zeggen?' antwoordt Peeta. 'Met al die bizarre kleren die ze hier dragen. Jij kon ook niet slapen?'

'Ik kon mijn gedachten niet uitzetten,' zeg ik.

'Met je hoofd bij je familie?' vraagt hij.

'Nee,' geef ik een beetje schuldbewust toe. 'Ik kan alleen maar over morgen nadenken. Wat natuurlijk absoluut geen nut heeft.' In het licht van beneden kan ik nu zijn gezicht zien, en de onbeholpen manier waarop hij zijn verbonden handen houdt. 'Het spijt me echt van je handen.'

'Het maakt niet uit, Katniss,' zegt hij. 'Ik heb toch nooit een kans gemaakt om deze Spelen te winnen.'

'Zo moet je niet denken,' zeg ik.

'Waarom niet? Het is waar. Ik kan alleen maar hopen dat ik mezelf niet te schande maak en dat...' Hij aarzelt.

'En wat?' vraag ik.

'Ik weet niet precies hoe ik het moet zeggen. Maar... ik wil sterven als mezelf. Begrijp je wat ik bedoel?' vraagt hij. Ik schud mijn hoofd. Hoe kan hij nou niet als zichzelf sterven? 'Ik wil niet dat ze me veranderen daarbinnen. Een soort monster van me maken dat ik niet ben.'

Ik bijt op mijn lip en vind mezelf opeens erg oppervlakkig.

Terwijl ik lag te malen over de aanwezigheid van bomen, heeft Peeta zitten worstelen met de vraag hoe hij zijn persoonlijkheid kan behouden. Zijn ware ik. 'Bedoel je dat je niemand gaat vermoorden?' vraag ik.

'Nee, als het zover is, weet ik zeker dat ik net als de rest zal doden. Ik kan het niet zonder slag of stoot opgeven. Maar ik zou zo graag willen dat ik een manier kon bedenken om... om het Capitool te laten zien dat ze me niet bezitten. Dat ik meer ben dan een pion in hun Spelen,' zegt Peeta.

'Maar dat ben je niet,' zeg ik. 'Wij allemaal niet. Zo werken de Spelen.'

'Oké, maar binnen dat kader ben jij nog steeds jij, ben ik nog steeds ik,' houdt hij vol. 'Snap je dat niet?'

'Een beetje. Maar... niet lullig bedoeld hoor, maar wie maakt zich daar nou druk om, Peeta?' vraag ik.

'Ik. Ik bedoel, waar mag ik me op dit moment anders nog druk om maken?' vraagt hij boos. Hij kijkt me met die blauwe ogen van hem doordringend aan en eist een antwoord.

Ik doe een stap achteruit. 'Je moet je druk maken om wat Haymitch zei. Over dat je moet blijven leven.'

Peeta kijkt me met een verdrietige en spottende glimlach aan. 'Prima. Bedankt voor de tip, schat.'

Het voelt als een klap in mijn gezicht. Dat hij Haymitch' kleinerende koosnaampje in de mond neemt. 'Hoor eens, als jij de laatste uren van je leven wilt doorbrengen met het voorbereiden van een of andere edelmoedige dood in de arena, dan moet je dat zelf weten. Ik wil de mijne doorbrengen in District 12.'

'Zou me niets verbazen als dat ook gebeurt,' zegt Peeta. 'Doe mijn moeder de hartelijke groeten als je het haalt, goed?'

'Dat zal ik doen,' zeg ik. Dan draai ik me om en ga naar beneden.

De rest van de nacht zweef ik in en uit een soort sluimertoestand terwijl ik bedenk welke bijtende opmerkingen ik morgen tegen Peeta Mellark zal maken. Peeta Mellark. We zullen nog wel eens zien hoe groots en nobel hij is als hij met leven en dood wordt geconfronteerd. Hij wordt vast zo'n barbaarse woesteling, het type tribuut dat iemands hart probeert op te eten nadat hij hem heeft vermoord. Een paar jaar geleden was er zo'n jongen uit District 6, Titus. Hij veranderde in een soort wild beest en de Spelmakers moesten hem met elektrische pistolen verdoven om de lijken van de spelers die hij had vermoord weg te kunnen halen voor hij ze opat. Er zijn geen regels in de arena, maar kannibalisme valt niet zo goed bij het Capitoolpubliek, dus dat proberen ze te voorkomen. Er werd ook gespeculeerd dat de lawine waardoor Titus uiteindelijk werd uitgeschakeld, speciaal voor hem was geconstrueerd zodat men zeker wist dat er geen gestoorde gek zou winnen.

Maar de volgende ochtend zie ik Peeta niet. Cinna is al voor zonsopgang bij me, geeft me een eenvoudige hemdjurk om aan te trekken en neemt me mee naar het dak. Mijn definitieve outfit zal ik in de catacomben van de arena aankrijgen, waar ook de allerlaatste voorbereidingen worden getroffen. Uit het niets verschijnt er een hovercraft, net als in het bos op de dag dat ik zag hoe het roodharige Avoxmeisje werd gevangen, en er komt een ladder naar beneden. Ik plaats mijn handen en voeten op de onderste sporten en het lijkt meteen alsof ik verlamd ben. Een of andere elektrische stroom plakt me tegen de ladder terwijl ik veilig naar binnen word gehesen.

Daar verwacht ik dat de ladder me zal loslaten, maar ik zit nog steeds vast als er een vrouw in een witte jas naar me toe komt met een injectiespuit. 'Dit is gewoon je volgchip, Katniss. Hoe stiller je zit, hoe beter ik hem kan plaatsen,' zegt ze.

Stil? Ik ben een standbeeld. Maar dat behoedt me nog niet voor de scherpe pijnscheut die ik voel als de naald het metalen opsporingsmechanisme diep onder de huid aan de binnenkant van mijn bovenarm inbrengt. Nu zullen de Spelmakers altijd precies kunnen volgen waar ik ben in de arena. Stel je voor dat ze een tribuut kwijt zouden raken.

Zodra de chip op zijn plek zit laat de ladder me los. De vrouw verdwijnt en Cinna wordt van het dak gehaald. Er komt een Avox-jongen binnen die ons naar een kamer begeleidt waar een ontbijt-tafel is gedekt. Ondanks de spanning in mijn buik eet ik zoveel als ik kan, ook al proef ik niets van al het heerlijks. Ik ben zo zenuw-achtig dat ik net zo goed kolengruis zou kunnen eten. Het enige wat me een beetje afleidt is het uitzicht uit de ramen als we over de stad glijden en vervolgens over de wilde natuur daarachter. Dit is wat vogels zien. Alleen zijn die veilig en vrij. Precies het tegenover-gestelde van mij.

De tocht duurt ongeveer een halfuur voor de ramen zwart worden, ten teken dat we vlak bij de arena zijn. De hovercraft landt en Cinna en ik gaan terug naar de ladder die dit keer een onder-grondse buis in loopt, naar de catacomben die onder de arena lig-gen. We volgen de instructies naar mijn bestemming, een ruimte waar ik me klaar kan maken. In het Capitool heet dit de Startka-mer. In de districten noemen we het de Drijfgang. De laatste weg die de dieren afleggen naar de slachtruimte.

Alles is spiksplinternieuw, ik zal de eerste en enige tribuut zijn die deze Startkamer gebruikt. De arena's zijn historisch gebied en blijven na de Spelen bewaard. Het zijn populaire vakantiebestem-mingen voor de inwoners van het Capitool. Blijf er een maand, bekijk de Spelen nog een keer, bezichtig de catacomben, bezoek de plekken waar de doden zijn gevallen. Je kunt ze zelfs naspelen als je wilt.

Men zegt dat het eten er verrukkelijk is.

Ik moet mijn best doen om mijn ontbijt binnen te houden terwijl ik douche en mijn tanden poets. Cinna doet mijn haar in de eenvoudige vlecht op mijn rug, mijn handelsmerk. Dan komen de kleren binnen, voor iedere tribuut hetzelfde. Cinna heeft geen zeg-genschap gehad over mijn outfit, weet niet eens wat er in het pak zit, maar hij helpt me met het aantrekken van de onderkleding, een eenvoudige beige broek, een lichtgroene blouse, een stevige bruine riem en een dunne zwarte jas tot op mijn dijen met capuchon. 'De stof in de jas is gemaakt om lichaamswarmte vast te houden. Je kunt een paar koude nachten verwachten,' zegt hij.

De laarzen, die over nauwsluitende sokken gaan, zijn fijner dan ik had durven hopen. Ze zijn van zacht leer en lijken wel een beetje op het paar dat ik thuis heb. Maar deze hebben smalle, soepele rubberen zolen met ribbels. Heel geschikt om mee te rennen.

Als ik denk dat ik klaar ben haalt Cinna de gouden spotgaaienspeld uit zijn zak. Ik was hem helemaal vergeten.

'Waar heb je die vandaan?' vraag ik.

'Van het groene shirt dat je in de trein aanhad,' zegt hij. Ik herinner me opeens weer dat ik de broche toen inderdaad van mijn moeders jurk heb gehaald om hem op mijn trui te spelden. 'Dit is toch jouw districtsaandenken?' Ik knik en hij maakt hem vast aan mijn trui. 'Hij kwam maar ternauwernood langs de keuring. Sommige juryleden dachten dat de speld misschien als wapen gebruikt zou kunnen worden, wat je een oneerlijke voorsprong zou geven. Maar uiteindelijk mocht hij er toch door,' zegt Cinna. 'Ze hebben trouwens wel een ring van dat meisje uit District 1 tegengehouden. Als je de edelsteen opzijdraaide, kwam er een scherpe punt tevoorschijn. Met gif eraan. Ze beweert dat ze geen idee had dat de ring kon veranderen en het viel niet te bewijzen dat dat wel zo was. Maar haar aandenken is ze kwijt. Zo, je bent helemaal klaar. Loop maar even rond. Kijken of alles lekker zit.'

Ik loop heen en weer, ren een rondje, zwaai met mijn armen. 'Ja, het zit prima. Het past perfect.'

'Dan kunnen we alleen nog maar wachten op het startsein,' zegt Cinna. 'Tenzij je denkt dat je nog wat meer kunt eten?'

Ik sla het eten af, maar neem wel een glas water dat ik met kleine slokjes opdrink terwijl we op een bank zitten te wachten. Ik wil niet op mijn nagels of lippen bijten, dus ik begin onwillekeurig op de binnenkant van mijn wang te kauwen. Die is nog steeds niet helemaal genezen van een paar dagen geleden. Algauw smaakt mijn hele mond naar bloed.

De zenuwen gaan langzaam over in doodsangst terwijl ik vooruitdenk aan wat me te wachten staat. Over een uur ben ik misschien wel morsdood. Of nog eerder. Mijn vingers glijden geobsedeerd over het harde bobbeltje op mijn bovenarm waar de vrouw de volgchip heeft geïnjecteerd. Ik druk erop, ook al doet het pijn; ik druk er zo hard op dat er een kleine blauwe plek ontstaat.

'Wil je praten, Katniss?' vraagt Cinna.

Ik schud mijn hoofd maar steek even later mijn hand naar hem uit. Cinna pakt hem met zijn beide handen vast. En zo blijven we zitten tot een vriendelijke vrouwenstem aankondigt dat het tijd is om ons klaar te maken voor de start.

Ik blijf een van Cinna's handen vastklampen terwijl ik naar de ronde metalen plaat loop en erop ga staan. 'Niet vergeten wat Haymitch heeft gezegd. Wegrennen en water zoeken. De rest komt wel,' zegt hij. Ik knik. 'En dit mag je ook niet vergeten. Ik mag niet wedden, maar als ik kon zou ik al mijn geld op jou inzetten.'

'Echt waar?' fluister ik.

'Echt waar,' zegt Cinna. Hij buigt zich voorover en geeft me een kus op mijn voorhoofd. 'Succes, meisje dat in vuur en vlam staat.' En dan komt er vanboven een glazen buis om me heen die hem buitensluit zodat onze handen elkaar los moeten laten. Hij tikt met zijn vingers onder zijn kin. Hoofd omhoog.

Ik steek mijn kin in de lucht en sta zo recht als ik kan. De buis gaat omhoog. Een seconde of vijftien is het donker om me heen en dan voel ik hoe de metalen plaat me de buis uit duwt, naar buiten. Heel even worden mijn ogen verblind door het felle zonlicht en ben ik me alleen bewust van een stevige wind en de hoopvolle geur van dennenbomen.

Dan hoor ik de legendarische omroeper, Claudius Templesmith, wiens stem overal om me heen galmt.

'Dames en heren, de vierenzeventigste Hongerspelen zijn begonnen!'

hoofdstuk 11

Zestig seconden. Zo lang moeten we op onze metalen cirkels blijven staan tot het geluid van een gong ons bevrijdt. Stap je eraf voor de minuut om is, dan blazen landmijnen je benen eraf. Zestig seconden om de in een kring opgestelde tributen te bekijken, allemaal op gelijke afstand van de Hoorn des Overvloeds, een gigantische gouden hoorn in de vorm van een kegel met een omgekrulde punt. De opening is minstens zes meter hoog en ligt vol met de dingen die ons hier in de arena in leven kunnen houden. Voedsel, flessen water, wapens, medicijnen, kleding, lucifers. Er liggen nog allerlei andere dingen her en der verspreid, waarvan de waarde afneemt naarmate ze verder van de Hoorn liggen. Een paar passen bij mij vandaan ligt bijvoorbeeld een lap plastic van ongeveer een vierkante meter. Die zou best van pas kunnen komen bij een stortbui. Maar daar, in de opening, zie ik een tent liggen die me tegen vrijwel elk weertype zou beschermen. Áls ik het lef zou hebben om erheen te gaan en er met de andere drieëntwintig tributen om te vechten. Wat me uitdrukkelijk is opgedragen niet te doen.

We staan op een stuk open terrein. Een vlakte van harde, compacte aarde. Achter de tributen tegenover me zie ik niets wat wijst op een steile helling naar beneden of zelfs een afgrond. Aan mijn rechterhand ligt een meer. Links en achter me een dungezaaid dennenbos. Daar zou Haymitch willen dat ik heen ging. Meteen.

Ik hoor zijn instructies in mijn hoofd: 'Wegwezen daar, creëer zo veel mogelijk afstand tussen jou en de anderen en zoek een waterbron.'

Maar het is verleidelijk, zo verleidelijk, om de extra's te zien die daar op me liggen te wachten. En ik weet dat als ik ze niet te pakken krijg, iemand anders ze zal hebben. Dat de Beroepstributen die het bloedbad overleven het grootste gedeelte van die cruciale buit onder elkaar zullen verdelen. Mijn oog valt op iets. Daar, op een stapel opgerolde dekens, ligt een zilveren koker met pijlen en een boog, gespannen en al, klaar voor gebruik. *Die is van mij*, denk ik. *Hij is voor mij bedoeld.*

Ik ben snel. Ik kan harder sprinten dan alle meisjes op onze school, hoewel een paar me wel kunnen verslaan op de lange afstanden. Maar dit stuk van veertig meter, daar ben ik voor gebouwd. Ik weet dat ik hem kan pakken, ik weet dat ik er als eerste kan zijn, maar dan blijft de vraag: hoe snel kan ik weer wegkomen? Tegen de tijd dat ik de tent en de wapens in handen heb, zullen anderen ook bij de Hoorn zijn aangekomen, en één of twee kan ik misschien nog wel neerschieten, maar stel dat er twaalf zijn, vlakbij, dan zouden ze me kunnen uitschakelen met de speren en de knuppels. Of hun eigen sterke vuisten.

Maar aan de andere kant: ik zal niet het enige doelwit zijn. Ik durf te wedden dat veel andere tributen een relatief klein meisje als ik zullen laten lopen om hun sterkere tegenstanders te pakken te kunnen nemen, ook al heeft ze een elf gehaald bij de training.

Haymitch heeft me nooit zien rennen. Anders had hij misschien wel gezegd dat ik ervoor moest gaan. Het wapen moest pakken. Want juist dat wapen zou wel eens mijn redding kunnen betekenen. En ik heb maar één boog gezien in de hele stapel. Ik weet dat de minuut bijna voorbij moet zijn en dat ik moet beslissen wat ik ga doen en ik merk dat ik mijn voeten neerzet om te rennen, niet weg, het omringende bos in, maar richting de spullen, naar de boog. Dan valt mijn oog plotseling op Peeta, hij staat ongeveer vijf tributen naar rechts, een behoorlijk eind weg, maar toch zie ik dat hij naar me kijkt en volgens mij schudt hij zijn hoofd. Maar de zon schijnt in mijn ogen en terwijl ik me afvraag of ik het wel goed zie, gaat de gong.

En ik heb hem gemist! Ik heb mijn kans gemist! Want die paar extra seconden die ik heb verloren door niet klaar te staan, zijn genoeg om me van gedachten te doen veranderen over het naar de Hoorn rennen. Mijn voeten schuifelen even op hun plek, onzeker over welke kant mijn hersenen op willen, en dan spring ik naar voren en gris het stuk plastic en een brood van de grond. Mijn buit is zo karig en ik ben zo boos op Peeta dat hij me heeft afgeleid dat ik nog twintig meter verder naar voren sprint om een feloranje rugzak te pakken waar van alles in zou kunnen zitten, omdat ik het gewoon niet kan uitstaan om met zo goed als niets te vertrekken.

Een jongen, volgens mij uit District 9, is op hetzelfde moment bij de rugzak als ik en we staan er een ogenblik om te worstelen tot hij plotseling mijn gezicht vol bloed hoest. Ik wankel walgend achteruit, in de war door de warme, plakkerige spetters. Dan zakt de jongen naar de grond, en op dat moment zie ik het mes in zijn rug. Andere tributen zijn al bij de Hoorn des Overvloeds en spreiden zich uit voor de aanval. Ja, daar is het meisje uit District 2, dat tien meter verderop naar me toe rent met in één hand minstens vijf messen. Ik heb haar zien werpen tijdens de training. Ze mist nooit. En ik ben haar volgende doelwit.

Alle algemene angst die ik tot nu toe heb gevoeld wordt nu samengebald tot een directe angst voor dit meisje, dit roofdier dat me binnen een paar seconden kan doden. De adrenaline giert door mijn lijf; ik slinger de rugzak over een schouder en ren zo hard ik kan naar het bos. Ik hoor het mes naar me toe suizen en hijs in een reflex de rugzak omhoog om mijn hoofd te beschermen. Het mes blijft steken in de tas. Met de beide banden nu om mijn schouders storm ik op de bomen af. Op de een of andere manier weet ik dat het meisje niet achter me aan zal komen. Dat ze teruggelokt zal worden naar de Hoorn des Overvloeds voordat de beste spullen weg zijn. Er schiet een grijns over mijn gezicht. *Bedankt voor het mes*, denk ik.

Bij de rand van het bos draai ik me nog even om om het slagveld te overzien. Een stuk of twaalf tributen staan bij de Hoorn op elkaar in te hakken. Er liggen al meerdere doden op de grond. Degenen die gevlucht zijn, verdwijnen tussen de bomen of in de leegte tegenover me. Ik ren verder tot ik door het bos niet meer te zien ben voor de anderen en ga dan over op een rustige draf die ik waarschijnlijk wel een tijdje volhoud. De uren daarna ga ik afwisselend rennend en lopend verder om zo veel mogelijk afstand tussen mij en mijn rivalen te creëren. Ik ben mijn brood verloren tijdens mijn gevecht met de jongen uit District 9 maar heb het stuk plastic in mijn mouw weten te proppen, dus dat vouw ik tijdens het lopen netjes op en stop het in een van mijn zakken. Ook trek ik het mes los – een prima exemplaar, met een lang scherp lemmet en kartels bij het heft, waardoor ik het goed zal kunnen gebruiken om dingen mee door te zagen – en schuif het in mijn riem. Ik durf nog niet te blijven staan om de inhoud van de rugzak te bekijken. Ik blijf gewoon doorgaan en houd alleen in om te kijken of ik achtervolgd word.

Ik kan een eind komen. Dat weet ik door mijn vele dagen in het bos. Maar ik moet wel drinken. Dat was de tweede instructie van Haymitch, en aangezien ik de eerste behoorlijk verprutst heb, let ik goed op of ik ergens een teken van water zie. Helaas.

Het bos wordt dichter en de dennen worden afgewisseld met allerlei andere bomen; sommige herken ik en sommige heb ik nog nooit gezien. Op een gegeven moment hoor ik iets ritselen en ik trek mijn mes met het idee dat ik mezelf misschien moet verdedigen, maar ik heb slechts een konijntje opgeschrikt. 'Fijn dat je er bent,' fluister ik. Als er één konijn is, zitten er misschien wel honderden te wachten tot ze in mijn strikken lopen.

De grond loopt schuin af. Dat bevalt me niet erg. In een dal heb ik altijd het gevoel dat ik in de val zit. Ik wil hoog zitten, zoals in de heuvels rond District 12, waar ik mijn vijanden kan zien aankomen. Maar ik heb geen andere keus dan gewoon door te gaan.

Vreemd genoeg voel ik me nog niet eens zo slecht. Ik heb me

de afgelopen dagen niet voor niets volgepropt. Ik heb genoeg uithoudingsvermogen, zelfs al heb ik te weinig geslapen. Het doet me goed om in het bos te zijn. Ik ben blij met de eenzaamheid, ook al is het een illusie aangezien ik op dit moment hoogstwaarschijnlijk live op televisie ben. Niet de hele tijd, maar nu en dan. Er zijn de eerste dag zo veel doden om te laten zien dat een tribuut die door het bos sjouwt niet erg interessant is. Maar ze zullen me vaak genoeg in beeld brengen om de mensen te laten weten dat ik nog leef en ongedeerd op de vlucht ben. De openingsdag is een van de momenten waarop het drukst gewed wordt, nadat de eerste slachtoffers zijn gevallen. Maar dat is nog niets vergeleken met wat er gebeurt als er nog maar een handjevol deelnemers in het spel is.

Het is al laat in de middag als ik de eerste kanonnen hoor. Elk schot staat voor een dode tribuut. Blijkbaar wordt er eindelijk niet meer gevochten bij de Hoorn des Overvloeds. Ze halen de lijken van het bloedbad nooit op voor de overgebleven tributen weg zijn. Op de openingsdag schieten ze de kanonnen zelfs nooit af tot het eerste gevecht is afgelopen omdat het te lastig is om alle doden bij te houden. Ik mag van mezelf even stoppen en blijf hijgend staan om de schoten te tellen. Eén... twee... drie... Het gaat maar door, tot ze bij elf zijn. Elf doden in totaal. Nog dertien spelers over. Mijn vingernagels schrapen langs het opgedroogde bloed dat de jongen uit District 9 in mijn gezicht heeft gehoest. Die is er geweest, zeker weten. Ik denk aan Peeta. Heeft hij de dag overleefd? Binnen een paar uur zal ik het weten, als ze de beelden van de doden in de lucht projecteren zodat de rest van ons ze kan zien.

Plotseling word ik helemaal overmand door het idee dat Peeta misschien al is omgekomen, leeggebloed en opgehaald, en nu terug naar het Capitool vervoerd wordt waar ze hem zullen schoonmaken, nieuwe kleren aan zullen trekken en in een eenvoudige houten kist terug naar District 12 zullen sturen. Niet meer hier. Op weg naar huis. Ik pijnig mijn hersenen om me te herinneren of ik hem nog gezien heb toen de strijd eenmaal begonnen was. Maar het laatste beeld dat ik me voor de geest kan halen, is Peeta die zijn hoofd schudt terwijl de gong gaat.

Misschien is het beter als hij er nu al niet meer is. Hij had er geen vertrouwen in dat hij kon winnen. En ik zal niet met de onaangename taak zitten hem te vermoorden. Misschien is het beter als hij er voor altijd uit ligt.

Uitgeput zak ik naast mijn rugzak op de grond. Ik moet hem toch inspecteren voor het donker wordt. Kijken waar ik het mee moet doen. Terwijl ik de gespen losklik, voel ik dat het een stevig ding is, ook al is de kleur nogal ongelukkig. Dit oranje geeft bijna licht in het donker. Ik zeg tegen mezelf dat ik niet moet vergeten hem morgenochtend meteen te camoufleren.

Ik klap de flap open. Op dit moment wil ik het allerliefst water. Haymitch heeft ons niet voor niets opdracht gegeven om meteen op zoek te gaan naar een bron. Zonder zal ik het niet lang uithouden. Een paar dagen zal ik ondanks de onaangename symptomen van uitdroging nog wel kunnen functioneren, maar daarna zal ik snel achteruitgaan, niets meer kunnen en binnen een week ben ik dood – op z'n laatst. Ik spreid de inhoud zorgvuldig uit. Een dunne zwarte slaapzak die lichaamswarmte reflecteert. Een pak crackers. Een pak gedroogde rundvleesrepen. Een fles jodium. Een doos lucifers. Een dunne rol draad. Een zonnebril. En een ontzettend lege plastic tweeliterfles met dop om water in te doen.

Geen water. Was het nou echt zo veel moeite geweest om die fles even te vullen? Ik word me opeens heel erg bewust van mijn droge keel en mond, de barsten in mijn lippen. Ik ben al de hele dag onderweg. Het is heet en ik heb veel gezweet. Thuis doe ik dit ook, maar daar zijn altijd beekjes om uit te drinken, of er is sneeuw om te smelten als het nodig is.

Terwijl ik mijn rugzak weer inpak komt er een afschuwelijke gedachte in me op. Het meer. Het meer dat ik zag terwijl ik op de gong stond te wachten. Stel dat dat de enige waterbron is in het hele gebied? Op die manier weten ze zeker dat we zullen vechten.

Het meer ligt een dagtocht van de plek waar ik nu zit, een tocht die veel zwaarder wordt zonder drinken. En dan nog, zelfs als ik het meer haal, dan zal het beslist zwaar bewaakt worden door een paar Beroepstributen. Ik raak bijna in paniek, maar dan moet ik opeens weer aan het konijn denken dat ik eerder vandaag heb laten schrikken. Dat moet ook drinken. Ik moet alleen zien uit te vinden waar.

Het begint te schemeren en ik voel me slecht op mijn gemak. De bomen staan te ver uit elkaar om me aan het zicht te onttrekken. De laag dennennaalden die enerzijds het geluid van mijn voetstappen dempt, maakt het anderzijds ook moeilijker om dieren te volgen, terwijl ik hun sporen nodig heb om water te vinden. En ik ga nog steeds heuvelafwaarts, dieper en dieper een schijnbaar eindeloos dal in.

Ik heb ook honger, maar ik durf mijn kostbare voorraad crackers en vlees nog niet aan te breken. In plaats daarvan pak ik mijn mes en ga aan de slag met een dennenboom; ik snijd de buitenste bast weg en schraap een grote handvol van de zachte binnenschors los. Ik kauw er langzaam op terwijl ik verder loop. Na een week met het lekkerste eten ter wereld krijg ik het maar moeizaam weg. Maar ik heb al zo vaak dennenschors gegeten in mijn leven. Ik zal er snel genoeg aan wennen.

Een uur later is het duidelijk dat ik een slaapplek moet zien te vinden. De nachtdieren worden wakker. Af en toe hoor ik al geoehoe of gejank, de eerste aanwijzing dat ik met natuurlijke vijanden om de konijnen zal moeten concurreren. Het is nog te vroeg om te zeggen of ik zelf ook als voedselbron gezien zal worden. Wie weet hoeveel beesten me momenteel besluipen.

Maar op dit moment besluit ik dat mijn medetributen het belangrijkst zijn. Ik weet zeker dat een flink aantal de hele nacht door zal jagen. Degenen die het uitgevochten hebben bij de Hoorn des Overvloeds hebben eten, een overvloed aan water uit het meer, fakkels of zaklampen, en wapens die ze maar wat graag willen gebruiken. Ik kan alleen maar hopen dat ik ver en snel genoeg heb gelopen om buiten hun bereik te zijn.

Voordat ik me klaarmaak voor de nacht pak ik mijn draad en zet twee hangstrikken in het struikgewas. Ik weet dat het riskant is om vallen te zetten, maar het eten zal hier zo vreselijk snel op zijn. En ik kan geen strikken zetten als ik op de vlucht ben. Toch loop ik nog vijf minuten door voor ik mijn kamp opsla.

Ik kies mijn boom zorgvuldig uit. Een wilg, niet erg hoog, maar midden in een groepje andere wilgen die met hun lange, hangende slierten beschutting bieden. Ik klim omhoog, waarbij ik op de sterkere takken dicht bij de stam blijf, en vind een stevige vertakking voor mijn bed. Het duurt even, maar dan ligt de slaapzak toch in een redelijk comfortabele positie. Ik duw mijn rugzak naar het voeteneind van de slaapzak en kruip er dan zelf achteraan. Uit voorzorg doe ik mijn riem af, sla hem helemaal om de tak en mijn slaapzak en gesp hem rond mijn middel weer dicht. Als ik nu in mijn slaap omrol, val ik niet op de grond. Ik ben klein genoeg om de bovenkant van de slaapzak over mijn hoofd te kunnen trekken en ik doe ook nog mijn capuchon op. Met het vallen van de nacht koelt het snel af. Ondanks het risico dat ik heb genomen door de rugzak te pakken, weet ik nu dat het de juiste keus is geweest. Deze slaapzak, die mijn lichaamswarmte vasthoudt en weerkaatst, is van onschatbare waarde. Ik weet zeker dat er diverse andere tributen zijn die zich nu wanhopig afvragen hoe ze warm moeten blijven, terwijl ik zowaar misschien wel een paar uur kan slapen. Had ik nou maar niet zo'n dorst...

De nacht is nog maar net begonnen als ik het volkslied hoor dat voorafgaat aan de opsomming van de doden. Door de takken heen zie ik het embleem van het Capitool, dat in de hemel lijkt te zweven. In werkelijkheid kijk ik weer naar een scherm, een enorm ding dat aan een van hun snelle hovercrafts hangt. Het volkslied sterft weg en de hemel wordt even zwart. Thuis zouden we naar een uitgebreid verslag van elke moord kijken, maar men is van mening dat dat de levende tributen een oneerlijke voorsprong zou geven. Als ik bijvoorbeeld een boog te pakken zou krijgen en iemand neerschoot, dan zouden alle anderen mijn geheim kennen. Nee, hier in de arena zien we alleen dezelfde foto's die ze ook lieten zien toen ze onze trainingsscores uitzonden. Simpele portretten. Maar nu zetten ze in plaats van de score alleen het districtnummer eronder. Ik haal diep adem terwijl de gezichten van de elf dode tributen langskomen en tel ze een voor een af op mijn vingers.

De eerste die verschijnt is het meisje uit District 3. Dat betekent dat de Beroepstributen uit 1 en 2 het allemaal overleefd hebben. Geen verrassing. Dan de jongen uit 4. Die had ik niet verwacht, meestal halen alle Beroepstributen de eerste dag. De jongen uit District 5 – het meisje met de vossensnuit heeft het blijkbaar gered. De beide tributen uit 6 en 7. De jongen uit 8. De twee uit 9. Ja, daar is de jongen met wie ik om de rugzak heb gevochten. Mijn vingers zijn op, nog één dode tribuut te gaan. Is het Peeta? Nee, daar is het meisje uit District 10. Dat zijn ze. Het Capitoolembleem wordt nog een keer getoond, begeleid door bombastisch trompetgeschal. Dan is het donker en de geluiden van het bos beginnen weer.

Ik ben opgelucht dat Peeta nog leeft. Ik zeg weer tegen mezelf dat als ik doodga, mijn moeder en Prim er het meest bij gebaat zijn als hij wint. Op die manier probeer ik de tegenstrijdige gevoelens te sussen. De dankbaarheid dat hij me een voorsprong heeft gegeven door mij zijn liefde te verklaren tijdens het interview. De woede om zijn arrogante houding op het dak. De angst dat we op een gegeven moment misschien tegenover elkaar komen te staan in de arena.

Elf doden, maar geen uit District 12. Ik probeer te bedenken wie er nog over zijn. Vijf Beroepstributen. Vossensnuit. Thresh en Rue... Dus ze heeft zich toch door de eerste dag heen weten te slaan. Ik ben blij, ik kan er niets aan doen. Dat zijn er tien. Op de andere drie kom ik morgen wel. Nu is het donker, en ik heb lang gelopen en me hoog in deze boom genesteld. Nu moet ik proberen te rusten.

Ik heb al twee dagen nauwelijks geslapen, en dan was er vandaag ook nog die lange reis naar de arena. Langzaam sta ik toe dat mijn spieren ontspannen. Dat mijn ogen dichtvallen. Het laatste wat ik denk is dat ik geluk heb dat ik niet snurk...

Krak! Ik word wakker van het geluid van een brekende tak. Hoe lang heb ik geslapen? Vier uur? Vijf? Het puntje van mijn neus is ijskoud. *Krak! Krak!* Wat is er aan de hand? Dit is niet het geluid van een twijg die knapt onder iemands voet, maar het scherpe gekraak van takken die van een boom worden afgebroken. *Krak! Krak!* Ik schat dat het van een paar honderd meter naar rechts komt. Langzaam en geruisloos draai ik mezelf die kant op. Een paar minuten is er slechts duisternis en wat gescharrel. Dan zie ik een vonk en laait er een klein vuurtje op. Een paar handen warmt zich boven de vlammen, maar meer kan ik niet zien.

Ik moet op mijn lip bijten om niet elk scheldwoord dat ik ken naar de vuurmaker te schreeuwen. Wat haalt hij of zij zich wel niet in het hoofd? Een vuur dat alleen bij het vallen van de nacht aan was, zou nog tot daaraan toe zijn. Degenen die bij de Hoorn des Overvloeds hebben gevochten, met hun superieure spierkracht en overvloed aan voorraden, konden toen nog met geen mogelijkheid dicht genoeg in de buurt zijn om de vlammen te zien. Maar nu zijn ze waarschijnlijk al uren bezig het bos uit te kammen op zoek naar slachtoffers. Je kunt net zo goed met een vlag gaan staan zwaaien en roepen: 'Kom me maar halen!'

En daar zit ik dan, op een steenworp afstand van de grootste idioot die aan dit spel meedoet. Vastgebonden in een boom. Ik durf niet te vluchten omdat mijn globale positie net is doorgegeven aan elke moordenaar die hier rondloopt. Ik bedoel, ik weet dat het koud is en dat niet iedereen een slaapzak heeft. Maar dan bijt je op je kiezen en houd je vol tot het ochtend wordt!

De uren daarop lig ik witheet van woede in mijn slaapzak en ik denk echt dat ik, zodra ik deze boom uit kan, geen enkel probleem zal hebben met het uitschakelen van mijn nieuwe buurman of -vrouw. Mijn instinct zegt vluchten, niet vechten. Maar deze persoon vormt een onmiskenbaar risico. Domme mensen zijn gevaarlijk. En dit geval heeft waarschijnlijk nauwelijks tot geen wapens, terwijl ik dat prachtige mes heb.

De lucht is nog donker, maar ik voel de eerste tekenen van de naderende dageraad. Ik begin net te denken dat we – oftewel de persoon wiens dood ik aan het beramen ben en ikzelf – misschien wel wonder boven wonder onopgemerkt zijn gebleven. En dan hoor ik ze. Meerdere mensen beginnen te rennen. De vuurmaker moet ingedommeld zijn. Ze hebben haar al te pakken voor ze kan ontsnappen. Ik weet nu dat het een meisje is; ik hoor het aan de smeekbeden, de gekwelde gil die volgt. Dan klinken er stemmen die lachen en elkaar feliciteren. Iemand roept: 'Twaalf dood en nog elf te gaan!', wat hem een waarderend gejoel oplevert.

Dus ze vechten in een groep. Het verbaast me niet echt. Er worden vaak samenwerkingsverbanden gesloten in de eerste fase van de Spelen. De sterken verenigen zich om op de zwakkeren te jagen en vervolgens, als de druk te groot wordt, keren ze zich tegen elkaar. Ik hoef niet lang na te denken over wie dit verbond hebben gesloten. Dat zullen de overgebleven Beroepstributen zijn uit de Districten 1, 2 en 4. Twee jongens en drie meisjes. Degenen die samen lunchten.

Een tijdje hoor ik hoe ze het meisje op voorraden controleren. Uit hun commentaar kan ik afleiden dat ze niets bruikbaars gevonden hebben. Ik vraag me af of het slachtoffer Rue is, maar die gedachte verwerp ik snel. Zij is veel te slim om op die manier een vuur te stoken.

'Laten we er maar vandoor gaan, dan kunnen ze het lijk ophalen voor het begint te meuren.' Ik weet bijna zeker dat dat de beestachtige jongen uit District 2 is. Er klinkt instemmend gemompel en dan hoor ik tot mijn afgrijzen dat de groep mijn kant op komt. Ze weten niet dat ik hier ben. Hoe zouden ze dat kunnen weten? En ik ben goed verborgen in het groepje bomen. Zolang de zon nog niet op is in elk geval. Daarna vormt het zwart van mijn slaapzak geen schutkleur meer, maar een probleem. Als ze gewoon doorlopen zijn ze me zo voorbij en weer verdwenen.

Maar de Beroeps blijven staan op de open plek op ongeveer tien meter van mijn boom. Ze hebben zaklampen, fakkels. Door de openingen tussen de takken zie ik een arm hier, een laars daar. Ik bevries, durf zelfs geen adem meer te halen. Hebben ze me gezien? Nee, nog niet. Uit hun woorden maak ik op dat ze met hun gedachten ergens anders zitten.

'Hadden we nu onderhand geen kanon moeten horen?'

'Ik zou zeggen van wel. Er is geen reden om haar niet meteen op te halen.'

'Tenzij ze niet dood is.'

'Ze is dood. Ik heb haar zelf neergestoken.'

'Waar blijft het kanon dan?'

'Iemand moet teruggaan. Kijken of ze echt niet meer leeft.'

'Ja, ik heb geen zin om haar nog een keer achterna te moeten zitten.'

'Ik zei toch dat ze dood was!'

Er barst een ruzie los tot één tribuut de anderen het zwijgen oplegt. 'We verdoen onze tijd! Ik ga haar nu afmaken en dan gaan we verder!'

Ik val bijna uit de boom. Het is de stem van Peeta.

hoofdstuk 12

Godzijdank had ik de vooruitziende blik om mezelf vast te gespen. Ik ben zijdelings van de vertakking gerold en hang nu met mijn gezicht naar beneden terwijl ik op mijn plek blijf door de riem, één hand en mijn voeten die zich om de rugzak in mijn slaapzak heen schrap zetten tegen de stam. Er moet wat geritsel geklonken hebben toen ik opzij kieperde, maar de Beroeps waren te druk met hun geruzie om het te horen.

'Ga dan, donjuan,' zegt de jongen uit District 2. 'Dan kun je het met eigen ogen zien.'

Ik vang net een glimp op van Peeta terwijl hij bij het licht van een fakkel teruggaat naar het meisje bij het vuur. Zijn gezicht is bont en blauw, om zijn arm zit een bloederig verband en aan zijn voetstappen te horen hinkt hij enigszins. Ik denk aan hoe hij zijn hoofd schudde om te zeggen dat ik me niet in het gevecht om de voorraden moest mengen, terwijl hij al die tijd, ál die tijd al van plan was zichzelf er middenin te storten. Precies het tegenovergestelde van wat Haymitch hem had opgedragen.

Goed, dat kan ik nog verkroppen. Het was ook verleidelijk om al die voorraden te zien liggen. Maar dat... dat andere. Dat hij zich heeft aangesloten bij de Beroepstroep om op de rest van ons te jagen. Het zou bij niemand uit District 12 in zijn hoofd opkomen om zoiets te doen! Beroepstributen mogen dan veel wreder, arroganter en beter doorvoed zijn, maar alleen omdat het de schoothondjes van het Capitool zijn. Ze worden algemeen en hartgrondig gehaat door iedereen behalve de inwoners van hun eigen districten. Ik kan me zo voorstellen wat er nu thuis over hem gezegd wordt. En Peeta had het lef om tegen mij over eerverlies te beginnen?

Het is wel duidelijk dat de nobele jongen op het dak gewoon weer een spelletje met me speelde. Maar dit zal de laatste keer zijn. Ik zal elke avond verlangend naar de nachtelijke hemel kijken om te zien of hij dood is, als ik hem niet eerst zelf vermoord.

De Beroepstributen zwijgen tot hij buiten gehoorsafstand is, en beginnen dan op een fluistertoon te praten.

'Waarom vermoorden we hem niet gewoon nu vast? Dan zijn we er maar vanaf.'

'Laat hem maar meesjouwen. Het kan toch geen kwaad? En hij kan goed met dat mes overweg.'

Is dat zo? Dat is nieuw. Wat een interessante dingen kom ik vandaag toch over mijn vriend Peeta te weten.

'En trouwens, met hem erbij maken we de meeste kans om haar te vinden.'

Het duurt even voor het tot me doordringt dat ze met die 'haar' mij bedoelen.

'Hoezo? Denk je dat ze dat romantische jankverhaal gelooft?'

'Zou best kunnen. Ze leek me niet al te snugger. Elke keer als ik denk aan hoe ze rondjes stond te draaien in die jurk moet ik bijna kotsen.'

'Wisten we maar hoe ze aan die elf is gekomen.'

'Wedden dat donjuan dat weet?'

Als ze horen dat Peeta terugkomt houden ze hun mond.

'Was ze dood?' vraagt de jongen uit District 2.

'Nee. Maar nu wel,' zegt Peeta. Net op dat moment gaat het kanon af. 'Zullen we verdergaan?'

De Beroepstroep gaat ervandoor terwijl de dageraad aanbreekt en de vogels beginnen te fluiten. Ik blijf nog een tijdje in mijn ongemakkelijke houding hangen, met trillende spieren van de inspanning, en hijs mezelf dan terug op mijn tak. Ik moet naar beneden, op pad, maar ik blijf nog even liggen om te verwerken wat ik heb gehoord. Peeta is niet alleen met de Beroeps mee, hij helpt hen ook nog eens om mij te vinden. Het niet al te snuggere meisje met wie rekening gehouden moet worden vanwege haar elf. Omdat ze met een pijl en boog overweg kan. Wat Peeta beter weet dan wie dan ook.

Maar hij heeft het hun nog niet verteld. Bewaart hij die informatie omdat hij weet dat dat het enige is wat hem in leven houdt? Doet hij voor het publiek nog steeds alsof hij verliefd op me is? Wat gaat er in het hoofd van die jongen om?

Plotseling worden de vogels stil. Dan slaakt er één een hoge waarschuwingskreet. Eén toon. Net als de vogel die Gale en ik hoorden toen het roodharige Avoxmeisje werd opgepakt. Hoog boven het dovende kampvuurtje verschijnt een hovercraft. Er zakt een stel grote ijzeren tanden naar beneden. Langzaam en voorzichtig wordt het dode tributenmeisje in de hovercraft gehesen. Dan verdwijnt hij weer. De vogels gaan verder met hun lied.

Vooruit, fluister ik tegen mezelf. Ik kronkel mijn slaapzak uit, rol hem op en stop hem in de rugzak. Ik haal diep adem. Het is waarschijnlijk lastig geweest voor de camera's om me goed in beeld te krijgen doordat ik door het donker, de slaapzak en de wilgentakken niet goed te zien was. Maar ik weet dat ze me nu in de gaten houden. Zodra ik de grond raak, krijg ik zeker weten een close-up.

Het publiek zal wel door het dolle heen geweest zijn – ze wisten immers dat ik in de boom zat, dat ik heb gehoord wat de Beroeps zeiden, dat ik heb ontdekt dat Peeta erbij was. Tot ik precies heb bedacht hoe ik het spel verder wil spelen, kan ik maar beter overkomen alsof ik alles onder controle heb. Niet verbijsterd. Zeker niet in de war of bang.

Nee, ik moet eruitzien alsof ik iedereen in het spel één stap voor ben.

Dus als ik tussen de bladeren vandaan glijd, de ochtendschemering in, blijf ik even staan om de camera's de tijd te geven op me in te zoomen. Dan houd ik mijn hoofd een beetje schuin en glimlach veelbetekenend. Zo! Laat ze daar hun hoofd maar eens over breken.

Ik sta op het punt om op pad te gaan als ik aan mijn strikken denk. Misschien is het onvoorzichtig om te gaan kijken nu de anderen zo dichtbij zijn. Maar ik kan niet anders. Ik jaag al te lang, denk ik. En het idee dat er misschien vlees in zit is te verleidelijk. Ik word beloond met een prima konijn. Binnen een mum van tijd heb ik het beestje gevild en schoongemaakt, waarna ik de kop, poten, staart, huid en ingewanden onder een hoop bladeren laat liggen. Ik wilde dat ik een vuur had – van het eten van rauw konijn kun je heel erg ziek worden, weet ik helaas uit eigen ervaring –, maar dan denk ik opeens aan de dode tribuut. Ik ga snel terug naar haar kampplek. En ja hoor, de restanten van haar smeulende vuur zijn nog heet. Ik snijd het konijn aan stukken, maak van een paar takken een spit en zet het op de as.

Op dit moment ben ik blij met de camera's. Ik wil dat de sponsors zien dat ik kan jagen, dat je beter op mij kunt wedden omdat ik minder makkelijk dan de anderen door honger in de val zal worden gelokt. Terwijl het konijn gaar wordt, vermaal ik een stuk van een verkoolde tak en begin mijn rugzak te camoufleren. Het zwart maakt het oranje minder fel, maar ik heb het idee dat een laag modder nog beter zou werken. Maar voor modder heb ik natuurlijk water nodig...

Ik doe mijn rugzak om, pak mijn spit, schop wat aarde over het vuur en vertrek in tegenovergestelde richting van de Beroeps. Onderweg eet ik de helft van het konijn op en de rest wikkel ik in mijn plastic voor later. Het vlees smoort het gerommel in mijn maag, maar helpt nauwelijks om mijn dorst te lessen. Water is op dit moment het allerbelangrijkst.

Al lopend weet ik zeker dat ik nog steeds in beeld ben in het Capitool, dus ik blijf mijn gevoelens angstvallig verborgen houden. Maar wat zal Claudius Templesmith een lol hebben met zijn gastcommentatoren, terwijl ze Peeta's gedrag en mijn reactie analyseren. Wat heeft dat allemaal te betekenen? Heeft Peeta zijn ware aard laten zien? Welk effect heeft dit op de koersen van de weddenschappen? Zullen we sponsors kwijtraken? Hébben we eigenlijk wel sponsors? Ja, ik weet zeker van wel – ik wist het zeker, in elk geval.

Peeta heeft het beeld van ons als gedoemde geliefden in elk geval flink in de war geschopt. Toch? Misschien kunnen we er alsnog wat voordeel uit slepen, aangezien hij maar weinig over me heeft gezegd. Misschien denken de mensen dat het iets is wat we samen bekokstoofd hebben als ik nu kijk alsof ik het grappig vind.

De zon komt steeds hoger te staan en zelfs door het bladerdak lijkt het licht veel te fel. Ik smeer mijn lippen in met wat vet van het konijn en probeer niet te hijgen, maar het heeft geen zin. We zijn nog maar één dag bezig en ik droog nu al in hoog tempo uit. Ik probeer me alles wat ik over water weet voor de geest te halen. Het stroomt heuvelafwaarts, dus het is eigenlijk helemaal niet erg om verder het dal in te trekken. Kon ik maar een wildspoor ontdekken of een extra groen stukje begroeiing om me op weg te helpen. Maar er lijkt niets te veranderen. De grond blijft licht dalen, de vogels zingen, de bomen zijn allemaal hetzelfde.

Terwijl de dag verstrijkt weet ik dat dit niet lang meer goed kan gaan. Het beetje urine dat ik heb weten uit te plassen is donkerbruin, mijn hoofd doet zeer en er zit een droge plek op mijn tong die niet meer nat wil worden. De zon doet zo'n pijn aan mijn ogen dat ik de zonnebril tevoorschijn haal, maar als ik hem opzet lijkt hij iets geks met mijn zicht te doen, dus stop ik hem maar weer terug in de rugzak.

Het is al laat in de middag als ik denk dat ik gered ben. Ik zie een groepje bessenstruiken staan en ren ernaartoe om de vruchten te plukken, de zoete sappen uit hun velletjes te zuigen. Maar net als ik ze tegen mijn lippen zet, bekijk ik ze nog eens goed. Ik dacht dat het bosbessen waren, maar ze zijn net iets anders van vorm en als ik er één openscheur blijkt de binnenkant bloedrood. Ik herken deze bessen niet, misschien zijn ze wel eetbaar, maar ik vermoed dat dit een of andere gemene valstrik van de Spelmakers is. Zelfs de plantendocent in het Trainingscentrum hamerde erop dat we geen bessen moesten eten als we niet honderd procent zeker wisten dat ze niet giftig waren. Dat wist ik al wel, maar ik heb zo'n dorst dat als zij het niet nog eens herhaald had, ik niet de kracht had gehad ze weg te gooien.

Vermoeidheid maakt zich van me meester, en het is niet het gebruikelijke afgematte gevoel dat ik normaal gesproken heb na een lange trektocht. Ik moet regelmatig stoppen en rusten, hoewel ik weet dat ik de situatie alleen kan verhelpen door te blijven zoeken. Ik probeer een nieuwe tactiek: zo hoog als ik in mijn bibberige toestand durf in een boom klimmen om te kijken of ik ergens iets zie wat op water wijst. Maar zover mijn oog reikt zie ik naar alle kanten alleen maar hetzelfde onveranderlijke, uitgestrekte bos.

Vastbesloten om door te gaan tot het donker wordt, loop ik verder tot ik over mijn eigen voeten struikel.

Uitgeput sleur ik mezelf een boom in en gesp mezelf vast. Ik heb geen trek, maar om mijn mond iets te doen te geven zuig ik op een konijnenbotje. Het wordt nacht, het volkslied klinkt en hoog in de lucht zie ik de foto van het meisje, dat blijkbaar uit District 8 kwam. Voor wie Peeta terugging om haar af te maken.

Mijn angst voor de Beroepstroep stelt niets voor vergeleken bij mijn brandende dorst. Bovendien gingen zij de andere kant op en zullen zij onderhand ook moeten rusten. Wegens het gebrek aan water zijn ze misschien zelfs wel noodgedwongen teruggegaan naar het meer om hun voorraden aan te vullen.

Misschien is dat voor mij ook de enige mogelijkheid.

De ochtend brengt grote ellende. Mijn hoofd bonkt bij elke hartslag. Bij de simpelste bewegingen schieten er pijnscheuten door mijn gewrichten. Ik val meer uit de boom dan dat ik spring. Het duurt minutenlang voor ik mijn spullen ingepakt heb. Ergens diep vanbinnen weet ik dat dit niet goed is. Ik zou voorzichtiger moeten zijn, er sneller vandoor moeten gaan. Maar mijn hoofd zit vol watten en het is moeilijk om een plan te bedenken. Ik probeer het toch, achterover leunend tegen de boomstam terwijl ik met één vinger voorzichtig over de schuurpapieren bovenkant van mijn tong streel en mijn mogelijkheden overpeins. Hoe kan ik aan water komen?

Teruggaan naar het meer. Geen optie. Ik zou het nooit halen.

Op regen hopen. Er is geen wolk te zien.

Blijven zoeken. Ja, dat is mijn enige kans. Maar dan schiet me nog iets anders te binnen, en de steek van woede die daarop volgt maakt mijn hoofd op slag helder.

Haymitch! Hij kan me water sturen! Op een knopje drukken en het aan een zilverkleurige parachute binnen een paar minuten bij me laten bezorgen. Ik weet dat ik sponsors moet hebben, in elk geval één of twee die een halve liter vocht kunnen betalen. Ja, het is kostbaar, maar die mensen zijn stinkend rijk. En ze wedden ook op me. Misschien beseft Haymitch niet hoezeer ik het nodig heb.

Zo hard als ik durf zeg ik: 'Water.' Ik wacht hoopvol tot er een parachute uit de hemel zal komen. Maar er verschijnt niets.

Er klopt iets niet. Denk ik ten onrechte dat ik sponsors heb? Of houden ze zich door Peeta's gedrag allemaal een beetje afzijdig? Nee, dat geloof ik niet. Er is vast wel iemand die water voor me wil kopen, maar Haymitch weigert het door te laten. Als mentor heeft hij de controle over de aanvoer van de sponsordonaties. Ik weet dat hij een hekel aan me heeft. Dat heeft hij wel duidelijk ge- maakt. Maar zo'n hekel dat hij me zal laten sterven? Hieraan? Dat kan hij toch niet maken? Als een mentor zijn tributen niet goed behandelt, wordt hij verantwoordelijk gehouden door de kijkers, door de mensen thuis in District 12. Dat zou zelfs Haymitch niet riskeren, toch? Je kunt van mijn medehandelaren in de As zeggen wat je wilt, maar ik denk niet dat ze hem er nog in laten als hij me hier zo laat doodgaan. En waar moet hij dan zijn drank vandaan halen? Dus... wat dan? Probeert hij me te laten lijden omdat ik hem heb uitgedaagd? Geeft hij alle sponsors aan Peeta? Is hij gewoon te dronken om überhaupt te zien wat er aan de hand is? Om de een of andere reden kan ik dat niet geloven en ik geloof ook niet dat hij me door verwaarlozing probeert te vermoorden. Hij heeft zelfs oprecht, op zijn eigen onaangename manier, geprobeerd me hierop voor te bereiden. Maar wat is er dan aan de hand?

Ik verberg mijn gezicht in mijn handen. Ik hoef niet bang te zijn voor tranen, ik zou er zelfs geen kunnen laten om mijn leven mee te redden. Waar is Haymitch mee bezig? Ondanks al mijn woede, haat en argwaan geeft een zacht stemmetje in mijn achterhoofd fluisterend antwoord.

Misschien probeert hij je iets duidelijk te maken, zegt het stemmetje. Iets. Wat dan? Dan weet ik het. Er is maar één goede reden waarom Haymitch me geen water geeft. Omdat hij weet dat ik het bijna gevonden heb.

Ik klem mijn kiezen op elkaar en hijs mezelf overeind. Mijn rugzak lijkt wel drie keer zo zwaar te zijn geworden. Ik vind een afgebroken tak die als wandelstok kan dienen en ga op pad. De zon brandt fel, nog verschroeiender dan de eerste twee dagen. Ik voel me als een oud stuk leer dat droogt en barst in de hitte. Elke stap kost moeite, maar ik weiger stil te staan. Ik weiger te zitten. Als ik ga zitten is de kans groot dat ik niet meer op zal kunnen staan, dat ik niet eens meer weet wat me te doen stond.

Wat een makkelijk doelwit ben ik zo! Elke tribuut, zelfs die kleine Rue, zou me nu zo kunnen aanvallen, ze hoeven me alleen maar omver te duwen en me met mijn eigen mes te vermoorden; ik zou nauwelijks de kracht hebben om me te verzetten. Maar als er al iemand in mijn deel van het bos is, dan negeert hij me. Om eerlijk te zijn heb ik het gevoel dat er in een straal van duizenden kilometers geen andere levende ziel te bekennen is.

Maar ik ben niet alleen. Nee, ik word ongetwijfeld gevolgd door een camera. Ik denk terug aan de jaren waarin ik tributen heb zien sterven door honger, bevriezing, bloedverlies en uitdroging. Tenzij er ergens een heel goed gevecht aan de gang is, heb ik nu een hoofdrol.

Mijn gedachten richten zich op Prim. Zij zal waarschijnlijk niet live naar me kijken, maar op haar school zullen ze in de pauze de updates uitzenden. Voor haar doe ik mijn best er niet al te wanhopig uit te zien.

Maar als het middag wordt, weet ik dat het einde nadert. Mijn benen trillen en mijn hart bonst te snel. Ik vergeet constant wat ik eigenlijk aan het doen ben. Ik ben al een paar keer gestruikeld en wist dan telkens nog net mijn evenwicht te bewaren, maar als de stok onder me vandaan glijdt, val ik eindelijk op de grond en kan niet meer opstaan. Ik laat mijn ogen dichtvallen.

Ik heb Haymitch verkeerd ingeschat. Hij heeft nooit de intentie gehad om me te helpen.

Dit is best oké, denk ik. *Het is hier helemaal niet zo erg.* De lucht is minder heet, een teken dat de avond eraan komt. Er hangt een lichte, zoete geur die me aan lelies doet denken. Mijn vingers aaien de gladde grond, glijden er makkelijk overheen. *Dit is een mooie plek om dood te gaan*, denk ik.

Mijn vingertoppen tekenen krullerige figuurtjes in de koele, glibberige aarde. *Ik hou van modder*, denk ik. Heel vaak kan ik dankzij die zachte, leesbare oppervlakte de wildsporen volgen. Ook goed tegen bijensteken. Modder. Modder. Modder! Mijn ogen schieten open en ik klauw met mijn vingers in de aarde. Het ís modder! Mijn neus gaat de lucht in. En dat zijn lelies! Waterlelies!

Ik begin door de modder te kruipen, sleep mezelf naar die geur toe. Vijf meter van de plek waar ik ben gevallen plons ik door een wirwar van planten een vijver in. Op het oppervlak, met hun gele bloemen in volle bloei, drijven prachtige lelies.

Ik wil niets liever dan mijn gezicht onder water dompelen en zoveel ik op kan naar binnen klokken. Maar ik ben nog net genoeg bij zinnen om ervan af te blijven. Met bevende handen pak ik mijn fles en vul hem met water. Ik voeg er de in mijn herinnering juiste hoeveelheid jodiumdruppels aan toe om het te zuiveren. Het halfuur wachten is een kwelling, maar ik doe het wel. Hoewel, ik geloof dat het een halfuur is, maar langer houd ik het in elk geval niet uit.

Langzaam, rustig aan, zeg ik tegen mezelf. Ik neem één slok en dwing mezelf te wachten. Dan nog een. In de uren daarna drink ik twee liter water. Dan nog twee. Ik vul de fles nog een keer voor ik me terugtrek in een boom, waar ik kleine slokjes blijf nemen terwijl ik het konijn eet en me zelfs te buiten ga aan een van mijn kostbare crackers. Tegen de tijd dat het volkslied klinkt, voel ik me opvallend veel beter. Er zijn geen gezichten te zien vanavond, vandaag zijn er geen tributen gestorven. Morgen blijf ik hier om uit te rusten, mijn rugzak met modder te camoufleren, een paar van die kleine visjes te vangen die ik tijdens het drinken zag en wat wortels van de waterlelies op te graven voor een lekkere maaltijd. Ik nestel me in mijn slaapzak en klamp me vast aan mijn waterfles alsof mijn leven ervan afhangt – wat natuurlijk ook zo is.

Een paar uur later word ik door dreunend gestamp uit mijn slaap geschud. Ik kijk verbijsterd om me heen. Het is nog geen licht, maar mijn prikkende ogen zien hem toch.

De muur van vuur die op me afkomt is vrij moeilijk te missen.

hoofdstuk | 3

Mijn eerste impuls is om uit de boom te klauteren, maar ik zit vast met de riem. Op de een of andere manier krijgen mijn wriemelende vingers de gesp open en ik val in een hoopje op de grond, nog steeds vastgesnoerd in mijn slaapzak. Er is geen tijd om alles netjes in te pakken. Gelukkig zitten mijn rugzak en waterfles al in de slaapzak. Ik prop de riem erin, gooi de slaapzak over mijn schouder en vlucht.

De wereld is veranderd in vlammen en rook. Brandende takken breken van bomen en vallen in vonkenregens aan mijn voeten. Het enige wat ik kan doen is de rest volgen, de konijnen en de herten; ik zie zelfs een roedel wilde honden door het bos schieten. Ik vertrouw op hun richtingsgevoel omdat hun instincten scherper zijn dan de mijne. Maar zij zijn veel sneller en vliegen gracieus door het struikgewas terwijl mijn laarzen achter wortels en gevallen boomtakken blijven haken, zodat ik ze met geen mogelijkheid kan bijhouden.

De hitte is afschuwelijk, maar nog erger dan de hitte is de rook, die me elk moment kan verstikken. Ik trek de hals van mijn shirt over mijn neus, die gelukkig kletsnat van het zweet is en zo een dun beschermingslaagje vormt. En ik ren verder, snakkend naar adem, terwijl mijn slaapzak tegen mijn rug bonkt en mijn gezicht opengehaald wordt door takken die zonder waarschuwing uit de grijze mist opdoemen, omdat ik weet dat het de bedoeling is dat ik ren.

Dit is geen uit de hand gelopen kampvuurtje van een tribuut, geen toevallige gebeurtenis. De vlammen die op me af stormen zijn onnatuurlijk hoog, hebben een gelijkmatigheid die verraadt dat ze gemaakt zijn door mensen, machines, de Spelmakers. Het is vandaag te rustig geweest. Geen doden, misschien zelfs wel helemaal geen gevechten. Het publiek in het Capitool zal verveeld raken, zeggen dat deze Spelen bijna saai zijn. En dat is het enige wat de Spelen niet mogen zijn.

Het is niet moeilijk om de redenering van de Spelmakers te volgen. Je hebt de Beroepstroep en je hebt de rest van ons, waarschijnlijk wijd verspreid door de arena. Deze brand is bedoeld om ons op te jagen, ons bij elkaar te drijven. Het is misschien niet de origineelste methode die ik ken, maar wel een heel, heel erg effectieve.

Ik spring over een brandende boomstronk. Niet hoog genoeg. De onderkant van mijn jas vat vlam en ik moet stoppen om hem van mijn lijf te rukken en het vuur uit te stampen. Maar ik durf de jas niet achter te laten, hoe verschroeid hij ook is, en ik waag het erop hem smeulend in mijn slaapzak te proppen in de hoop dat het gebrek aan zuurstof zal verstikken wat ik niet heb gedoofd. Dit is alles wat ik heb, dit wat ik bij me draag, en dat is al bar weinig om mee te moeten overleven.

Binnen luttele minuten beginnen mijn keel en neus te prikken. Het hoesten begint vlak daarna en mijn longen voelen alsof ze letterlijk gebraden worden. Het ongemakkelijke gevoel verandert in pijn totdat elke ademhaling een schroeiende steek door mijn borstkas laat gaan. Ik kan nog net beschutting zoeken onder een overhangende rots als het overgeven begint, en ik raak mijn karige avondeten en het water dat nog in mijn maag zit kwijt. In elkaar gedoken op handen en knieën kokhals ik tot er niets meer is om naar boven te komen.

Ik weet dat ik in beweging moet blijven, maar ik sta nu duizelig en naar adem snakkend te trillen op mijn benen. Ik mag van mezelf een beetje water pakken om mijn mond te spoelen en uit te spugen en drink vervolgens een paar slokken uit mijn fles. *Je*

hebt één minuut, zeg ik tegen mezelf. *Eén minuut om uit te rusten.*
Die tijd gebruik ik om mijn bepakking te ordenen, de slaapzak op
te rollen en alles lukraak in de rugzak te proppen. Mijn minuut is
om. Ik weet dat het tijd is om verder te gaan, maar de rook heeft
mijn gedachten vertroebeld. De snelvoetige dieren die me de weg
wezen, hebben me nu achter zich gelaten. Ik weet dat ik nog niet in
dit deel van het bos ben geweest, want tijdens mijn eerdere tochten
waren er niet van die grote rotsblokken zoals die waar ik nu onder
schuil. Waar jagen de Spelmakers me heen? Terug naar het meer?
Naar een heel nieuw gebied vol nieuwe gevaren? Ik had net een
paar uur rust gevonden bij de vijver toen deze aanval begon. Zou ik
op de een of andere manier parallel aan het vuur kunnen lopen om
zo weer terug te gaan, in elk geval naar een waterbron? De muur
van vuur moet ergens ophouden en hij kan niet eindeloos branden.
Niet omdat de Spelmakers het niet zouden kunnen blijven voeden,
maar omdat het, alweer, beschuldigingen van het publiek zou uit-
lokken dat het saai is. Als ik weer achter de brand kan komen, zou
ik een confrontatie met de Beroeps kunnen vermijden. Ik heb net
besloten dat ik ga proberen om met een boog terug te gaan naar de
vijver, hoewel ik daarvoor kilometers van de vuurzee vandaan zal
moeten lopen en dan met een enorme omweg weer terug, als de
eerste vuurbal op nog geen vijftig centimeter van mijn hoofd in de
rots slaat. Ik spring onder mijn richel vandaan, vol adrenaline door
de opgelaaide angst.

Het spel heeft een andere wending genomen. Het vuur diende
alleen om ons in beweging te krijgen, en nu krijgt het publiek pas
echt iets leuks te zien. Als ik weer gesis hoor ga ik plat op de grond
liggen, zonder de tijd te nemen achterom te kijken. De vuurbal
raakt een boom links van me en zet hem in lichterlaaie. Niet bewegen betekent doodgaan. Ik sta nog maar nauwelijks overeind als de
derde bal de grond raakt waar ik net lag en achter me een vuurzuil
laat oprijzen. Al mijn besef van tijd verdwijnt terwijl ik verwoed
de aanvallen probeer te ontwijken. Ik kan niet zien waarvandaan

ze worden afgevuurd, maar het is geen hovercraft. Daar zijn de hoeken te scherp voor. Dit hele stuk van het bos is waarschijnlijk uitgerust met precisiewerpers die in de bomen of rotsen verborgen zitten. Ergens, in een koele, smetteloze kamer, zit een Spelmaker achter een bedieningspaneel, zijn vingers op de knoppen die in één seconde een eind aan mijn leven kunnen maken. Er is maar één voltreffer voor nodig.

Het vage plan dat ik had bedacht om terug te keren naar mijn vijver gaat in rook op terwijl ik zigzag en duik en spring om de vuurballen te ontwijken. Elke bal is zo groot als een appel, maar heeft een enorme kracht in zich die bij aanraking vrijkomt. Al mijn zintuigen schieten in de hoogste versnelling nu mijn overlevings- instinct het overneemt. Er is geen tijd om te beoordelen of een be- weging wel de juiste is. Als ik gesis hoor, reageer ik, en anders ga ik dood.

Maar iets dwingt me vooruit te blijven gaan. Ik kijk al mijn hele leven naar de Hongerspelen en daardoor weet ik dat bepaalde gebieden van de arena uitgerust zijn voor bepaalde aanvallen. Als het me lukt om hier weg te komen zal ik misschien buiten het be- reik van de werpers zijn. Het is ook heel goed mogelijk dat ik ver- volgens meteen in een kuil vol giftige slangen val, maar dit is niet het moment om me daar zorgen over te maken.

Ik weet niet hoe lang ik voortstruikelend de vuurballen ont- wijk, maar uiteindelijk nemen de aanvallen af. En dat is mooi, want ik moet alweer overgeven. Dit keer is het een zure substantie die in mijn keel brandt en zich ook een weg door mijn neus baant. Ik moet wel blijven staan terwijl mijn lichaam zich krampachtig samentrekt in een wanhopige poging zich van de giftige stoffen te ontdoen die ik tijdens de aanvallen heb ingeademd. Ik wacht op het volgende gesis, een volgend teken dat ik moet wegduiken. Het komt niet. Het hevige kokhalzen heeft tranen uit mijn prikkende ogen geknepen. Mijn kleren druipen van het zweet. Ergens, door de rook en het braaksel heen, ruik ik de geur van verschroeid haar.

Mijn hand tast naar mijn vlecht en ik merk dat er minstens vijftien centimeter af gebrand is. Plukken zwartgeblakerd haar verkruimelen tussen mijn vingers. Ik staar ernaar, gefascineerd door de metamorfose, en dan dringt het gesis tot me door.

Mijn spieren reageren, maar dit keer niet snel genoeg. De vuurbal slaat naast me in de grond, maar niet voordat hij langs mijn rechterkuit scheert. Als ik zie dat mijn broekspijp in brand staat, ga ik door het lint. Ik kronkel en kruip op handen en voeten achteruit en probeer zo mezelf bij het angstaanjagende ding weg te halen. Als ik eindelijk weer genoeg bij zinnen kom, rol ik met mijn been heen en weer over de grond, wat de ergste vlammen dooft. En dan scheur ik zonder erbij na te denken de overgebleven stof met mijn blote handen los.

Ik zit op de grond, een paar meter bij het door de bal veroorzaakte vuur vandaan. Mijn kuit krijst, mijn handen zitten onder de rode striemen. Ik tril zo hevig dat ik niet kan bewegen. Als de Spelmakers me willen vermoorden is dit het moment.

Ik hoor Cinna's stem, die beelden oproept van weelderige stof en fonkelende juwelen. 'Katniss, het meisje dat in vuur en vlam stond.' De Spelmakers zullen wel in een deuk liggen. Misschien zijn Cinna's prachtige kostuums zelfs wel de aanleiding geweest om mij juist op deze manier te martelen. Ik weet dat hij dit niet had kunnen voorzien, dat hij met me meeleeft, want ik geloof echt dat hij om me geeft. Maar alles bij elkaar was het misschien toch veiliger voor me geweest als ik poedelnaakt in die strijdwagen was gaan staan.

De aanval is voorbij. De Spelmakers willen me niet dood hebben. Nog niet in elk geval. Iedereen weet dat ze ons allemaal binnen een paar seconden na de openingsgong om zeep kunnen helpen. De echte lol van de Hongerspelen is om te kijken hoe de tributen elkaar een voor een afmaken. Desondanks doden ze om de zoveel tijd een tribuut, gewoon om de spelers eraan te herinneren dat ze dat kunnen. Maar over het algemeen manipuleren ze ons zo dat we de directe confrontatie met elkaar aan moeten gaan. Wat, aangezien ik niet meer onder vuur genomen word, betekent dat er minstens één andere tribuut in de buurt is.

Als ik kon zou ik mezelf nu in een boom hijsen en dekking zoeken, maar de rook is nog steeds zo dicht dat ik er dood aan kan gaan. Ik dwing mezelf overeind te komen en hink langzaam weg bij de muur van vlammen die de lucht verlicht. Hij lijkt me niet langer te achtervolgen, behalve met zijn stinkende zwarte wolken.

Langzaam komt er een ander licht, daglicht, door. Flarden wervelende rook trekken door de zonnestralen. Mijn zicht is slecht. Ik kan naar alle kanten hooguit vijftien meter kijken. Er zou hier makkelijk een tribuut op de loer kunnen liggen. Ik moet eigenlijk mijn mes trekken voor het geval dat, maar ik betwijfel of ik het lang zal kunnen vasthouden, hoewel de pijn in mijn handen beslist niet opkan tegen die in mijn kuit. Ik haat brandwonden, heb ze altijd gehaat, zelfs zo'n kleintje van het hete broodbakblik uit de oven. Ik vind het de ergste pijn die er is, maar zoiets als dit heb ik nog nooit meegemaakt.

Ik ben zo moe dat ik niet eens doorheb dat ik de poel in loop tot ik er tot mijn enkels in sta. Hij wordt gevoed door een bron die opborrelt in een spleet tussen een stel rotsen en is heerlijk koel. Ik dompel mijn handen in het ondiepe water en voel onmiddellijk verlichting. Is dat niet precies wat mijn moeder altijd zegt? Dat een brandwond altijd eerst behandeld moet worden met koud water? Dat dat de hitte eruit haalt? Maar zij bedoelde oppervlakkige brandwonden. Ze zou het waarschijnlijk aanraden voor mijn handen. Maar mijn kuit dan? Hoewel ik hem nog niet heb durven bekijken, vermoed ik dat die verwonding in een geheel andere categorie valt.

Ik blijf een tijdje op mijn buik aan de rand van de poel liggen en laat mijn handen in het water bungelen terwijl ik de kleine vlammetjes op mijn nagels bestudeer die er langzaam aan het afbladderen zijn. Mooi zo. Ik heb voor de rest van mijn leven genoeg vuur gehad.

Ik was het bloed en de as van mijn gezicht. Ik probeer me te herinneren wat ik allemaal weet over brandwonden. Het zijn veel-voorkomende verwondingen in de Laag, waar we koken op steen-kool en er onze huizen mee verwarmen. En dan heb je de mijn-ongelukken nog... Er werd eens een bewusteloze jongeman bij ons naar binnen gebracht door zijn familie, die mijn moeder smeekte hem te helpen. De districtarts die verwantwoordelijk is voor de be-handeling van de mijnwerkers had hem afgeschreven en tegen de familie gezegd dat ze hem mee naar huis moesten nemen om hem te laten sterven. Maar die wilde dat niet accepteren. Hij lag op onze keukentafel zonder enig besef van de buitenwereld. Ik ving nog net een glimp op van de gapende wond in zijn dijbeen – verschroeid, tot op het bot weggebrand vlees – voordat ik het huis uit rende. Ik ben naar het bos gegaan en heb de hele dag gejaagd, achtervolgd door het beeld van het gruwelijke been en herinneringen aan mijn vaders dood. Het typische was dat Prim, die nog bang is voor haar eigen schaduw, bleef om te helpen. Mijn moeder zegt dat genezers geboren worden, niet gemaakt. Ze hebben hun best gedaan, maar de man stierf, precies zoals de dokter had voorspeld.

Mijn been moet behandeld worden, maar ik kan er nog steeds niet naar kijken. Stel dat het net zo erg is als bij die man en ik mijn bot kan zien? Dan schiet me ineens weer te binnen dat mijn moe-der zei dat als een brandwond heel diep is, het slachtoffer soms helemaal geen pijn voelt omdat de zenuwen beschadigd zijn. Dat geeft me hoop, dus ik ga overeind zitten en zwaai mijn been naar voren.

Ik val bijna flauw als ik mijn kuit zie. De huid is felrood en zit onder de blaren. Ik dwing mezelf om diep en langzaam adem te halen; ik ben er vrijwel zeker van dat de camera's op mijn gezicht gericht zijn. Ik mag geen zwakte tonen door deze verwonding. Niet als ik geholpen wil worden. Medelijden levert geen medicijnen op. Bewondering omdat je weigert te bezwijken wel. Ik snijd de resten van mijn broekspijp af bij de knie en onderzoek de wond wat nauwkeuriger. Het verbrande gedeelte is ongeveer zo groot als mijn hand. De huid is nergens zwart geworden. Volgens mij kan het geen kwaad om hem in het water te houden. Behoedzaam steek ik mijn been in de poel, waarbij ik de hiel van mijn laars op een rotsblok leg zodat het leer niet al te nat wordt, en ik slaak een zucht, want dit biedt inderdaad verlichting. Ik weet dat er bepaalde kruiden zijn, en als ik ze zou kunnen vinden zou dat het genezingsproces bespoedigen, maar ik kan ze me niet echt meer herinneren. Water en tijd zijn waarschijnlijk de enige middelen waar ik het mee zal moeten doen.

Moet ik doorgaan? De rook trekt langzaam op, maar is nog steeds te dik om gezond te kunnen zijn. Als ik verder bij het vuur vandaan trek, loop ik dan niet recht in de wapens van de Beroeps? Bovendien komt de pijn elke keer dat ik mijn been uit het water til zo hevig terug dat ik het er weer in moet leggen. Mijn handen zijn iets minder veeleisend en kunnen het al aan om af en toe uit het water gehaald te worden. En dus breng ik langzaam mijn spullen weer op orde. Eerst vul ik mijn fles met water uit de poel, zuiver het, en als er genoeg tijd verstreken is begin ik langzaam het vochtniveau in mijn lichaam weer op peil te brengen. Na een tijdje dwing ik mezelf op een cracker te knabbelen, wat helpt om mijn maag te kalmeren. Ik rol mijn slaapzak op. Op een paar schroeiplekken na is hij relatief onbeschadigd. Mijn jas is een ander verhaal. Hij stinkt, is verschroeid, en minstens dertig centimeter van de rug is onherstelbaar vernield. Ik snijd het verbrande deel eraf, waarna ik een kledingstuk overhoud dat tot net onder mijn ribben komt. Maar de capuchon is nog heel en het is veel beter dan niets.

Ondanks de pijn begin ik langzaam slaperig te worden. Ik zou in een boom kunnen klimmen en proberen wat uit te rusten, maar dan ben ik te zichtbaar. Bovendien weigert mijn lichaam om de poel te verlaten. Ik pak mijn voorraden keurig in, hang de rugzak zelfs om mijn schouders, maar ik kan mezelf er niet toe zetten om op te staan. Ik zie een paar waterplanten met eetbare wortels en

maak een kleine maaltijd klaar met het laatste stukje konijn. Drink
slokjes water. Kijk hoe de zon langzaam haar boog langs de hemel
beschrijft. Waar zou ik überhaupt heen moeten om een veiliger
plek dan deze te vinden? Ik leun achterover op mijn rugzak, overmand door slaap. *Als de Beroeps me zoeken, laat ze me dan maar
vinden*, denk ik voordat ik in een bewusteloze toestand wegzak.
Laat ze me maar vinden.

En ze vinden me. Ik heb geluk dat ik helemaal klaar ben om te
gaan, want als ik de voetstappen hoor, heb ik minder dan een minuut voorsprong. De schemering is al ingevallen. Ik word wakker,
spring op hetzelfde moment overeind en begin te rennen, ik plons
door de poel, vlieg het struikgewas in. Mijn been remt me af, maar
ik heb het gevoel dat mijn achtervolgers ook niet meer zo snel zijn
als voor de brand. Ik hoor hun gehoest, hun schorre stemmen als
ze naar elkaar roepen.

Toch komen ze als een roedel wilde honden dichterbij, dus ik
doe wat ik mijn hele leven in dit soort situaties heb gedaan. Ik zoek
een hoge boom en begin te klimmen. Het rennen deed pijn, maar
klimmen is pas echt een marteling, want daar is niet alleen inspanning, maar ook direct contact van mijn handen met de boomschors voor nodig. Maar ik ben snel, en tegen de tijd dat ze onder
aan mijn stam staan, zit ik al zes meter boven de grond. Heel even
gebeurt er niets en kijken we alleen maar naar elkaar. Ik hoop dat
ze het gebons van mijn hart niet kunnen horen.

Dit zou wel eens het einde kunnen zijn, denk ik. Wat voor kans
maak ik tegen hen? Ze zijn er alle zes, de vijf Beroeps en Peeta, en
mijn enige troost is dat zij er ook behoorlijk slecht aan toe zijn.
Maar toch, moet je hun wapens nou eens zien. Moet je hun gezichten zien, hoe ze grijnzen en sneren naar me, naar de prooi boven
hen die ze zeker zullen afmaken. Het ziet er behoorlijk hopeloos
uit. Maar dan valt me nog iets anders op. Ze zijn ongetwijfeld groter en sterker dan ik, maar ook zwaarder. Dat ik, en niet Gale, me
omhoog waag om de hoogste vruchten te plukken, of de verste

vogelnesten leeg te halen, is niet voor niets. Ik weeg waarschijnlijk minstens twintig kilo minder dan de lichtste Beroeps.

Ik glimlach. 'Hoe gaat het met jullie?' roep ik opgewekt naar beneden.

Dat brengt ze even van hun stuk, maar ik weet dat het publiek ervan zal smullen.

'Goed genoeg,' zegt de jongen uit District 2. 'Met jou?'

'Ik vond het persoonlijk iets te warm de laatste tijd,' zeg ik. Ik kan het gelach in het Capitool bijna horen. 'Hierboven is het stukken beter. Komen jullie ook?'

'Goed idee,' zegt dezelfde jongen.

'Hier Cato, neem deze mee,' zegt het meisje uit District 1, en ze wil hem de zilveren boog en pijlkoker geven. Mijn boog! Mijn pijlen! Ik hoef ze maar te zien en ik word zo boos dat ik wil schreeuwen, tegen mezelf, tegen Peeta, die verrader die me heeft afgeleid zodat ik ze niet kon pakken. Ik probeer oogcontact met hem te maken, maar hij lijkt mijn blik opzettelijk te ontwijken terwijl hij zijn mes poetst met de zoom van zijn shirt.

'Nee,' zegt Cato terwijl hij de boog wegduwt. 'Met mijn zwaard gaat het beter.' Ik zie het wapen, dat een korte, zware kling heeft en aan zijn riem hangt.

Ik geef Cato de tijd om zichzelf de boom in te trekken voor ik weer begin te klimmen. Gale zei altijd dat ik hem aan een eekhoorn deed denken door de manier waarop ik zelfs over de dunste takken kan klauteren. Het komt deels door mijn gewicht, maar ook door oefening. Je moet weten waar je je handen en voeten neer moet zetten. Ik ben nog tien meter hoger geklommen als ik gekraak hoor, en als ik naar beneden kijk zie ik Cato wild met zijn armen zwaaiend met tak en al naar beneden vallen. Hij komt hard op de grond terecht en ik hoop dat hij misschien zijn nek wel heeft gebroken, maar dan staat hij vloekend en tierend weer op.

Het meisje met de pijlen, Glinster, hoor ik iemand tegen haar zeggen – bah, de mensen in District 1 geven hun kinderen echt belachelijke namen, hoe dan ook – Glinster klimt de boom in tot de takken onder haar voeten beginnen te knappen en ze zo verstandig is om op te houden. Ik zit nu minstens vijfentwintig meter hoog. Ze probeert me neer te schieten en het is meteen duidelijk dat ze niet met een boog overweg kan. Maar een van de pijlen komt vlak bij me in de boom vast te zitten en die weet ik te pakken te krijgen. Ik zwaai hem pesterig boven haar hoofd heen en weer, alsof dat de enige reden was om hem los te trekken, terwijl ik wel degelijk van plan ben hem te gebruiken als ik er ooit de kans voor krijg. Ik zou hen kunnen vermoorden, hen allemaal, als ik die zilveren wapens in mijn handen had.

De Beroeps komen op de grond weer bij elkaar en ik hoor ze samenzweerderig tegen elkaar grommen, woedend dat ik hen zo voor paal laat staan. Maar het schemert al en het wordt steeds moeilijker om me aan te vallen. Uiteindelijk hoor ik Peeta hard-vochtig zeggen: 'Ach, laat haar lekker zitten daarboven. Ze gaat toch nergens heen. We rekenen morgenochtend wel met haar af.'

Nou, wat één ding betreft heeft hij gelijk. Ik ga nergens heen. Alle verlichting van het water uit de poel is verdwenen, waardoor ik nu de volle pijn van mijn brandwonden voel. Ik schuif naar een ver-takking in de boom en maak me klungelig klaar om te gaan slapen. Trek mijn jas aan. Leg mijn slaapzak neer. Gesp mezelf vast en probeer niet te kreunen. De warmte van de slaapzak is te veel voor mijn been. Ik maak een snee in de stof en hang mijn kuit in de openlucht. Ik druppel water op de wond en mijn handen.

Al mijn bravoure is verdwenen. Ik ben verzwakt door de pijn en de honger, maar ik kan mezelf er niet toe zetten iets te eten. Zelfs als ik de nacht nog haal, wat staat me dan morgenochtend te wachten? Ik staar naar de bladeren en probeer mezelf te dwingen te slapen, maar mijn wonden laten het niet toe. Vogels maken zich klaar voor de nacht en zingen slaapliedjes voor hun jongen. Nacht-dieren komen tevoorschijn. Een uil roept. De vage geur van een stinkdier snijdt door de rook. In een boom naast me zie ik de ogen van een of ander dier – een buidelrat misschien – naar me gluren, ze lichten op door de brandende fakkels van de Beroeps. Plotseling kom ik op één elleboog overeind. Dat zijn niet de ogen van een buidelrat, daar ken ik hun glazige blik te goed voor. Dit zijn zelfs helemaal geen dierenogen. In de laatste zwakke stralen licht kan ik haar nog net zien zitten, terwijl ze zwijgend tussen de takken door naar me kijkt.

Rue.

Hoe lang zit ze daar al? Waarschijnlijk al de hele tijd. Roerloos en onopgemerkt terwijl onder haar van alles gebeurde. Misschien is ze vlak voor mij haar boom in geklommen toen ze hoorde dat de troep zo dichtbij was.

Een tijdje houden we elkaars blik vast. Dan glijdt haar handje zonder ook maar een blaadje te laten ritselen naar buiten en wijst naar iets boven mijn hoofd.

hoofdstuk 14

Mijn ogen volgen de lijn van haar vinger naar het bladerdak boven me. In eerste instantie heb ik geen idee waar ze naar wijst, maar dan zie ik zo'n vijf meter boven mijn hoofd een vage omtrek in het afnemende licht. Maar van... van wat? Een of ander dier? Het lijkt ongeveer zo groot als een wasbeer, maar het hangt aan de onderkant van een tak en zwaait heel lichtjes heen en weer. En dat is niet het enige. Ergens in de vertrouwde avondgeluiden van het bos vangen mijn oren een laag gezoem op. Dan weet ik het. Het is een wespennest.

Er gaat een golf van angst door me heen, maar ik ben helder genoeg om stil te blijven zitten. Ik weet immers niet wat voor wespen hier voorkomen. Ze zouden gewoon van de 'als jij ons met rust laat, laten wij jou met rust'-soort kunnen zijn. Maar dit zijn de Hongerspelen, en gewoon is hier niet gebruikelijk. De kans is groter dat het een mutilantensoort van het Capitool is – bloedzoekers. Net als de spotgaaien zijn deze dodelijke wespen in een laboratorium geproduceerd en tijdens de oorlog als een soort landmijnen op strategische plaatsen uitgezet. Ze zijn groter dan gewone wespen, hebben een opvallend, massief gouden lijf en van hun angel krijg je bulten zo groot als een pruim. De meeste mensen kunnen slechts een paar steken aan. Sommigen overlijden meteen. Als je blijft leven veroorzaakt het gif hallucinaties waar mensen blijvend krankzinnig van zijn geworden. En dat is nog niet alles, want deze wespen achtervolgen iedereen die hun nest verstoort om te proberen diegene te doden. Daar komt het woord 'zoeker' in hun naam vandaan.

Na de oorlog heeft het Capitool alle nesten in de omgeving van de stad vernietigd, maar die rond de districten heeft men laten hangen. Nog iets om ons aan onze kwetsbaarheid te herinneren, denk ik, net als de Hongerspelen. Nog een reden om binnen het hek van District 12 te blijven. Als Gale en ik een bloedzoekersnest tegenkomen, maken we onmiddellijk rechtsomkeert.

Hangt dat nu boven mijn hoofd? Ik wil Rue met mijn ogen om hulp vragen, maar ze is opgegaan in haar boom.

Gezien de omstandigheden maakt het waarschijnlijk niet uit wat voor soort wespennest het is. Ik ben gewond en kan geen kant op. Het donker heeft me even respijt gegeven, maar tegen de tijd dat de zon opkomt hebben de Beroeps ongetwijfeld al een plan gesmeed om me te vermoorden. Ze kunnen niet anders, nu ik ze zo voor schut heb gezet. Dat nest is misschien wel de enige kans die ik nog heb. Als ik het op hen kan laten vallen, kan ik misschien ontsnappen. Maar wel met gevaar voor eigen leven.

Ik kan natuurlijk nooit dicht genoeg in de buurt van het nest komen om het los te snijden. Ik zal de tak bij de stam los moeten zagen zodat hij met wespen en al naar beneden valt. Het gekartelde gedeelte van mijn mes zou dat aan moeten kunnen. Maar kunnen mijn handen dat ook? En zullen de trillingen van het zagen de kolonie wakker maken? En stel dat de Beroeps in de gaten krijgen wat ik aan het doen ben en ergens anders gaan slapen? Dan valt mijn hele plan in duigen.

Ik bedenk dat ik tijdens het volkslied de beste kans maak om te zagen zonder dat het opvalt. Dat kan elk moment beginnen. Ik sleep mezelf uit mijn slaapzak, controleer of mijn mes goed vastzit in mijn riem en begin omhoog te klimmen. Dat is op zich al een hachelijke onderneming omdat de takken zelfs voor mij gevaarlijk dun worden, maar ik houd vol. Als ik bij de tak ben waar het nest aan hangt, wordt het gezoem duidelijker. Maar als dit echt bloedzoekers zijn, is het nog steeds opvallend zacht. *Het is de rook*, denk ik. *Die heeft ze verdoofd*. Rook is het enige middel dat de rebellen ooit hebben kunnen vinden om de wespen te bestrijden.

Hoog boven me gloeit het embleem van het Capitool op en het volkslied begint te tetteren. *Het is nu of nooit*, denk ik, en ik begin te zagen. Op mijn rechterhand springen blaren open terwijl ik het mes onhandig heen en weer trek. Zodra ik een inkeping heb gemaakt wordt het minder zwaar, maar het wordt me toch bijna te veel. Ik bijt op mijn kiezen en zaag stug door terwijl ik af en toe naar de lucht kijk en zie dat er vandaag geen doden zijn gevallen. Prima. Het publiek zal meer dan tevreden zijn met de beelden van mij nu ik gewond een boom in gejaagd ben en de Beroepstroep onder me de wacht houdt. Maar het volkslied is bijna afgelopen en ik ben nog maar voor driekwart door het hout heen als de muziek ophoudt, de hemel weer donker wordt en ik gedwongen ben te stoppen.

Wat nu? Ik zou het waarschijnlijk op de tast wel kunnen afmaken, maar dat lijkt me niet de allerslimste zet. Als de wespen te versuft zijn, of als het nest onderweg naar beneden blijft steken terwijl ik probeer te ontsnappen, zou dit allemaal een dodelijke verspilling van tijd kunnen zijn. Het lijkt me beter om hier tegen zonsopgang weer stiekem heen te kruipen en het nest dan op mijn vijanden te laten neerstorten.

In het zwakke licht van de fakkels van de Beroeps schuif ik terug naar mijn tak en vind daar de mooiste verrassing van mijn leven. Op mijn slaapzak ligt een klein plastic potje aan een zilverkleurige parachute. Mijn eerste geschenk van een sponsor! Haymitch heeft het vast tijdens het volkslied laten sturen. Het potje past met gemak in mijn handpalm. Wat kan dat nou zijn? In elk geval geen eten. Ik draai de deksel los en merk aan de geur dat het een of andere zalf is. Voorzichtig prik ik in het smeersel. Mijn kloppende vingertop voelt op slag beter.

'O, Haymitch,' fluister ik. 'Dank je wel.' Hij heeft me niet in de steek gelaten. Heeft me niet aan mijn lot overgelaten. Voor deze zalf moet een astronomisch bedrag zijn neergeteld. Er hebben waarschijnlijk vele sponsors aan dit ene kleine potje meebetaald. Voor mij is het van onschatbare waarde.

Ik steek twee vingers in de pot en smeer de balsem voorzichtig uit over mijn kuit. Hij heeft een bijna magische uitwerking – de pijn verdwijnt onmiddellijk en laat een prettig, verkoelend gevoel achter. Dit is geen kruidenbrouwsel zoals mijn moeder dat van planten uit het bos maakt, het is een hypermodern medicijn dat in de laboratoria van het Capitool is ontwikkeld. Als mijn kuit behandeld is, wrijf ik een dun laagje in mijn handen. Nadat ik het potje in de parachute heb gewikkeld, berg ik hem veilig op in mijn rugzak. Nu de pijn weg is kan ik nog maar ternauwernood terug in mijn slaapzak kruipen voor ik in een diepe slaap val.

Een vogel die op nog geen meter bij me vandaan zit waarschuwt dat er een nieuwe dag aanbreekt. In het grijze ochtendlicht bestudeer ik mijn handen. De zalf heeft alle ontstoken rode vlekken in zacht, babyhuidjesroze veranderd. Mijn been brandt nog steeds, maar die wond was ook veel dieper. Ik smeer er een nieuwe laag zalf op en pak geruisloos mijn spullen in. Wat er ook gebeurt, ik zal hier weg moeten, en snel ook. Ik dwing mezelf een cracker en een reep rundvlees te eten en drink een paar slokken water. Er is gisteren bijna niets in mijn maag blijven zitten, en ik begin de honger nu al te voelen.

Onder me zie ik dat de Beroepstroep en Peeta op de grond liggen te slapen. Aan haar houding te zien, rechtop tegen de boomstam, had Glinster eigenlijk de wacht moeten houden, maar de vermoeidheid is haar te veel geworden.

Mijn ogen knijpen samen terwijl ze in de boom naast mij turen, maar ik kan Rue niet ontdekken. Aangezien zij me op het nest gewezen heeft, lijkt het me wel zo eerlijk om haar te waarschuwen. Trouwens, als ik vandaag doodga, wil ik dat Rue wint. Ook al zou het een klein beetje extra eten voor mijn familie betekenen, het idee dat Peeta tot overwinnaar gekroond zou worden is ondraaglijk.

Op een onderdrukte fluistertoon roep ik Rues naam en haar ogen verschijnen meteen, groot en waakzaam. Ze wijst weer naar het nest. Ik steek mijn mes omhoog en maak een zagende beweging. Ze knikt en verdwijnt. Er klinkt wat geritsel in een boom in de buurt. Dan hetzelfde geluid maar iets verder weg. Ik besef dat ze van boom naar boom aan het springen is en moet mijn best doen om niet in lachen uit te barsten. Heeft ze dat aan de Spelmakers laten zien? Ik stel me voor hoe ze over de trainingstoestellen is gevlogen zonder ook maar één keer de grond te raken. Ze had op z'n minst een tien moeten krijgen.

Er breken roze strepen door in de lucht in het oosten. Ik kan het niet riskeren om nog langer te wachten. Vergeleken met de helse klim van vannacht is dit een makkie. Ik zet het mes in de groef bij de tak met het nest en wil net de tanden door het hout trekken als ik iets zie bewegen. Daar, op het nest. De heldere gouden glans van een bloedzoeker die lui over de papierachtige grijze buitenkant scharrelt. Het is overduidelijk dat hij nog een beetje versuft is, maar de wesp is wakker en in beweging en dat betekent dat de andere ook snel naar buiten zullen komen. Het zweet breekt me uit in mijn handpalmen, de druppels komen door de zalf omhoog, en ik doe mijn best om ze op mijn shirt droog te kloppen. Als ik deze tak niet binnen een paar seconden doormidden heb gezaagd, kan de hele kolonie zomaar tevoorschijn komen en me aanvallen.

Het heeft geen zin om het uit te stellen. Ik haal diep adem, grijp het heft beet en duw zo hard ik kan. *Heen, weer, heen, weer!* De bloedzoekers beginnen te gonzen en ik hoor ze naar buiten komen. *Heen, weer, heen, weer!* Er schiet een stekende pijn door mijn knie en ik weet dat eentje me te pakken heeft gekregen en dat de andere snel zullen volgen. *Heen, weer, heen, weer.* En op hetzelfde moment dat het mes erdoorheen schiet, duw ik het uiteinde van de tak zo ver mogelijk van me af. Het nest stort door de takken naar beneden, blijft af en toe even haken maar tolt dan verder tot het met een plof op de grond terechtkomt. Het barst als een ei open en een woedende zwerm bloedzoekers vliegt naar buiten.

Ik voel een tweede steek in mijn wang en een derde in mijn hals, en hun gif maakt me vrijwel direct licht in mijn hoofd. Ik houd me met één arm aan de boom vast terwijl ik de angels met weerhaakjes uit mijn huid trek. Gelukkig hadden alleen deze drie bloedzoekers me ontdekt voor het nest naar beneden ging. De overige insecten richten zich op hun vijanden op de grond.

Het is een chaos. De Beroeps zijn midden in een enorme bloedzoekersaanval wakker geworden. Peeta en een paar anderen zijn zo verstandig om alles te laten vallen en ervandoor te gaan. Ik hoor kreten als 'Naar het meer! Naar het meer!' en weet dat ze aan de wespen hopen te ontsnappen door in het water te springen. Het moet vlakbij zijn als ze denken dat ze de woedende insecten kunnen afschudden. Glinster en een ander meisje, uit District 4, hebben minder geluk. Nog voor ze uit mijn blikveld verdwijnen worden ze al meerdere keren gestoken. Glinster lijkt helemaal gek te worden, ze gilt en probeert de wespen met haar boog van zich af te slaan, wat geen enkele zin heeft. Ze roept naar de anderen om hulp, maar er komt natuurlijk niemand terug. Het meisje uit District 4 strompelt uit het zicht, hoewel ik sterk betwijfel of ze het meer zal halen. Ik zie hoe Glinster neervalt, een paar minuten hysterisch over de grond heen en weer kronkelt, en dan stilligt.

Het nest is nu alleen nog een leeg omhulsel. De wespen zijn verdwenen om achter de anderen aan te gaan. Ik denk niet dat ze terug zullen komen, maar ik wil het risico niet nemen. Ik haast me door de boom naar beneden en ren meteen weg in de tegenovergestelde richting van het meer. Het gif uit de angels doet me wankelen, maar ik vind de weg terug naar mijn eigen kleine poeltje en duik in het water voor het onwaarschijnlijke geval dat er nog een paar wespen achter me aan zitten. Na een minuut of vijf sleur ik mezelf de rotsen op. Men heeft de effecten van bloedzoekerssteken niet overdreven. De bult op mijn knie is zelfs eerder zo groot als een sinaasappel dan als een pruim. Er druipt een stinkende groene vloeistof uit de plekken waar ik de angels eruit heb getrokken. De bulten. De pijn. Het groene spul. Het beeld van Glinster die stuiptrekkend doodgaat op de grond. Ik krijg wel erg veel te verstouwen nog voor de zon ook maar boven de horizon uit is. Ik wil er niet aan denken hoe Glinster er nu uit moet zien. Haar verminkte lichaam. Haar gezwollen vingers die om de boog verstijven...

De boog! Ergens in mijn verwarde hoofd worden twee gedachten aan elkaar gekoppeld en meteen kom ik overeind om door de bomen terug naar Glinster te strompelen. De boog. De pijlen. Ik moet ze hebben. Ik heb nog geen kanonschot gehoord, dus misschien is Glinster in een soort coma geraakt en vecht haar hart nog steeds tegen het wespengif. Maar zodra het stilstaat en het kanon haar dood bekendmaakt, zal er een hovercraft komen om haar lichaam op te halen en de enige boog en pijlenkoker die ik heb gezien meenemen. En ik weiger ze opnieuw door mijn vingers te laten glippen.

Ik ben net bij Glinster als het kanon afgaat. De bloedzoekers zijn verdwenen. Het meisje, zo adembenemend mooi in haar gouden jurk op de avond van de interviews, is onherkenbaar geworden. De bulten beginnen te ontploffen en spuiten groene etter over haar heen. Ik moet een aantal van wat voorheen haar vingers waren met een steen breken om de boog los te krijgen. De pijlenkoker zit vast onder haar rug. Ik probeer haar lichaam om te rollen door aan één arm te trekken, maar het vlees valt uit elkaar tussen mijn vingers en ik val op de grond.

Is dit echt? Of zijn de hallucinaties begonnen? Ik knijp mijn ogen samen en probeer door mijn mond te ademen terwijl ik tegen mezelf zeg dat ik niet misselijk mag worden. Mijn ontbijt moet binnenblijven, het kan wel dagen duren voor ik weer kan jagen. Een tweede kanon gaat af en ik vermoed dat het meisje uit District 4 zojuist gesneuveld is. Ik hoor de vogels stilvallen en vervolgens slaakt er één een waarschuwingskreet, wat betekent dat er elk moment een hovercraft kan verschijnen. Ik ben in de war, want volgens mij komt hij voor Glinster, hoewel dat niet erg logisch is omdat ik nog steeds in beeld ben terwijl ik de pijlen probeer te veroveren. Ik zak weer door mijn knieën en de bomen beginnen in rondjes om me heen te draaien. Midden in de lucht zie ik een hovercraft. Ik gooi mezelf over het lichaam van Glinster heen alsof ik het wil beschermen, maar zie dan hoe het meisje uit District 4 omhoog wordt gehesen en verdwijnt.

'Doe het!' beveel ik mezelf. Ik klem mijn kaken op elkaar, duw mijn handen onder Glinster, pak haar beet bij wat haar ribbenkast moet zijn en rol haar op haar buik. Zonder dat ik er iets aan kan doen begin ik te hyperventileren – dit is allemaal één grote nachtmerrie en ik verlies mijn greep op de werkelijkheid. Ik trek aan de zilveren pijlkoker maar hij blijft ergens achter haken, haar schouderblad, iets, uiteindelijk ruk ik hem los. Ik heb net mijn armen om de koker geslagen als ik meerdere voetstappen hoor in het struikgewas, en ik besef dat de Beroeps zijn teruggekomen. Ze zijn teruggekomen om me te vermoorden of hun wapens op te halen of allebei.

Maar het is te laat om te vluchten. Ik haal een slijmerige pijl uit de koker en probeer hem op de boog te leggen maar in plaats van één pees zie ik er drie en de stank uit de bulten is zo weerzinwekkend dat ik het niet kan. Ik kan het niet. Ik kan het niet.

Ik blijf weerloos staan terwijl de eerste jager door de bomen heen stormt, zijn speer in de lucht, klaar om te gooien. De geschokte blik op Peeta's gezicht lijkt volstrekt onlogisch. Ik wacht tot de punt mijn lichaam doorboort. In plaats daarvan valt zijn arm slap langs zijn zij.

'Wat doe jij hier nog?' sist hij naar me. Ik staar hem nietbegrijpend aan terwijl er een straaltje vocht van een bult onder zijn oor vandaan druppelt. Zijn hele lichaam begint te glinsteren alsof hij bedekt is met dauw. 'Ben je gek geworden?' Hij begint nu met de schacht van zijn speer naar me te porren. 'Sta op! Sta op!'

Ik kom overeind, maar hij blijft me wegduwen. *Wat? Wat is er aan de hand?* Hij geeft me een harde zet. 'Rennen!' schreeuwt hij. 'Rennen!'

Achter hem hakt Cato zich een weg door de struiken. Hij is ook fonkelend nat en heeft een akelige steek onder een van zijn ogen. Ik zie het zonlicht glanzen op zijn zwaard en doe wat Peeta zegt. Ik houd mijn boog en pijlen stevig vast en bots tegen bomen op die zomaar uit het niets opduiken, ik struikel en val terwijl ik mijn evenwicht probeer te bewaren. Terug langs mijn poel, een onbekend stuk bos in. De wereld wringt zich in verontrustende bochten. Een vlinder zwelt op tot hij zo groot als een huis is en spat dan in duizenden sterren uit elkaar. Bomen veranderen in bloed en gutsen over mijn laarzen. Er kruipen mieren uit de blaren op mijn handen en ik kan ze niet van me afschudden. Ze lopen over mijn armen, mijn nek. Er schreeuwt iemand, een langgerekte hoge schreeuw zonder adempauze. Ergens heb ik een vaag vermoeden dat ik het zelf ben. Ik struikel en val in een ondiepe kuil bedekt met piepkleine oranje belletjes die gonzen als het bloedzoekersnest. Ik trek mijn knieën op tot mijn kin en wacht op de dood.

Ziek en gedesoriënteerd kan ik nog maar één ding denken: *Peeta Mellark heeft zojuist mijn leven gered.*

Dan boren de mieren zich in mijn ogen en wordt alles zwart.

hoofdstuk 15

Ik kom in een nachtmerrie terecht waar ik telkens uit wakker word om vervolgens nog ergere gruwelijkheden aan te treffen. Alle dingen waar ik het allerbangst voor ben, alle dingen waar ik voor anderen bang voor ben, zie ik zo levensecht en gedetailleerd voor me dat ik alleen maar kan geloven dat ze echt zijn. Elke keer dat ik wakker word denk ik: *eindelijk, het is voorbij,* maar dat is niet zo. Het is slechts het begin van een nieuw hoofdstuk vol martelingen. Op hoeveel manieren zie ik Prim wel niet sterven? Herleef ik de laatste momenten van mijn vader? Voel ik mijn eigen lichaam aan stukken gereten worden? Het is de basiseigenschap van het bloed-zoekersgif, dat zorgvuldig ontworpen is om zich precies op die plek van je hersenen te richten waar je angsten zich bevinden.

Als ik eindelijk weer bij mijn positieven kom, blijf ik stil liggen wachten op de volgende beeldenaanval. Maar na verloop van tijd geloof ik dat het gif zich eindelijk een weg uit mijn systeem heeft gebaand, mijn lichaam gebroken en verzwakt achterlatend. Ik lig nog steeds op mijn zij, verstard in de foetushouding. Ik breng mijn hand naar mijn ogen en voel dat er niets aan de hand is met ze, ze zijn onaangetast door mieren, die nooit hebben bestaan. Alleen al het uitstrekken van mijn ledematen vergt enorm veel inspan-ning. Ik heb overal zo veel pijn dat het niet de moeite waard lijkt om mijn lijf te onderzoeken. Heel, heel langzaam lukt het me om te gaan zitten. Ik zit in een ondiep gat, niet vol met de gonzende oranje bellen uit mijn verbeelding maar met dode, droge bladeren. Mijn kleren zijn vochtig, maar ik weet niet of dat door poelwater, dauw, regen of zweet komt. Een tijdlang ben ik tot niets anders in staat dan kleine slokjes uit mijn fles nemen en kijken hoe een kever omhoogkruipt over een kamperfoeliestruik.

Hoe lang ben ik bewusteloos geweest? Toen ik krankzinnig werd was het ochtend. Nu is het middag. Maar mijn stijve gewrichten doen vermoeden dat er meer dan een dag verstreken is, misschien wel twee. Als dat zo is, kan ik er met geen mogelijkheid achter komen welke tributen de bloedzoekersaanval hebben overleefd. Glinster en het meisje uit District 4 niet. Maar dan had je nog de jongen uit District 1, de beide tributen uit District 2 en Peeta. Zijn ze aan de steken gestorven? Als ze het overleefd hebben, zijn de afgelopen dagen voor hen ongetwijfeld net zo'n hel geweest als voor mij. En Rue? Ze is zo klein dat er weinig gif voor nodig zou zijn om haar te doden. Maar aan de andere kant... dan hadden de bloedzoekers haar wel eerst te pakken moeten krijgen, en ze had een flinke voorsprong.

Ik heb een smerige, bedorven smaak in mijn mond en het water helpt nauwelijks. Ik sleep mezelf naar de kamperfoelie en pluk een bloem. Voorzichtig trek ik de meeldraad door de bloesem en laat het druppeltje nectar op mijn tong vallen. De zoetheid verspreidt zich in mijn mond, glijdt door mijn keel omlaag en vult mijn aderen met warme herinneringen aan de zomer, aan het bos van thuis met Gale naast me. Om de een of andere reden moet ik opeens weer denken aan het gesprek dat we die laatste ochtend hadden.

'We zouden het kunnen doen, hè.'

'Wat?'

'Weggaan uit het district. Ervandoor gaan. In het bos wonen. We zouden het best redden met z'n tweetjes.'

En plotseling denk ik niet meer aan Gale maar aan Peeta en... Peeta! *Hij heeft mijn leven gered!* Geloof ik. Want toen we elkaar weer tegenkwamen wist ik al niet meer wat echt was en wat ik me door het bloedzoekersgif verbeeldde. Maar als hij het echt heeft gedaan, en intuïtief voel ik dat dat zo is, waarom dan? Speelt hij gewoon nog de donjuan zoals hij daar tijdens het interview mee begonnen is? Of probeerde hij me daadwerkelijk te beschermen? En als dat zo is, wat deed hij dan de hele tijd bij de Beroeps? Ik snap er helemaal niets meer van.

Ik vraag me even af wat Gale ervan zou denken, maar verban het hele incident dan uit mijn gedachten, want om de een of andere reden gaan Gale en Peeta niet zo goed samen in mijn hoofd.

En dus concentreer ik me op het enige goede dat me is overkomen sinds ik in de arena ben beland. Ik heb een boog en pijlen! Twaalf stuks maar liefst, als je die ene meerekent die ik uit de boom heb getrokken. Er zitten geen sporen op van het weerzinwekkende groene slijm dat uit Glinsters lichaam kwam – wat me doet vermoeden dat dat wel eens niet echt geweest zou kunnen zijn – maar er zit een fikse hoeveelheid opgedroogd bloed op. Schoonmaken komt later wel; nu neem ik heel even de tijd om er een paar in een boom verderop te schieten. Ze lijken meer op de wapens uit het Trainingscentrum dan op die ik thuis heb, maar wat kan mij het schelen? Hier gaat het heus wel mee lukken.

De wapens veranderen mijn positie in de Spelen volkomen. Jazeker, er zijn nog een aantal zware tegenstanders over, maar nu ben ik geen willoos slachtoffer meer dat wegrent en zich verstopt of haar toevlucht neemt tot wanhopige maatregelen. Als Cato nu door de bomen zou komen zou ik niet vluchten, ik zou schieten. Ik merk dat ik er zowaar met plezier naar uitkijk.

Maar eerst moet ik weer wat kracht in mijn lichaam krijgen. Ik ben opnieuw heel erg uitgedroogd en mijn watervoorraad is schrikbarend geslonken. Het kleine laagje vet dat ik in het Capitool heb aangemaakt door me tijdens de voorbereidingstijd helemaal vol te proppen is verdwenen, en nog wel meer dan dat. Mijn heupbotten en ribben steken verder uit dan ze in mijn herinnering ooit gedaan hebben, zelfs niet in die verschrikkelijke maanden na mijn vaders dood. En dan heb ik nog mijn wonden om me druk over te maken – brandwonden, snijwonden, kneuzingen van de bomen waar ik tegen opgebotst ben en drie bloedzoekerssteken, die nog steeds uitermate dik en pijnlijk zijn. Ik behandel mijn brandwonden met de zalf en smeer ook een beetje op de bulten, maar dat heeft geen effect. Mijn moeder wist er een behandeling voor, een of ander blad dat het gif opnam, maar ze had bijna nooit een reden om het te gebruiken en ik kan me niet eens herinneren hoe het heet, laat staan hoe het eruitziet.

Eerst water, denk ik. *Je kunt nu onderweg jagen.* Ik zie zo waar ik vandaan ben gekomen door het spoor van vernieling dat mijn krankzinnige lijf in het struikgewas heeft aangericht. En dus ga ik de andere kant op, in de hoop dat mijn vijanden nog steeds gevangenzitten in de onwerkelijke wereld van het bloedzoekersgif.

Ik kom niet erg snel vooruit doordat mijn gewrichten weigeren plotselinge bewegingen te maken. Maar het lukt me om mijn langzame jagerstred aan te nemen die ik gebruik als ik wild op het spoor ben. Binnen een paar minuten zie ik een konijn en schiet ik mijn eerste prooi met de pijl en boog. Het is niet mijn gebruikelijke zuivere schot door het oog, maar het is tenminste raak. Na ongeveer een uur kom ik bij een beekje, ondiep maar breed, en meer dan toereikend voor wat ik nodig heb. De zon is heet en fel, dus terwijl ik wacht tot mijn water gezuiverd is, kleed ik me uit tot op mijn ondergoed en waad de lichte stroming in. Mijn lijf is van top tot teen vreselijk smerig. Ik probeer mezelf nat te spetteren, maar uiteindelijk ga ik gewoon een paar minuten in het water liggen en laat het roet en bloed en de huid die van mijn brandwonden schilfert van me afspoelen. Nadat ik mijn kleren heb uitgewassen en ze aan de struiken heb gehangen om te drogen, zit ik een tijdje op de oever in de zon en kam mijn haar met mijn vingers. Mijn eetlust keert terug en ik neem een cracker en een reep rundvlees. Met een handvol mos poets ik het bloed van mijn zilveren wapens.

Helemaal opgefrist smeer ik een nieuwe laag zalf op mijn brandwonden, vlecht mijn haar naar achteren en trek mijn vochtige kleren weer aan in de wetenschap dat de zon ze toch snel zal drogen. Het lijkt het slimst om tegen de stroom in langs de beek te lopen. Ik ga nu heuvelopwaarts, wat mijn voorkeur heeft, en heb een waterbron in de buurt – niet alleen voor mij, maar ook voor mogelijk wild. Ik schiet met gemak een onbekende vogel, een soort wilde kalkoen. Doet er niet toe, hij ziet er hoe dan ook bijzonder eetbaar uit. In de namiddag besluit ik een klein vuurtje te stoken om het vlees op te braden; ik gok erop dat de schemering zal helpen om de rook te verhullen en als het nacht wordt, kan ik de vlammen zo weer doven. Ik maak mijn buit schoon en let extra goed op bij de vogel, maar ik zie niets raars. Als ik hem geplukt heb is hij niet groter dan een kip, maar hij is stevig en vlezig. Ik heb net de eerste portie boven het vuur gehangen als ik een takje hoor breken.

In één beweging draai ik me om naar het geluid en zet ik mijn pijl en boog op mijn schouder. Er is niemand. Niemand die ik kan zien, in elk geval. Dan valt mijn oog op de punt van een kinderlaars die net achter een boomstam vandaan piept. Mijn schouders ontspannen en ik grijns. Ze weet zich als een schaduw door het bos te bewegen, dat moet je haar nageven. Hoe had ze me anders kunnen volgen? Voor ik ze kan tegenhouden komen de woorden al uit mijn mond.

'Zeg, zij zijn niet de enigen die een pact kunnen sluiten, hoor,' zeg ik.

Heel even komt er geen antwoord. Dan kijkt een van Rues ogen voorzichtig om de boomstam heen. 'Wil jij een pact met mij sluiten?'

'Waarom niet? Je hebt me gered met die bloedzoekers. Je bent slim genoeg om nog steeds te leven. En ik kan je blijkbaar toch niet afschudden,' zeg ik. Ze blijft met toegeknepen ogen staan terwijl ze probeert te beslissen wat ze zal doen. 'Honger?' Ik zie haar moeizaam slikken en haar blik schiet naar het vlees. 'Kom maar, ik heb twee dieren geschoten vandaag.'

Rue stapt voorzichtig tevoorschijn. 'Ik kan je steken genezen.'

'Is dat zo?' vraag ik. 'Hoe dan?'

Ze graaft in de rugzak die ze bij zich heeft en haalt er een handvol bladeren uit. Ik weet vrijwel zeker dat het dezelfde zijn als die mijn moeder gebruikt. 'Waar heb je die gevonden?'

'Gewoon, hier ergens. Wij hebben ze altijd bij ons als we in de boomgaarden werken. Ze hebben daar heel veel nesten laten zitten,' zegt Rue. 'Hier zijn er ook heel veel.'

'Dat is waar ook. Jij komt uit District 11. Landbouw,' zeg ik. 'Boomgaarden, zeg je? Dus daarom kun jij door de bomen vliegen alsof je vleugels hebt.' Rue glimlacht. Ik heb een van de weinige onderwerpen aangesneden waar ze oprecht trots op is. 'Nou, kom maar op dan. Genees me maar.'

Ik plof neer naast het vuur en rol mijn broekspijp op om de steek op mijn knie te laten zien. Tot mijn verbazing stopt Rue de bladeren in haar mond en begint erop te kauwen. Mijn moeder deed het anders, maar ik heb weinig te kiezen. Na een minuut of wat duwt Rue een hoopje groene smurrie van gekauwde bladeren en spuug tegen mijn knie.

'Ooo.' Het geluid rolt zomaar over mijn lippen, ik kan er niets aan doen. Het voelt alsof de bladeren de pijn in de bult in één keer oplossen.

Rue giechelt. 'Gelukkig ben je zo verstandig geweest om de angels eruit te trekken, anders was je er nog veel slechter aan toe geweest.'

'Nu mijn nek! En mijn wang!' zeg ik bijna smekend.

Rue propt een nieuwe lading bladeren in haar mond en algauw lach ik omdat het zo'n verrukkelijke verlichting geeft. Mijn oog valt op een langgerekte brandwond op Rues onderarm. 'Daar heb ik wel iets voor.' Ik leg mijn wapens opzij en smeer haar arm in met de brandwondenzalf.

'Je hebt goede sponsors,' zegt ze verlangend.

'Heb jij al een keer iets gekregen?' vraag ik. Ze schudt haar hoofd. 'Dat komt nog wel. Let maar op. Hoe dichter we bij het

einde komen, hoe meer mensen zullen beseffen hoe slim jij bent.'
Ik draai het vlees om.

'Was het geen grapje dat je een pact met me wilde sluiten?'
vraagt ze.

'Nee, ik meende het echt,' zeg ik. Ik kan Haymitch bijna horen kreunen omdat ik een team ga vormen met dit spichtige kind.
Maar ik wil haar bij me hebben. Omdat ze een overlever is, en ik
haar vertrouw, en – ik geef het gewoon toe – omdat ze me aan
Prim doet denken.

'Oké,' zegt ze en ze steekt haar hand uit. Ik schud hem. 'Afgesproken.'

Natuurlijk kunnen dit soort afspraken alleen maar tijdelijk
zijn, maar daar zeggen we allebei niets over.

Rue draagt een flinke portie zetmeelrijke wortels bij aan het
eten. Als je ze boven het vuur roostert, krijgen ze de scherpe, zoete
smaak van pastinaak. Ze kent de vogel ook, in haar district wordt
hij ganzant genoemd. Ze zegt dat er soms een hele groep de boomgaard in wandelt en dat ze op zo'n dag een stevige lunch hebben.
Daarna zijn we een tijdje stil terwijl we onze buik rond eten. De
ganzant heeft zulk heerlijk sappig vlees dat het vet over je gezicht
druipt als je erin bijt.

'O,' zegt Rue met een zucht. 'Ik heb nog nooit een hele poot
voor mij alleen gehad.'

Dat geloof ik best. Ik durf te wedden dat ze bijna nooit vlees
krijgt. 'Neem die andere ook maar,' zeg ik.

'Echt?' vraagt ze.

'Pak maar zoveel je wilt. Nu ik pijl en boog heb, kan ik nog
meer vangen. En bovendien heb ik strikken. Ik kan je laten zien
hoe je ze moet zetten,' zeg ik. Rue kijkt onzeker naar de poot. 'Hier,
neem nou,' zeg ik, terwijl ik de bout in haar handen duw. 'Hij blijft
toch maar een paar dagen goed, en we hebben een hele vogel én
een konijn.' Nu ze hem vastheeft, krijgt haar honger de overhand
en ze neemt een grote hap.

'Ik had gedacht dat jullie in District 11 juist iets meer te eten zouden hebben dan wij. Omdat jullie het eten verbouwen, zeg maar,' zeg ik.

Rues ogen worden groot. 'O nee, het is streng verboden om de gewassen te eten.'

'Word je dan gearresteerd of zo?' vraag ik.

'Je krijgt zweepslagen terwijl alle anderen moeten toekijken,' zegt Rue. 'De burgemeester is daar heel streng in.'

Ik zie aan haar gezicht dat het geen zeldzame gebeurtenis is. Openbare zweepslagen vinden nauwelijks plaats in District 12, hoewel het af en toe wel eens voorkomt. In principe zouden Gale en ik dagelijks zweepslagen kunnen krijgen voor stropen in het bos – nou ja, in principe zouden we nog veel erger gestraft kunnen worden, ware het niet dat alle hoge functionarissen ons vlees kopen. Bovendien lijkt onze burgemeester, de vader van Madge, weinig animo te hebben voor dat soort dingen. Misschien heeft het toch ook zijn voordelen om het minst indrukwekkende, armste, meest bespotte district van het land te zijn. Dat we grotendeels genegeerd worden door het Capitool zolang we onze steenkoolquota maar produceren, bijvoorbeeld.

'Krijgen jullie net zo veel steenkool als jullie willen?' vraagt Rue.

'Nee,' antwoord ik. 'Alleen wat we kopen en wat we in onze laarzen weten mee te smokkelen.'

'Wij krijgen tijdens de oogsttijd altijd wat meer te eten, zodat de mensen langer door kunnen werken,' zegt Rue.

'Moeten jullie niet naar school?' vraag ik.

'Niet tijdens het oogsten. Dan werkt iedereen,' zegt Rue.

Het is interessant om over haar leven te horen. We hebben zo weinig contact met mensen buiten ons eigen district. Ik vraag me zelfs af of de Spelmakers ons gesprek wel uitzenden, want ook al lijkt de informatie misschien onschuldig, ze willen niet dat mensen van verschillende districten iets over elkaar te weten komen.

Rue stelt voor om al ons eten uit te stallen zodat we een planning kunnen maken. Ze heeft bijna al mijn voedsel al gezien, maar ik voeg de laatste crackers en rundvleesreepjes nog aan de voorraad toe. Zij heeft een flinke berg wortels, noten, planten en zelfs een paar bessen verzameld.

Ik rol een onbekende bes tussen mijn vingers heen en weer. 'Weet je zeker dat deze eetbaar zijn?'

'Ja hoor, die hebben we thuis ook. Ik eet ze al dagen,' zegt ze, terwijl ze een handvol in haar mond stopt. Voorzichtig bijt ik er ook één kapot, en hij smaakt net zo goed als onze bramen thuis. Ik ben steeds blijer met mijn keuze om Rue als bondgenoot te vragen. We verdelen onze voedselvoorraad zodat we allebei genoeg hebben voor een paar dagen, mochten we elkaar kwijtraken. Naast het eten heeft Rue nog een kleine waterzak, een zelfgemaakte katapult en een extra paar sokken. Ze heeft ook een scherpe rotsscherf die ze als mes gebruikt. 'Ik weet dat het niet veel is,' zegt ze een beetje beschaamd, 'maar ik moest heel snel weg bij de Hoorn des Overvloeds.'

'Dat was juist heel goed van je,' zeg ik. Als ik mijn spullen uitspreid, hapt ze even naar adem als ze de zonnebril ziet.

'Hoe kom je daaraan?' vraagt ze.

'Die zat in mijn rugzak. Ik heb er nog niks aan gehad. Hij houdt het zonlicht niet tegen en je kunt er niet goed doorheen kijken,' zeg ik schouderophalend.

'Die is niet voor de zon, maar voor als het donker is,' roept Rue uit. 'Als we 's nachts door moeten oogsten, delen ze soms een paar van die brillen uit aan degenen die het hoogst in de bomen zitten, waar het licht van de fakkels niet komt. Eén keer probeerde een jongen, Martin, zijn bril te houden. Hij verstopte hem in zijn broek. Ze hebben hem ter plekke geëxecuteerd.'

'Hebben ze een jongen gedood omdat hij zo'n bril had gestolen?' vraag ik.

'Ja, en iedereen wist dat hij niet gevaarlijk was. Martin was niet helemaal goed bij zijn hoofd. Ik bedoel, hij gedroeg zich nog steeds als een peuter. Hij wilde de bril alleen maar om mee te spelen,' zegt Rue.

Als ik dit allemaal hoor klinkt District 12 als een of ander veilig toevluchtsoord. Oké, er vallen constant mensen neer van de honger, maar ik kan me niet voorstellen dat onze vredebewakers een zwakzinnig kind zouden vermoorden. Wij hebben thuis een meisje, een van de kleinkinderen van Sluwe Sae, dat altijd door de As dwaalt. Ze is niet helemaal honderd procent, maar iedereen behandelt haar als een soort huisdier. Mensen gooien haar etensrestjes toe en zo.

'Maar wat kun je hier dan mee?' vraag ik aan Rue, terwijl ik de bril oppak.

'Je kunt ermee kijken als het pikdonker is,' zegt Rue. 'Probeer het vanavond maar als de zon ondergaat.'

Ik geef Rue een paar lucifers en zij zorgt ervoor dat ik genoeg bladeren heb voor het geval mijn steken weer opspelen. We maken ons vuur uit en lopen stroomopwaarts tot het bijna donker is.

'Waar slaap jij?' vraag ik. 'In de bomen?' Ze knikt. 'Met alleen je jas aan?'

Rue houdt haar extra paar sokken omhoog. 'Ik heb deze voor mijn handen.'

Ik denk aan hoe koud de nachten zijn geweest. 'Je mag wel bij mij in de slaapzak als je wilt. We passen er makkelijk samen in.' Haar gezicht licht op. Ik kan zien dat dit meer is dan ze had durven hopen.

We kiezen een vertakking ergens hoog in een boom en maken ons net klaar voor de nacht als het volkslied begint te spelen. Er zijn vandaag geen doden gevallen.

'Rue, ik ben pas vandaag weer bijgekomen. Hoeveel nachten heb ik gemist?' Als het goed is overstemt het volkslied ons gesprek, maar toch fluister ik. Uit voorzorg leg ik zelfs mijn hand over mijn lippen. Ik wil niet dat het publiek weet wat ik haar zo over Peeta ga vertellen. Ze volgt mijn voorbeeld.

'Twee,' zegt ze. 'De meisjes uit District 1 en 4 zijn dood. We zijn nog met z'n tienen.'

'Er is iets raars gebeurd. Dat denk ik tenminste. Misschien heb ik me door het bloedzoekersgif wel dingen ingebeeld,' zeg ik. 'Weet je die jongen uit mijn district nog? Peeta? Volgens mij heeft hij mijn leven gered. Maar hij was met de Beroeps.'

'Nu niet meer,' zegt ze. 'Ik heb ze bespioneerd in hun basiskamp bij het meer. Ze hebben het nog gehaald voor ze door de steken instortten. Maar hij is daar niet. Misschien heeft hij je echt gered en moest hij vluchten.'

Ik geef geen antwoord. Als Peeta me echt gered heeft, sta ik weer bij hem in het krijt. En dit kan ik nooit meer terugbetalen. 'Als dat echt zo is, hoorde het waarschijnlijk gewoon bij zijn act. Je weet wel, om de mensen te laten denken dat hij verliefd op me is.'

'O,' zegt Rue bedachtzaam. 'Ik had niet het idee dat dat een act was.'

'Tuurlijk wel,' zeg ik. 'Dat heeft hij met onze mentor bedacht.' Het volkslied is afgelopen en de lucht wordt donker. 'We zullen die bril eens proberen.' Ik haal de bril tevoorschijn en zet hem op. Rue heeft me niet in de maling genomen. Ik zie alles, van de bladeren aan de bomen tot een stinkdier dat minstens vijftien meter verderop door de struiken scharrelt. Ik zou het vanaf hier kunnen neerschieten als ik zou willen. Ik zou iedereen kunnen neerschieten.

'Ik vraag me af wie er nog meer zo'n bril heeft,' zeg ik.

'De Beroeps hebben er twee. Maar die hebben alles daar bij het meer,' zegt Rue. 'En ze zijn zo ontzettend sterk.'

'Wij zijn ook sterk,' zeg ik. 'Maar dan op een andere manier.'

'Jij wel. Jij kunt schieten,' zegt ze. 'Wat kan ik nou helemaal?'

'Jij kunt eten voor jezelf vinden. En zij?' vraag ik.

'Zij hoeven dat niet. Ze hebben heel veel voorraden,' zegt Rue.

'En als ze die nou niet hadden? Stel dat die voorraden er niet meer waren. Hoe lang zouden ze het dan uithouden?' vraag ik. 'Het zijn toch niet voor niets de Hongerspelen?'

'Maar Katniss, ze hebben geen honger,' zegt Rue.

'Nee, dat klopt. Dat is het probleem,' beaam ik. En voor het eerst heb ik een plan. Een plan dat niet wordt ingegeven door de noodzaak om te vluchten en me te verstoppen, maar een aanvalsplan. 'Ik denk dat we daar maar eens iets aan moeten gaan doen, Rue.'

hoofdstuk 16

Rue heeft besloten me volledig te vertrouwen. Dat merk ik aan de manier waarop ze zodra het volkslied is afgelopen tegen me aan kruipt en in slaap valt. Ik wantrouw haar ook niet, dus ik neem geen speciale voorzorgsmaatregelen. Als ze had gewild dat ik doodging, had ze alleen maar uit die boom hoeven te verdwijnen zonder me het bloedzoekersnest aan te wijzen. Ergens diep in mijn achterhoofd zeurt het onvermijdelijke. We kunnen niet allebei de Spelen winnen. Maar aangezien de kans nog altijd groter is dat geen van ons tweeën het overleeft, lukt het me om die gedachte te negeren.

Bovendien word ik afgeleid door mijn nieuwe idee over de Beroeps en hun voorraden. Rue en ik moeten een manier zien te bedenken om hun voedsel te vernietigen. Ik ben er vrij zeker van dat het hun verschrikkelijk veel moeite zal kosten om zelf voor hun eten te zorgen. Traditiegetrouw is het de tactiek van de Beroeps om al het voedsel in een vroeg stadium te pakken te krijgen en daarmee de Spelen door te komen. De jaren waarin ze het niet goed beschermd hebben – één keer werd de voorraad vernietigd door een meute afschuwelijke reptielen, een andere keer werd hij weggespoeld door een overstroming van de Spelmakers – zijn over het algemeen de jaren waarin tributen uit andere districten hebben gewonnen. Dat de Beroeps zijn opgegroeid met meer eten dan de rest werkt eigenlijk in hun nadeel, omdat ze niet gewend zijn honger te lijden. Niet zoals Rue en ik.

Maar ik ben te uitgeput om vanavond nog aan een uitgebreid plan te werken. Doordat mijn wonden genezen, mijn gedachten nog steeds een beetje wazig zijn van het gif en Rue warm naast me ligt met haar hoofd tegen mijn schouder genesteld, heb ik een gevoel van geborgenheid gekregen. Voor het eerst besef ik hoe eenzaam ik ben geweest in de arena. Hoe geruststellend de aanwezigheid van een ander mens kan zijn. Ik geef me over aan mijn slaperigheid en neem me voor dat de rollen morgen zullen omdraaien. Morgen zijn het de Beroeps die op hun tellen moeten passen.

De knal van het kanon schudt me wakker. Er lopen strepen licht door de lucht en de vogels kwetteren al. Rue zit op een tak tegenover me met haar handen in een kommetje om iets heen gevouwen. We wachten en luisteren of er meer schoten komen, maar dat is niet zo.

'Wie denk je dat het was?' Ik kan er niets aan doen, ik moet aan Peeta denken.

'Ik weet het niet. Het kan iedereen geweest zijn,' zegt Rue. 'We zullen er vanavond wel achter komen, denk ik.'

'Wie zijn er ook alweer nog over?' vraag ik.

'De jongen uit District 1. De twee tributen uit District 2. De jongen uit 3. Thresh en ik. En jij en Peeta,' zegt Rue. 'Dat zijn er acht. Wacht, en de jongen uit 10, die met dat manke been. Negen.'

Er is nog iemand anders, maar we kunnen ons allebei niet meer herinneren wie dat is.

'Ik vraag me af hoe die van net is gestorven,' zegt Rue.

'Geen idee. Maar voor ons is het goed. Een dode houdt het publiek weer even bezig. Misschien hebben we tijd om iets te doen voor de Spelmakers besluiten dat het allemaal te langzaam gaat,' zeg ik. 'Wat heb je daar in je handen?'

'Ontbijt,' zegt Rue. Ze vouwt haar handen open en laat twee grote eieren zien.

'Wat zijn dat voor eieren?' vraag ik.

'Dat weet ik niet precies. Daar verderop is een moerassig gebied. Van een of andere watervogel,' zegt ze.

Het zou fijn zijn als we ze konden koken, maar we durven het allebei niet aan om een vuur te maken. Ik vermoed dat de tribuut die vandaag is gestorven ten prooi is gevallen aan de Beroeps, wat zou betekenen dat die genoeg hersteld zijn om weer volledig mee te doen. We zuigen allebei een ei uit, eten een konijnenpootje en wat bessen. Hoe dan ook een uitstekend ontbijt.

'Ben je er klaar voor?' zeg ik, terwijl ik mijn rugzak omdoe.

'Waarvoor?' vraagt Rue, maar aan de manier waarop ze opveert, kun je zien dat ze met elk voorstel zal instemmen.

'Vandaag maken we korte metten met het eten van de Beroeps,' zeg ik.

'Echt? Hoe dan?' Haar ogen glinsteren van opwinding. Wat dat betreft is ze precies het tegenovergestelde van Prim, voor wie elk avontuur een beproeving is.

'Geen idee. Kom op, we verzinnen wel iets tijdens het jagen,' zeg ik.

Maar van jagen komt niet veel, want ik ben te druk om alle mogelijke informatie over de uitvalsbasis van de Beroeps uit Rue te krijgen. Ze heeft hen maar heel even bespioneerd, maar ze is erg opmerkzaam. Ze hebben hun kamp opgeslagen naast het meer. Hun voorradenberg ligt ongeveer dertig meter verderop. Overdag hebben ze tot nu toe telkens een tribuut, de jongen uit District 3, achtergelaten om op de voorraad te passen.

'De jongen uit District 3?' vraag ik. 'Werkt die met hen samen?'

'Ja, hij blijft altijd in het kamp. Hij is ook gestoken, toen de bloedzoekers hen naar het meer zijn gevolgd,' zegt Rue. 'Ik denk dat hij van de Beroeps mocht blijven leven als hij hun bewaker werd. Maar hij is niet erg groot.'

'Wat voor wapens heeft hij?' vraag ik.

'Niet veel, voor zover ik kon zien. Een speer. Daarmee kan hij misschien een paar van ons op afstand houden, maar Thresh zou hem makkelijk kunnen doden,' zegt Rue.

'En het eten ligt daar gewoon open en bloot?' vraag ik. Ze knikt. 'Wat een rare constructie.'

'Ik weet het. Maar ik kon niet goed zeggen wat er niet aan klopte,' zegt Rue. 'Katniss, zelfs als je het eten te pakken zou kunnen krijgen, hoe wil je er dan vanaf komen?'

'Verbranden. In het meer gooien. Er olie overheen gieten.' Ik prik Rue in haar buik, net als ik bij Prim gedaan zou hebben. 'Opeten!' Ze giechelt. 'Maak je geen zorgen, ik bedenk wel iets. Het is veel makkelijker om iets kapot te maken dan om het te repareren.'

Een tijdlang graven we wortels uit, plukken we bessen en planten, overleggen we op gedempte toon over onze strategie. En ik leer Rue kennen, de oudste van zes kinderen, die als een leeuwin over haar broertjes en zusjes waakt, die haar rantsoenen aan de kleintjes geeft, die in de weilanden naar voedsel zoekt in een district waar de vredebewakers een stuk minder vriendelijk zijn dan bij ons. Rue, die als je haar vraagt waar ze het allermeest van houdt van de hele wereld, nota bene zegt: 'Muziek.'

'Muziek?' herhaal ik. Ik vind muziek ongeveer net zo nutteloos als haarlinten en regenbogen. Een regenboog zegt tenminste nog iets over de weersverwachtingen. 'Heb je daar tijd voor dan?'

'Wij zingen thuis. En tijdens het werk. Daarom vind ik jouw speld ook zo mooi,' zegt ze, terwijl ze naar de spotgaai wijst waarvan ik opnieuw vergeten was dat ik hem had.

'Hebben jullie spotgaaien?' vraag ik.

'O, ja. Met een paar heb ik echt een speciale band. We kunnen uren over en weer zingen. Ze geven me berichten door,' zegt ze.

'Hoe bedoel je?' vraag ik.

'Ik zit meestal het hoogst, dus ik zie als eerste de vlag die aangeeft dat we mogen ophouden met werken. Daar heb ik een speciaal melodietje voor,' zegt Rue. Ze doet haar mond open en zingt met een lieflijke, heldere stem een kort deuntje van vier tonen. 'En de spotgaaien geven het door in de boomgaard. Dan weet iedereen dat de werkdag erop zit,' gaat ze verder. 'Ze kunnen ook gevaarlijk zijn, als je te dicht bij hun nest komt. Maar dat kun je ze niet kwalijk nemen.'

Ik maak de speld los en wil hem aan haar geven. 'Hier, neem jij hem maar. Voor jou heeft hij meer betekenis dan voor mij.'

'O nee,' zegt Rue, terwijl ze mijn vingers weer over de speld vouwt. 'Ik vind het fijn als jij hem draagt. Daarom heb ik besloten je te vertrouwen. En trouwens, ik heb dit.' Ze haalt een van een soort gras gevlochten ketting onder haar shirt vandaan. Er hangt een grof uitgesneden houten ster aan. Of misschien is het een bloem. 'Het is een geluksamulet.'

'Nou, tot nu toe heeft-ie gewerkt,' zeg ik, terwijl ik de spotgaai weer aan mijn shirt vastmaak. 'Misschien moet je het daar maar gewoon bij houden dan.'

Tegen lunchtijd hebben we een plan, en een paar uur later zijn we klaar om het uit te voeren. Ik help Rue bij het verzamelen en neerleggen van het hout voor de eerste twee vuurtjes; voor het derde zal ze zelf genoeg tijd hebben. We spreken af dat we elkaar na afloop weer zullen treffen op de plek waar we voor het eerst samen hebben gegeten. Die moet ik via de beek weer terug kunnen vinden. Voor ik ga controleer ik of Rue genoeg voedsel en lucifers heeft. Ik sta er zelfs op dat ze mijn slaapzak bij zich houdt, voor het geval het niet lukt om voor het vallen van de nacht bij elkaar te komen.

'En jij dan? Krijg jij het dan niet koud?' vraagt ze.

'Niet als ik bij het meer een andere slaapzak meeneem,' antwoord ik. 'Stelen is hier niet verboden, hoor,' zeg ik grijnzend.

Op het laatste moment besluit Rue om me haar spotgaaienroep te leren, het wijsje dat ze in haar district zingt om aan te geven dat iedereen mag stoppen met werken. 'Misschien werkt het wel niet. Maar als je het de spotgaaien hoort zingen, weet je dat er niets met me aan de hand is maar dat ik niet meteen weg kan komen.'

'Zijn er veel spotgaaien hier?' vraag ik.

'Heb je ze niet gezien? Er zitten overal nesten,' zegt ze. Ik moet bekennen dat het me niet is opgevallen.

'Oké. Als alles volgens plan gaat, zie ik je bij het avondeten,' zeg ik.

Onverwachts slaat Rue haar armen om me heen. Ik aarzel maar heel even voor ik haar knuffel beantwoord.

'Wees voorzichtig,' zegt ze tegen me.

'Jij ook,' zeg ik. Ik draai me om en ga op weg naar de beek, maar om de een of andere reden maak ik me zorgen. Omdat Rue vermoord zou kunnen worden, omdat als Rue niet vermoord wordt we misschien samen als laatsten overblijven, omdat ik Rue alleen achterlaat, omdat ik Prim thuis alleen heb achtergelaten. Nee, Prim heeft mijn moeder en Gale en een bakker die beloofd heeft dat ze geen honger zal lijden. Rue heeft alleen mij.

Zodra ik bij de beek ben, hoef ik hem alleen nog maar heuvelafwaarts te volgen tot ik bij de plek ben waar ik hem na de bloedzoekersaanval voor het eerst tegenkwam. Maar ik moet goed opletten terwijl ik langs het water loop, want ik merk dat mijn gedachten geheel in beslag genomen worden door onbeantwoorde vragen, die voornamelijk met Peeta te maken hebben. Het kanon dat vanochtend werd afgeschoten, was dat om zijn dood aan te geven? En zo ja, hoe is hij dan gestorven? Is hij vermoord door een Beroeps? En was dat dan uit wraak omdat hij mij in leven heeft gelaten? Ik doe opnieuw mijn best om me dat moment bij het lijk van Glinster te herinneren, toen hij opeens tussen de bomen vandaan kwam. Maar alleen al het feit dat hij fonkelde maakt dat ik betwijfel of het allemaal wel echt gebeurd is.

Ik kwam gisteren blijkbaar erg langzaam vooruit, want binnen een paar uur ben ik bij het ondiepe gedeelte waar ik mijn bad heb genomen. Ik stop even om mijn water bij te vullen en een extra laag modder op mijn rugzak te smeren. Hij lijkt telkens per se weer oranje te willen worden, hoe vaak ik hem ook camoufleer.

De nabijheid van het Beroepskamp scherpt mijn zintuigen, en hoe dichter ik bij hen in de buurt kom, hoe meer ik op mijn hoede ben. Ik blijf regelmatig staan om te luisteren of ik iets vreemds hoor, en er ligt al een pijl klaar op de pees van mijn boog. Ik zie geen andere tributen, maar ik merk wel een aantal dingen op waar Rue het over heeft gehad. De zoete bessen. Een struik met de bladeren die mijn steken hebben genezen. Groepjes bloedzoekersnesten in de buurt van de boom waarin ik vastzat. En hier en daar de zwart-witte flits van een spotgaaienvleugel in de takken hoog boven mijn hoofd.

Als ik bij de boom ben met het lege nest eronder blijf ik even staan om moed te verzamelen. Rue heeft me precieze aanwijzingen gegeven over hoe ik vanaf hier bij de beste uitkijkplek bij het meer moet komen. *Denk eraan*, zeg ik tegen mezelf. *Jij bent nu de jager, niet zij.* Ik pak mijn boog nog wat steviger vast en loop verder. Ik kom bij het kreupelbosje waar Rue me over heeft verteld en opnieuw sta ik te kijken van haar slimheid. Het staat net aan de rand van het bos, maar het gebladerte is zo dicht tot op de grond dat ik het Beroepskamp makkelijk kan bespioneren zonder opgemerkt te worden. Tussen ons in ligt het vlakke terrein waar de Spelen begonnen zijn.

Er zijn vier tributen. De jongen uit District 1, Cato, het meisje uit District 2 en een broodmagere, lijkbleke jongen die dan uit District 3 moet komen. Hij heeft nauwelijks indruk op me gemaakt al die tijd in het Capitool. Ik kan me hem eigenlijk helemaal niet herinneren, zijn kostuum niet, zijn trainingsscore niet, zijn interview niet. Zelfs nu hij daar zo aan een of ander groot plastic krat zit te prutsen, zie je hem makkelijk over het hoofd in het bijzijn van zijn grote, overheersende medespelers. Maar blijkbaar hebben ze hem wel ergens voor nodig, anders hadden ze hem allang vermoord. En toch, nu ik hem zo zie, wordt mijn onbehaaglijke gevoel over waarom de Beroeps hem in hemelsnaam als bewaker achterlaten, waarom ze hem überhaupt hebben laten leven, alleen maar versterkt.

De tributen lijken alle vier nog steeds niet volledig hersteld van de bloedzoekersaanval. Zelfs vanaf hier kan ik de grote opgezwollen bulten op hun lichamen zien. Ze zijn waarschijnlijk zo dom geweest om de angels te laten zitten, en anders wisten ze niet van het bestaan van de genezende bladeren af. Als ze medicijnen in de Hoorn des Overvloeds hebben gevonden, hebben die blijkbaar niet geholpen.

De Hoorn ligt nog op zijn oorspronkelijke plek, maar de binnenkant is helemaal leeggeroofd. De meeste voorraden van de Beroeps, in kratten, jutezakken en plastic tonnen, zijn netjes in de vorm van een piramide opgestapeld, op een in mijn ogen vreemde afstand van het kamp. De rest van de spullen zijn her en der om de rand van de piramide uitgestrooid, bijna als een kopie van de manier waarop de voorraden rond de Hoorn verspreid lagen toen de Spelen begonnen. Over de piramide zelf is gaas gespannen, wat behalve het tegenhouden van vogels geen nut lijkt te hebben.

De hele opstelling is me één groot raadsel. De afstand, het gaas en de aanwezigheid van de jongen uit District 3. Eén ding is zeker, het zal niet zo makkelijk worden als het lijkt om deze voorraden te vernietigen. Er is hier nog iets anders aan de hand, en ik kan maar beter blijven zitten waar ik zit tot ik weet wat dat is. Ik vermoed dat de piramide op de een of andere manier met boobytraps beveiligd is. Verborgen valkuilen, vallende netten, een draad die een giftige pijl door je hart boort als hij knapt – echt, de mogelijkheden zijn eindeloos.

Terwijl ik mijn opties overweeg, hoor ik Cato iets schreeuwen. Hij wijst naar het bos, ver achter me, en zonder me om te draaien weet ik dat Rue het eerste vuurtje aangestoken moet hebben. We hebben expres zo veel mogelijk groen hout verzameld zodat de rook goed te zien zou zijn. De Beroeps beginnen onmiddellijk hun wapens bij elkaar te zoeken.

Er breekt ruzie uit. Omdat ze zo hard praten hoor ik dat het gaat over de vraag of de jongen uit District 3 moet blijven of meegaan.

'Hij gaat mee. We kunnen hem goed gebruiken in het bos, en zijn werk hier zit er toch op. Er kan niemand bij die voorraden komen,' zegt Cato.

'En donjuan dan?' vraagt de jongen uit District 1.

'Ik heb het nou al zo vaak gezegd – laat die gast toch zitten. Ik weet waar ik hem heb geraakt. Het is een wonder dat hij nog niet is doodgebloed. Hij is hoe dan ook niet in staat om ons te beroven,' zegt Cato.

Dus Peeta is ergens zwaargewond in het bos. Maar ik tast nog steeds in het duister over zijn motieven om de Beroeps te verraden.

'Kom op,' zegt Cato. Hij duwt de jongen uit District 3 een speer in zijn handen en ze vertrekken richting het vuur. Het laatste wat ik hoor als ze het bos in lopen is Cato die zegt: 'Als we haar vinden, maak ik haar af zoals ik dat wil, en niemand bemoeit zich ermee.'

Om de een of andere reden heb ik zo'n vermoeden dat hij het niet over Rue heeft. Zij heeft geen bloedzoekersnest boven op hem laten vallen.

Ik blijf nog ongeveer een halfuur liggen en probeer te bedenken wat ik aan die voorraden ga doen. Het enige voordeel dat mijn pijl en boog me opleveren is afstand. Ik zou met gemak een brandende pijl de piramide in kunnen laten vliegen – ik schiet goed genoeg om hem door die openingen in het gaas te krijgen, maar het is niet zeker dat de berg dan ook vlam zal vatten. De kans is groot dat de pijl gewoon opbrandt, en wat dan? Ik zou niets bereikt hebben en hun ondertussen veel te veel informatie over mezelf geven. Dat ik hier ben geweest, dat ik met iemand samenwerk, dat ik zeer precies met pijl en boog overweg kan.

Ik heb geen andere keus. Ik zal dichterbij moeten komen om te kijken of ik kan ontdekken hoe de voorraden beveiligd zijn. Ik sta zelfs op het punt om tevoorschijn te komen als ik vanuit mijn ooghoek iets zie bewegen. Een paar honderd meter naar rechts komt er iemand het bos uit. Heel even denk ik dat het Rue is, maar dan herken ik Vossensnuit – zij is degene die we ons vanochtend niet konden herinneren – terwijl ze de open vlakte op sluipt. Als ze besluit dat het veilig is, rent ze met kleine, snelle pasjes naar de piramide. Net voor ze bij de kring van spullen is die overal om de berg heen liggen, blijft ze staan, speurt de grond af en zet haar voet voorzichtig op een bepaalde plek. Dan begint ze met vreemde hupjes een weg naar de piramide te zoeken – soms komt ze een beetje wankelend op één been neer, soms waagt ze een paar stappen. Op een gegeven moment springt ze door de lucht over een klein vat heen en komt balancerend op haar tenen weer neer. Maar ze is iets te ver doorgeschoten en door haar vaart valt ze naar voren. Ik hoor hoe ze een schrille kreet slaakt als haar handen de grond raken, maar er gebeurt niets. Bliksemsnel staat ze weer overeind en ze gaat verder tot ze bij de grote berg voorraden is.

Ik heb dus gelijk wat de boobytraps betreft, maar ze zijn duidelijk een stuk ingewikkelder dan ik had gedacht. Ik had ook gelijk wat dit meisje betreft, dat zo listig dit pad naar het eten heeft ontdekt en het zo keurig kan herhalen. Ze stopt haar rugzak vol en pakt uit alle verpakkingen een paar dingen; crackers uit een krat, een handvol appels uit een jutezak die aan een touw aan een grote bak hangt. Maar telkens van alles maar een beetje, niet genoeg om te verraden dat er voedsel is verdwenen. Niet genoeg om argwaan te wekken. En dan huppelt ze met haar vreemde dansje de cirkel weer uit en draaft zonder kleerscheuren terug het bos in.

Ik merk dat ik lig te knarsetanden van frustratie. Vossensnuit heeft bevestigd wat ik al had vermoed. Maar wat voor soort val hebben ze geplaatst dat er zo veel behendigheid voor nodig is? Welke val heeft zo veel activeringspunten? Waarom gilde ze toen haar handen op het zand terechtkwamen? Je zou haast denken... en dan begint het me langzaam te dagen... je zou haast denken dat de grond zou ontploffen.

'Mijnen,' fluister ik. Dat verklaart alles. De nonchalance waarmee de Beroeps hun voorraden achterlaten, de reactie van Vossensnuit, de betrokkenheid van de jongen uit District 3, het district waar de fabrieken staan, waar ze televisies en auto's en explosieven maken. Maar waar heeft hij die vandaan? Uit de voorraden? Dat soort wapens geven de Spelmakers over het algemeen niet, gezien het feit dat ze de tributen liever zelf zien vechten. Ik glijd tussen de struiken vandaan en loop naar een van de metalen platen waarop de tributen de arena in zijn getild. De aarde eromheen is omgespit en toen weer platgestampt. De landmijnen zijn na de zestig seconden die wij op de platen hebben gestaan uitgeschakeld, maar de jongen uit District 3 moet erin geslaagd zijn ze te reactiveren. Dat heb ik nog nooit iemand zien doen bij de Spelen. Ik durf te wedden dat het zelfs de Spelmakers onaangenaam verrast heeft.

Nou, een hoeraatje voor de jongen uit District 3 omdat hij hun te slim af geweest is, maar wat moet ík nu? Het is wel duidelijk dat ik niet zomaar even door de rotzooi kan kuieren zonder mezelf meters de lucht in te blazen. En het idee van de brandende pijl is nu nog belachelijker dan eerst. De mijnen ontploffen als er iets op terechtkomt. Dat hoeft overigens maar iets heel kleins te zijn. Een meisje liet een keer tijdens het begin van de Spelen het aandenken aan haar district vallen toen ze op haar plaat stond, een houten balletje, en men heeft haar vervolgens letterlijk van de grond moeten schrapen.

Ik kan redelijk goed gooien. Ik zou er wat stenen heen kunnen smijten en op die manier – wie weet – misschien één mijn laten ontploffen. Dat zou een kettingreactie op gang kunnen brengen. Of niet? Zou de jongen uit District 3 de mijnen zo geplaatst hebben dat één mijn geen effect op de andere heeft? Op die manier worden de voorraden beschermd en weten ze toch zeker dat de indringer doodgaat. Maar zelfs als ik niet meer dan één mijn opblaas, lok ik de Beroeps meteen weer naar me toe. En trouwens, wat haal ik me in mijn hoofd? Het gaas hangt er ook nog, duidelijk bedoeld om zo'n aanval af te weren. Bovendien zou ik er eigenlijk dertig stenen tegelijk naartoe moeten zien te gooien om een grote kettingreactie te veroorzaken en zo alles te vernietigen.

Ik werp een blik achterom naar het bos. De rook van Rues tweede vuurtje kringelt naar de hemel. De Beroeps vermoeden ondertussen waarschijnlijk al dat het een of andere list is. De tijd dringt.

Hier is een oplossing voor, ik weet het zeker, als ik me er maar hard genoeg op concentreer. Ik staar naar de piramide, de tonnen, de kratten – te zwaar om met een pijl om te laten vallen. Misschien zit er ergens slaolie in, en het idee van de brandende pijl laait weer op tot ik bedenk dat ik dan misschien wel al mijn twaalf pijlen kwijtraak zonder een olievat te raken, aangezien ik alleen maar kan gokken. Ik denk er serieus over na om de tocht van Vossensnuit naar de piramide na te doen in de hoop dat ik wellicht een andere manier vind om de boel naar de maan te helpen, als mijn oog op de jutezak met appels valt. Ik kan het touw met één pijl doormidden schieten, dat heb ik in het Trainingscentrum toch ook al gedaan? Maar misschien levert dat alsnog slechts één explosie op, ook al is het een grote zak. Kon ik de appels zelf maar laten vallen...

Plotseling weet ik wat me te doen staat. Ik loop wat dichterbij en geef mezelf drie pijlen om de klus te klaren. Ik zet mijn voeten zorgvuldig neer, sluit de rest van de wereld buiten en richt uiterst nauwkeurig. De eerste pijl doorboort de zak bovenin aan de zijkant en maakt een scheur in de jute. De tweede vergroot die tot een gapend gat. Ik zie de eerste appel al wiebelen als ik de derde pijl weg laat vliegen, die de gescheurde flap jute te pakken krijgt en lostrekt van de zak.

Heel even lijkt de tijd stil te staan. Dan storten de appels op de grond en word ik door de lucht naar achteren geblazen.

hoofdstuk 17

De harde landing op de droge, compacte aarde van de vlakte beneemt me de adem. Mijn rugzak vangt de klap nauwelijks op.
Gelukkig zit mijn pijlkoker vastgeklemd in de holte van mijn elleboog, waardoor zowel de koker als mijn schouder ongedeerd
zijn gebleven, en heb ik mijn boog nog steeds stevig beet. De
grond blijft maar schudden door ontploffingen. Ik hoor ze niet. Ik
hoor helemaal niets momenteel. Maar de appels hebben blijkbaar
genoeg mijnen geactiveerd en door het vallende puin zijn weer
andere ontploft. Het lukt me om met mijn armen mijn gezicht te
beschermen terwijl er allerlei, soms brandende, brokstukken op me
neer regenen. De lucht is gevuld met een bijtende rook, wat niet
echt helpt als je net een poging doet om weer adem te halen.

Na een minuut of wat houdt de grond op met trillen. Ik rol
op mijn zij en gun mezelf een kort moment van voldoening bij het
zien van de smeulende puinhoop die tot voor kort nog de piramide
was. Kleine kans dat de Beroeps daar nog iets uit weten te redden.

Ik moet er snel vandoor, denk ik. *Ze zullen halsoverkop terugkomen.* Maar zodra ik overeind sta, besef ik dat dat makkelijker
gezegd dan gedaan is. Ik ben duizelig. Niet zomaar een beetje wie-
belig, maar het soort duizelheid dat de bomen om je heen laat
vliegen en de aarde doet golven onder je voeten. Ik zet een paar
stappen en kom op de een of andere manier op handen en knieën
terecht. Ik wacht een paar minuten tot het overgaat, maar dat gebeurt niet.

De paniek slaat toe. Ik kan hier niet blijven. Het is van het
grootste belang dat ik hier wegkom. Maar ik kan niet lopen en

niet horen. Ik leg een hand over mijn linkeroor, het oor dat naar de ontploffing toe was gekeerd, en als ik hem weer weghaal zit er bloed aan. Ben ik doof geworden door de knal? Dat idee maakt me doodsbenauwd. Als jager vertrouw ik net zozeer op mijn oren als op mijn ogen, misschien soms nog wel meer. Maar ik mag mijn angst niet laten zien. Ik ben zeker weten, zonder enige twijfel, live op elk televisiescherm in Panem.

Geen bloedsporen, zeg ik tegen mezelf, en ik slaag erin om mijn capuchon over mijn hoofd te trekken en met onwillige vingers het koordje onder mijn kin vast te knopen. Dat zou moeten helpen om het bloed op te vangen. Ik kan niet lopen, maar kan ik kruipen? Ik schuif voorzichtig naar voren. Ja, als ik heel langzaam beweeg kan ik kruipen. Het overgrote deel van het bos zal niet genoeg beschutting bieden. Mijn enige hoop is dat ik het kreupelbosje van Rue kan bereiken om mezelf tussen het loof te verschuilen. Ik mag hier niet op handen en knieën in het volle zicht gepakt worden. Niet alleen ga ik dan dood, het zal ook beslist een lange en pijnlijke dood worden, daar zorgt Cato wel voor. Bij het idee dat Prim daarnaar zou moeten kijken blijf ik mezelf koppig centimeter voor centimeter naar mijn schuilplaats slepen.

Door een nieuwe explosie kom ik plat op mijn gezicht terecht. Een verdwaalde mijn, geactiveerd door een of ander instortend krat. Dat gebeurt nog twee keer. Het doet me denken aan die laatste paar korrels die openbarsten als Prim en ik thuis maïs poffen boven het vuur.

Om te zeggen dat ik het op het laatste nippertje red, is te zwak uitgedrukt. Ik heb mezelf letterlijk nét de wirwar van struiken aan de rand van de bomen in gesleurd als Cato de vlakte op stormt, algauw gevolgd door zijn kameraden. Hij is zo boos dat het grappig had kunnen zijn – mensen doen dat dus echt, hun haar uittrekken en met hun vuisten op de grond beuken – als ik niet had geweten dat zijn woede op mij gericht was, op wat ik hem heb aangedaan. Tel daar mijn nabijheid bij op en mijn onvermogen om te vluchten of mezelf te verdedigen, en de hele situatie maakt me doodsbang. Ik ben blij dat de camera's me door mijn verstopplek onmogelijk goed in beeld kunnen krijgen, want ik zit als een bezetene op mijn nagels te bijten. Ik knaag de laatste restjes nagellak eraf en probeer mijn tanden niet te laten klapperen.

De jongen uit District 3 gooit stenen naar de restanten van de piramide en besluit dan blijkbaar dat alle mijnen zijn ontploft, want de Beroeps wagen zich in de puinhopen.

Cato is door de eerste fase van zijn razernij heen en reageert zijn boosheid nu af op de rokende resten door diverse kisten open te trappen. De andere tributen porren wat rond in de troep, op zoek naar iets wat ze nog kunnen redden, maar ze vinden niets. De jongen uit District 3 heeft zijn werk te goed gedaan. Dat dringt nu schijnbaar ook tot Cato door, want hij richt zich op de jongen en lijkt tegen hem te schreeuwen. De jongen uit District 3 kan zich nog net omdraaien en wegrennen voor Cato hem van achteren in een houdgreep neemt. Ik zie de spieren in Cato's arm opbollen terwijl hij het hoofd van de jongen met een ruk opzij draait.

Zo snel is het gebeurd. De dood van de jongen uit District 3.

De andere twee Beroeps lijken een poging te doen om Cato te kalmeren. Ik zie dat hij eigenlijk terug wil naar het bos, maar ze wijzen de hele tijd naar de lucht, wat ik in eerste instantie niet snap tot ik het plotseling besef. Natuurlijk. Ze denken dat degene die de explosies heeft veroorzaakt dood is. Ze weten niets van de pijlen en de appels. Ze gaan ervan uit dat de boobytrap niet goed werkte, maar dat de tribuut die de voorraden heeft opgeblazen daarbij zelf om het leven is gekomen. Als er een kanonschot is geweest, had dat makkelijk verloren kunnen gaan in de ontploffingen die volgden. De uit elkaar gescheurde overblijfselen van de dief zouden door de hovercraft zijn opgehaald. Ze trekken zich terug aan de zijkant van het meer zodat de Spelmakers het lijk van de jongen uit District 3 kunnen ophalen. En ze wachten.

Ik neem aan dat er een kanon afgaat. Er verschijnt een hovercraft die de dode jongen meeneemt. De zon zakt onder de horizon. De nacht valt. Boven in de lucht zie ik het embleem en ik weet dat het volkslied begonnen moet zijn. Even is het donker. Dan laten ze de jongen uit District 3 zien en vervolgens de jongen uit District 10, die vanochtend gestorven is. Daarna verschijnt het embleem weer. Goed, nou weten ze het. De saboteur leeft nog. In het licht van het embleem zie ik Cato en het meisje uit District 2 hun nacht- kijkers opzetten. De jongen uit District 1 steekt met een fakkel een boomtak aan en het lichtschijnsel valt op hun barse, vastberaden gezichten. De Beroeps benen terug het bos in en gaan op jacht.

De duizeligheid is afgenomen en hoewel mijn linkeroor nog steeds verdoofd is, hoor ik een pieptoon in mijn rechter, wat me een goed teken lijkt. Het heeft echter geen zin om mijn schuilplaats te verlaten. Dit is voor mij nu waarschijnlijk de veiligste plek, hier op de plaats delict. Ze denken vast dat de saboteur een voorsprong van twee of drie uur heeft. Desondanks duurt het heel lang voor ik me durf te verroeren.

Het eerste wat ik doe is mijn eigen bril tevoorschijn halen en opzetten, en ik ontspan enigszins nu in elk geval een van mijn jagerszintuigen het doet. Ik drink wat water en was het bloed van mijn oor. Omdat ik bang ben dat de geur van vlees ongewenste roofdieren zal aantrekken – vers bloed is al erg genoeg – stel ik een prima maaltijd samen uit de planten, wortels en bessen die Rue en ik vandaag samen geplukt hebben.

Waar is mijn kleine bondgenoot? Heeft ze het afspreekpunt gehaald? Maakt ze zich zorgen om me? De hemel heeft in elk geval laten zien dat we allebei nog leven.

Ik tel op mijn vingers de nog levende tributen. De jongen uit 1, de twee uit 2, Vossensnuit, beide tributen uit 11 en 12. Nog maar acht. De weddenschappen zullen er wel heftig aan toegaan in het Capitool. Ze zullen nu over ons allemaal speciale uitzendingen gaan maken. Onze vrienden en families interviewen. Het is lang geleden dat een tribuut uit District 12 de top acht heeft gehaald. En nu zijn we opeens met z'n tweeën. Hoewel uit Cato's woorden valt af te leiden dat Peeta niet lang meer te leven heeft. Niet dat Cato het altijd bij het rechte eind heeft. Is hij niet net zijn hele berg voorraden kwijtgeraakt?

De vierenzeventigste Hongerspelen zijn begonnen, Cato, denk ik. *En nu echt.*

Er is een koude wind opgestoken. Ik wil mijn slaapzak pakken, maar bedenk dan dat ik die aan Rue gegeven heb. Het was de bedoeling dat ik hier een andere zou stelen, maar door al dat gedoe met de mijnen ben ik dat vergeten. Ik begin te rillen. Aangezien het sowieso niet verstandig is om vannacht in een boom te kamperen, graaf ik een kuil onder de struiken en bedek mezelf met bladeren en dennennaalden. Ik heb het nog steeds ijskoud. Ik leg mijn lap plastic over mijn bovenlichaam en zet mijn rugzak zo neer dat hij de wind tegenhoudt. Het helpt een beetje. Ik begin iets meer begrip te krijgen voor het meisje uit District 8 dat een vuurtje stookte die eerste nacht. Maar nu ben ik degene die op mijn kiezen moet bijten en moet volhouden tot het ochtend wordt. Meer bladeren, meer dennennaalden. Ik vouw mijn armen in mijn jas en trek mijn knieen op tot mijn borst. Op de een of andere manier dommel ik weg.

Als ik mijn ogen opendoe ziet de wereld er een beetje fragmentarisch uit, en het duurt even voor ik doorheb dat de zon al lang en breed op is en de bril mijn beeld versplintert. Terwijl ik overeind ga zitten en hem afzet, hoor ik gelach in de buurt van het meer en verstar. De lach klinkt vervormd, maar het feit dat hij überhaupt tot me doordringt betekent dat mijn gehoor terugkomt. Ja, mijn rechteroor kan weer horen, hoewel het nog steeds piept. Wat mijn linkeroor betreft, nou ja, dat bloedt in elk geval niet meer.

Ik gluur door de bosjes, bang dat de Beroeps weer terug zijn en ik hier voor onbepaalde tijd vastzit. Maar nee, het is Vossensnuit, die tussen de puinhopen van de piramide staat te lachen. Ze is slimmer dan de Beroeps, want ze weet zelfs nog een paar bruikbare voorwerpen uit de as te vissen. Een ijzeren pot. Een lemmet van een mes. Ik snap niet goed waarom ze zo vrolijk is, tot ik besef dat ze, nu de proviand van de Beroeps uit de weg geruimd is, zowaar een kans maakt. Net als wij allemaal. Even overweeg ik om tevoorschijn te komen en haar als tweede bondgenoot te vragen tegen die bruten. Maar dat idee verwerp ik snel. Er is iets aan die sluwe grijns waardoor ik zeker weet dat ik een vriendschap met Vossensnuit uiteindelijk met een mes in mijn rug zal moeten bekopen. En met dat in mijn achterhoofd zou dit wel eens een perfect moment kunnen zijn om haar neer te schieten. Maar ze heeft iets gehoord, niet mij, want haar hoofd draait opzij, richting de afgrond, en ze rent naar het bos. Ik wacht. Er komt niets of niemand tevoorschijn. Maar als Vossensnuit dacht dat het gevaarlijk was, is het misschien toch wel een goed moment om hier zelf ook te vertrekken. Bovendien sta ik te popelen om Rue over de piramide te vertellen.

Omdat ik geen idee heb waar de Beroeps zijn, kan ik net zo goed de route langs de beek nemen. Ik loop snel door, met een geladen boog in de ene hand en een brok koude ganzant in de andere, want ik ben ondertussen uitgehongerd, en meer nog dan naar de planten en bessen snak ik naar het vet en de eiwitten in het vlees. De tocht naar de beek verloopt zonder problemen. Als ik er ben vul ik mijn waterfles bij en was me, waarbij ik mijn gewonde oor zoveel mogelijk ontzie. Dan trek ik met de beek als wegwijzer verder heuvelopwaarts. Op een gegeven moment ontdek ik afdrukken van laarzen in de modder langs de oever. De Beroeps zijn hier geweest, maar alweer een tijdje geleden. De afdrukken zijn diep omdat ze in de zachte modder zijn gezet, maar in de hete zon zijn ze al bijna opgedroogd. Ik heb goed op mijn eigen voetstappen gelet en vertrouw erop dat mijn lichte tred en de dennennaalden mijn sporen zullen verdoezelen.

Het koude water heeft een verkwikkend effect op mijn lichaam en geest. Ik schiet twee vissen, geen probleem in dit langzaam stromende beekje, en terwijl ik verder loop eet ik er eentje rauw op, ook al heb ik net nog ganzant gehad. De tweede zal ik voor Rue bewaren.

Langzaamaan, nauwelijks merkbaar, neemt het gepiep in mijn rechteroor af tot het helemaal verdwenen is. Af en toe betrap ik mezelf erop dat ik aan mijn linkeroor zit te frunniken in een poging de mysterieuze oorzaak weg te vegen die het belemmert geluiden op te vangen. Als mijn oor al aan het genezen is, dan is daar in elk geval niets van te merken. Ik kan maar niet wennen aan de doofheid. Ik voel me uit balans en weerloos aan mijn linkerkant. Blind, zelfs. Mijn hoofd draait zich de hele tijd naar de gewonde kant, omdat het met mijn rechteroor de muur van stilte probeert te compenseren waar gisteren nog een constante stroom informatie binnenkwam. Hoe meer tijd er verstrijkt, hoe minder hoop ik heb dat deze verwonding zal genezen.

Als ik op de plek van onze eerste ontmoeting kom, weet ik zeker dat hier niemand geweest is. Rue is nergens te bekennen, niet op de grond en niet in de bomen. Dat is vreemd. Ze had ondertussen toch terug moeten zijn, het is al middag. Ze heeft de nacht ongetwijfeld ergens in een boom doorgebracht. Wat had ze anders moeten doen, zonder licht, terwijl de Beroeps met hun nachtkijkerbrillen door het bos stampten. En het derde vuur dat ze aan zou steken – hoewel ik gisteren ben vergeten te kijken – lag het verst van onze kampeerplek. Ze is waarschijnlijk extra voorzichtig onderweg hiernaartoe. Ik wilde dat ze opschoot, want ik wil hier niet te lang blijven hangen. Ik wil de middag gebruiken om naar hoger gelegen gebied te trekken en onderweg te jagen. Maar ik kan eigenlijk niets anders doen dan wachten.

Ik was het bloed uit mijn jas en haar en maak mijn alsmaar groter wordende verzameling wonden schoon. Met de brandplekken gaat het al een stuk beter, maar ik smeer er desondanks nog wat zalf op. Ik moet er nu bovenal voor zorgen dat ik geen infecties oploop. Daarna eet ik de tweede vis ook maar op. In deze hete zon blijft hij toch niet lang goed en ik kan er zo nog een paar voor Rue vangen. Als ze nou eerst maar gewoon kwam.

Omdat ik me met mijn eenzijdige gehoor te kwetsbaar voel, klauter ik een boom in om daar te wachten. Mochten de Beroeps nog opdagen, dan kan ik ze hiervandaan mooi neerschieten. De zon kruipt langzaam verder. Ik doe dingen om de tijd te verdrijven. Kauw op bladeren en leg ze op de bulten, die niet meer opgezwollen maar nog wel gevoelig zijn. Kam met mijn vingers mijn vochtige haar en vlecht het. Rijg de veters nog eens door mijn laarzen. Controleer mijn boog en resterende pijlen. Test mijn linkeroor meerdere keren op een teken van leven door er met een blad naast te ritselen, maar zonder resultaat.

Ondanks de ganzant en de vissen begint mijn maag te knorren, en ik weet dat dit een bodemloze dag zal worden, zoals wij het in District 12 noemen. Dat is zo'n dag waarop je nooit genoeg hebt gehad, al stop je nog zoveel in je buik. Het wordt alleen maar erger nu ik me in een boom zit te vervelen, dus ik besluit er maar aan toe te geven. Ik ben tenslotte erg afgevallen in de arena en ik kan best wat extra calorieën gebruiken. En nu ik mijn pijl en boog heb, heb ik veel meer vertrouwen in mijn voedselvooruitzichten.

Langzaam pel ik een handvol noten en eet ze op. Mijn laatste cracker. De hals van de ganzant. Het duurt een tijd voor ik die geplukt heb, dus dat is alleen maar goed. Daarna nog een ganzantenvleugel, en dan is de vogel op. Maar het is een bodemloze dag, en zelfs na al die dingen begin ik nog over eten te dagdromen. Vooral over de uitzinnige maaltijden die in het Capitool werden geserveerd. De kip in de romige sinaasappelsaus. De taarten en pudding. Brood met boter. Noedels in groene saus. De stoofpot met lam en gedroogde pruimen. Ik zuig op een paar muntblaadjes en zeg tegen mezelf dat ik me eroverheen moet zetten. Munt is goed, want we drinken vaak muntthee na het eten, dus het maakt mijn maag wijs dat het geen etenstijd meer is. Enigszins.

Zoals ik hier een beetje in de boom zit te schommelen, met

de zon die me verwarmt, een mond vol munt, mijn pijl en boog in mijn hand... Zo ontspannen ben ik sinds ik de arena ben in gekomen niet meer geweest. Kwam Rue nou maar, dan konden we hier weg. Terwijl de schaduwen langer worden, groeit ook mijn ongerustheid. Als het laat in de middag is besluit ik haar te gaan zoeken. Ik kan in elk geval gaan kijken bij de plek waar ze het derde vuur zou aansteken om te zien of ik aanwijzingen kan vinden waar ze zou kunnen zijn.

Voor ik vertrek strooi ik een paar muntbladeren rond ons oude kampvuur. Omdat we die een eind verderop geplukt hebben, zal Rue begrijpen dat ik hier ben geweest, maar de Beroeps zal het niets zeggen.

Binnen een uur ben ik op de plek waar we hadden afgesproken om het derde vuur te laten branden, en ik weet meteen dat er iets is misgegaan. Het hout is keurig opgestapeld, met brandbaar materiaal ertussen, precies zoals het hoort, maar het is nooit aangestoken. Rue heeft het vuur opgebouwd maar is hier niet meer teruggekomen. Ergens tussen de tweede rookpluim die ik zag voor ik de voorraden opblies en deze plek is ze in moeilijkheden geraakt.

Ik houd mezelf voor dat ze nog leeft. Toch? Zou het kanon dat haar dood bekend moest maken 's ochtends in de kleine uurtjes zijn afgeschoten, toen zelfs mijn goede oor te beschadigd was om het te horen? Zal ze vanavond in de lucht verschijnen? Nee, dat weiger ik te geloven. Er kunnen wel honderd andere verklaringen voor zijn. Misschien is ze verdwaald. Is ze een meute roofdieren tegengekomen. Of een andere tribuut, Thresh bijvoorbeeld, en moest ze zich verstoppen. Wat er ook gebeurd is, ik weet bijna zeker dat ze niet weg kan, ergens vastzit tussen het tweede vuur en het onaangestoken bouwsel aan mijn voeten. Iets heeft haar in het nauw gedreven.

Ik denk dat ik dat maar eens ga neerschieten.

Het is een opluchting om iets te kunnen doen na de hele middag stilgezeten te hebben. Ik sluip geruisloos door de schaduwen zodat ik nauwelijks zichtbaar ben. Maar ik zie niets verdachts. Geen teken van een worsteling, geen sporen in de laag dennennaalden op de grond. Ik sta net even stil als ik het hoor. Ik moet mijn hoofd schuin houden om het zeker te weten, maar daar is het weer. Uit de snavel van een spotgaai klinkt Rues viertonige liedje. Het deuntje dat betekent dat er niets met haar aan de hand is.

Ik grijns en loop in de richting van de vogel. Een tweede gaai iets verderop neemt het melodietje over. Rue heeft het voor ze gezongen, en nog maar kort geleden. Anders zouden ze ondertussen al iets anders zingen. Mijn ogen gaan omhoog naar de bomen, op zoek naar een teken van haar. Ik slik en zing zachtjes terug in de hoop dat ze dan hoort dat ze veilig naar me toe kan komen. Een spotgaai herhaalt het lied voor me. En dan hoor ik de gil.

Het is de gil van een kind, van een jong meisje, en niemand anders dan Rue kan hier in de arena dat geluid maken. En nu ben ik aan het rennen, ook al weet ik dat het een valstrik kan zijn, dat de Beroeps op het punt kunnen staan om me aan te vallen, maar ik kan er niets aan doen. Nog een hoge gil, mijn naam dit keer. 'Katniss! Katniss!'

'Rue!' schreeuw ik terug, zodat ze weet dat ik eraan kom. Zodat zíj weten dat ik eraan kom, en hopelijk zal het meisje dat hen met bloedzoekers heeft aangevallen en van wie ze nog steeds niet weten hoe ze een elf heeft gekregen, genoeg zijn om hun aandacht van haar af te leiden. 'Rue! Ik kom eraan!'

Ik storm een open plek op en daar ligt ze op de grond, hopeloos verstrikt in een net. Ze heeft nog net tijd om haar hand door de mazen te steken en mijn naam te zeggen voor de speer haar lijf doorboort.

hoofdstuk 18

De jongen uit District 1 sterft voor hij de speer uit Rues lijf kan trekken. Mijn pijl dringt diep in het midden van zijn hals. Hij valt op zijn knieën en halveert de korte tijd die hij nog te leven heeft door de pijl eruit te rukken en in zijn eigen bloed te verdrinken. Mijn boog is alweer gespannen en ik richt alle kanten op, terwijl ik tegen Rue schreeuw: 'Zijn er nog meer? Zijn er nog meer?'

Ze moet een paar keer nee zeggen voor ik het hoor.

Rue is op haar zij gerold met haar lichaam om de speer gebogen. Ik duw de jongen opzij, weg van haar, en pak mijn mes om haar uit het net te bevrijden. Met één blik op haar wond zie ik dat die veel te ernstig is voor mij om te kunnen genezen. Voor iedereen waarschijnlijk. De speerpunt zit tot aan de schacht in haar buik verscholen. Ik hurk voor haar neer en staar wanhopig naar het uitstekende wapen. Het heeft geen zin om troostende woorden te fluisteren, te zeggen dat het allemaal goed zal komen. Ze is niet gek. Haar hand komt omhoog en ik grijp hem vast alsof het een reddingslijn is. Alsof ik degene ben die sterf in plaats van Rue.

'Heb je het eten opgeblazen?' fluistert ze.

'Tot op de laatste kruimel,' zeg ik.

'Je moet winnen,' zegt ze.

'Ik ga ook winnen. En nu voor ons allebei,' beloof ik. Ik hoor een kanon en kijk op. Die moet voor de jongen uit District 1 zijn.

'Niet weggaan.' Rue grijpt mijn hand nog steviger vast.

'Tuurlijk niet. Ik blijf gewoon hier,' zeg ik. Ik schuif dichter naar haar toe, leg haar hoofd op mijn schoot. Zachtjes schuif ik het donkere, volle haar achter haar oor.

'Zing,' zegt ze, maar ik versta het nauwelijks.

Zing? denk ik. *Wat dan?* Ik ken wel een paar liedjes. Geloof het of niet, maar ooit klonk er in mijn huis ook muziek. Muziek die ik hielp maken. Mijn vader stak me altijd aan met die prachtige stem van hem – maar sinds zijn dood heb ik niet veel meer gezongen. Behalve als Prim ziek is. Dan zing ik de liedjes voor haar die ze als baby ook al mooi vond.

Zing. Mijn keel wordt dichtgeknepen door de tranen, is schor door rook en vermoeidheid. Maar als dit de laatste wens is van Prim, ik bedoel Rue, dan moet ik het op zijn minst proberen. Het liedje dat in me opkomt is een eenvoudig slaapliedje, waar we thuis huilerige, hongerige baby'tjes mee in slaap wiegen. Het is oud, heel erg oud volgens mij. Ooit, lang geleden in de heuvels verzonnen. Wat mijn muziekleraar een bergwijsje noemt. Maar de woorden zijn simpel en troostend en beloven dat morgen meer hoop zal brengen dan deze verschrikkelijke tijd die we vandaag noemen.

Ik kuch zacht, slik moeizaam en begin:

Onder de wilg, diep in het weiland
Is het gras je kussen, je warme ledikant
Vlei je hoofd neer en doe je ogen maar dicht
Als je ze opent, is alles weer licht.

Hier is het veilig, hier is het zacht
Hier houden de madeliefjes de wacht
Hier komen je zoete dromen uit met de morgendauw
Hier is de plek waar ik van je hou.

Rues ogen zijn dichtgevallen. Haar borst gaat op en neer, maar heel zwakjes. Mijn keel laat de tranen los en ze glijden over mijn wangen. Maar ik moet het lied afmaken voor haar.

Diep in het weiland, ver hiervandaan
Een bladerdeken onder de stralende maan
Vergeet je zorgen, laat je ellende gaan
Straks breekt een nieuwe dag voor je aan.

Hier is het veilig, hier is het zacht
Hier houden de madeliefjes de wacht

De laatste regels zijn nauwelijks verstaanbaar.

Hier komen je zoete dromen uit met de morgendauw
Hier is de plek waar ik van je hou.

Alles is rustig en stil. Dan, en het klinkt bijna griezelig, nemen de spotgaaien mijn lied over.

Ik blijf nog even zitten en kijk hoe mijn tranen op haar gezicht druppelen. Rues kanon gaat af. Ik buig me voorover en druk mijn lippen op haar slaap. Langzaam, alsof ik bang ben dat ze wakker zal worden, leg ik haar hoofd weer op de grond en laat haar hand los.

Ze zitten nu te wachten tot ik wegga. Zodat ze de lichamen kunnen ophalen. En er is geen reden om te blijven. Ik rol de jongen uit District 1 op zijn buik, pak zijn rugzak en trek de pijl los die een einde aan zijn leven heeft gemaakt. Ik snijd Rues rugzak ook los van haar rug – ik weet dat ze zou willen dat ik hem meenam –, maar de speer laat ik in haar buik zitten. Wapens in lijken worden meegenomen naar de hovercraft. Ik heb niets aan een speer, dus hoe eerder hij uit de arena is verdwenen hoe beter.

Ik kan mijn ogen niet losscheuren van Rue, kleiner dan ooit, een opgekruld babydiertje in een nest van touwen. Ik kan mezelf er niet toe zetten haar op deze manier achter te laten. Ze is niet meer in gevaar, maar ze ziet er zo verschrikkelijk weerloos uit. De jongen uit District 1 haten, die dood ook al zo kwetsbaar oogt, lijkt niet afdoende. Ik haat het Capitool, dat ons dit allemaal aandoet.

De stem van Gale klinkt in mijn hoofd. Zijn tirades tegen het Capitool zijn niet langer zinloos, kunnen niet langer genegeerd worden. De dood van Rue dwingt me om mijn eigen woede tegen de wreedheden onder ogen te zien, tegen het onrecht dat ze over ons uitstorten. Maar hier voel ik me zelfs nog machtelozer dan thuis. Je kunt geen wraak nemen op het Capitool. Toch?

Dan moet ik opeens denken aan wat Peeta zei op het dak. *'Maar ik zou zo graag willen dat ik een manier kon bedenken om... om het Capitool te laten zien dat ze me niet bezitten. Dat ik meer ben dan een pion in hun Spelen.'* En voor het eerst begrijp ik wat hij bedoelt.

Ik wil iets doen, hier, nu, om hen te schande te maken, om hen verantwoordelijk te stellen, om het Capitool te laten zien dat wat ze ook doen, waar ze ons ook toe dwingen, elke tribuut iets heeft wat ze niet kunnen bezitten. Dat Rue meer is dan een pion in hun spel. En ik ook.

Een paar passen het bos in staan een heleboel wilde bloemen. Misschien is het eigenlijk gewoon een soort onkruid, maar ze bloeien in prachtige paarse en gele en witte kleuren. Ik pluk een armvol en loop terug naar Rue. Langzaam, steeltje voor steeltje, versier ik haar lichaam met de bloemen. Ze bedekken de nare wond. Omkransen haar gezicht. Vlechten schitterende kleuren door haar haar.

Ze moeten het wel laten zien. En anders, als ze ervoor kiezen om de camera's nu ergens anders op te richten, moeten ze straks toch uitzenden dat ze de lijken ophalen en dan zal iedereen haar zien en weten dat ik dat heb gedaan. Ik doe een stap achteruit en kijk nog één laatste keer naar Rue. Nu zou ze echt in dat weiland kunnen liggen slapen.

'Dag, Rue,' fluister ik. Ik druk de drie middelste vingers van mijn linkerhand tegen mijn lippen en steek ze naar haar uit. Dan loop ik zonder om te kijken weg.

De vogels worden stil. Ergens laat een spotgaai de waarschuwingsroep horen die aan de hovercraft voorafgaat. Ik weet niet hoe de vogels het weten. Ze zullen wel geluiden horen die mensen niet kunnen waarnemen. Ik blijf staan, met mijn ogen gericht op wat voor me ligt, niet op wat er achter me gebeurt. Het duurt niet lang, dan beginnen de vogels weer hun eigen lied te zingen en weet ik dat ze weg is.

Een andere spotgaai, een jonge zo te zien, strijkt voor mijn neus neer op een tak en begint Rues wijsje te jubelen. Mijn lied en de hovercraft waren te onbekend voor deze beginneling om op te pikken, maar haar handjevol tonen heeft hij onder de knie gekregen. De melodie die betekent dat ze veilig is.

'Veiliger kan niet,' zeg ik, terwijl ik onder zijn tak door loop. 'We hoeven ons geen zorgen meer om haar te maken.' Veiliger kan niet.

Ik heb geen idee waar ik naartoe moet. Het korte moment van huiselijkheid dat ik die ene nacht met Rue voelde is verdwenen. Mijn voeten lopen maar ergens heen tot de zon ondergaat. Ik ben niet bang, niet eens op mijn hoede. Wat me tot een makkelijk doelwit maakt. Ware het niet dat ik iedereen zou vermoorden die ik tegenkwam. Zonder enige emotie of zelfs maar trillende handen. Mijn haat jegens het Capitool heeft mijn haat jegens mijn medespelers absoluut niet verminderd. Vooral niet wat de Beroeps betreft. Hen kan ik in elk geval voor Rues dood laten boeten.

Maar ik kom niemand tegen. Er zijn niet zo veel tributen meer over en het is een grote arena. Binnenkort zullen ze wel weer iets uit de hoge hoed toveren om ons bij elkaar te drijven. Maar vandaag heeft er genoeg bloed gevloeid. Misschien komen we zelfs wel aan slapen toe.

Ik sta op het punt om mijn bepakking een boom in te hijsen om een slaapplaats te maken als er een zilverkleurige parachute naar beneden zweeft en voor me op de grond terechtkomt. Een geschenk van een sponsor. Maar waarom nu? Ik zit aardig goed in mijn voorraden. Misschien heeft Haymitch mijn zwaarmoedigheid opgemerkt en probeert hij me een beetje op te vrolijken. Of zou het iets zijn om mijn oor beter te maken?

Ik maak de parachute open en zie een klein brood. Het is niet het luxe witte spul uit het Capitool. Het is gemaakt van donker bonnengraan en heeft de vorm van een halve maan. Bestrooid met zaden. Mijn gedachten gaan terug naar Peeta's les in het Trainingscentrum over de verschillende broden van de districten. Dit brood kwam uit District 11. Ik pak het voorzichtig op – het is nog warm. Wat moet dit de mensen uit District 11 wel niet gekost hebben als ze niet eens genoeg voor zichzelf hebben? Hoeveel inwoners hebben zelf niets gehad om een munt op te kunnen hoesten voor de inzameling van dit ene brood? Het was natuurlijk voor Rue bedoeld. Maar in plaats van het geschenk in te trekken toen zij stierf, hebben ze Haymitch opdracht gegeven om het aan mij te geven. Als dank? Of omdat ze, net als ik, hun schulden graag afgelost zien? Wat de reden ook is, dit is de eerste keer dat zoiets gebeurt. Een geschenk van een district aan een tribuut die niet van hen is.

Met opgeheven hoofd stap ik in de laatste zonnestralen die door de bladeren vallen. 'Mijn dank gaat uit naar de inwoners van District 11,' zeg ik. Ik wil dat ze weten dat ík weet waar het vandaan kwam. Dat de volle waarde van hun geschenk is erkend.

Ik klim gevaarlijk hoog in een boom, niet voor de veiligheid maar omdat ik zo ver mogelijk bij vandaag vandaan wil. Mijn slaapzak zit netjes opgerold in Rues rugzak. Morgen zal ik de voorraden ordenen. Morgen zal ik een nieuw plan bedenken. Maar vanavond kan ik mezelf alleen maar insnoeren en kleine hapjes van het brood nemen. Het is lekker. Het smaakt naar thuis.

Algauw zie ik het embleem tegen de hemel, het volkslied klinkt in mijn rechteroor. Ik zie de jongen uit District 1, ik zie Rue. Dat is alles vanavond. *Nog zes over*, denk ik. *Nog maar zes*. Met het brood stevig in mijn handen geklemd val ik als een blok in slaap.

Soms, als alles heel erg slecht gaat, geven mijn hersenen me een fijne droom. Een tocht naar het bos met mijn vader. Een uurtje zon en taart met Prim. Vanavond sturen ze Rue naar me toe, die nog steeds bedekt met bloemen in een woud van hoge bomen aan mij probeert te leren hoe ik met de spotgaaien moet praten. Ik zie geen spoor van haar wonden, geen bloed, alleen een opgewekt, lachend meisje. Met een heldere, melodieuze stem zingt ze liedjes die ik nog nooit gehoord heb. Ze gaat maar door, de hele nacht lang. Er is een doezelig moment tussendoor als ik nog wel de laatste flarden van haar muziek hoor maar zijzelf al tussen de bladeren is verdwenen. Als ik helemaal wakker ben, voel ik me heel even getroost. Ik probeer het vredige gevoel van de droom vast te houden, maar het glipt bliksemsnel weg en ik blijf verdrietiger en eenzamer dan ooit achter.

Mijn hele lichaam voelt zwaar aan, alsof er vloeibaar lood door mijn aderen stroomt. Ik heb geen zin meer om ook maar de kleinste klusjes te doen, om iets anders te doen dan hier in mijn slaapzak te liggen en met open ogen naar het bladerdak te staren. Een paar uur lang blijf ik roerloos hangen. Zoals gewoonlijk is het de gedachte aan Prims bange gezicht terwijl ze thuis op televisie naar me kijkt die me uit mijn apathie sleurt.

Ik geef mezelf een paar simpele opdrachten, zoals: *Nu moet je overeind gaan zitten, Katniss. Nu moet je water drinken, Katniss.* Met langzame, robotachtige bewegingen volg ik de bevelen op. *Nu moet je de rugzakken inspecteren, Katniss.*

Die van Rue bevat haar bijna lege waterzak, een handvol noten en wortels, een stukje konijn, haar extra paar sokken en haar katapult. De jongen uit District 1 heeft diverse messen, twee reservespeerpunten, een zaklamp, een kleine leren buidel, een EHBO-doos, een volle fles water en een pakje gedroogd fruit. Een pakje gedroogd fruit! En hij had zoveel om uit te kiezen. In mijn ogen is dat een teken van uitzonderlijke arrogantie. Waarom zou je de moeite nemen om met eten te sjouwen als je bij je kamp zo'n enorme voorraad hebt? Als je je vijanden zo snel vermoordt dat je weer terug bent voor je honger hebt? Ik kan alleen maar hopen dat de andere Beroeps het ook niet nodig vonden om veel eten mee te nemen, en nu merken dat ze met lege handen staan.

Nu we het er toch over hebben, mijn eigen proviand is ook bijna op. Ik eet de rest van het brood uit District 11 en het laatste beetje konijn. Wat verdwijnt het eten toch snel. Ik heb alleen nog maar Rues wortels en noten over, het gedroogde fruit van de jongen en één reepje rundvlees. *Nu moet je jagen, Katniss*, zeg ik tegen mezelf.

Gehoorzaam zoek ik de spullen bij elkaar die ik in mijn rugzak wil doen. Als ik uit de boom ben geklommen, verstop ik de messen en speerpunten van de jongen onder een stapel stenen zodat niemand anders ze kan gebruiken. Ik ben mijn oriëntatie kwijt omdat ik gisteren in het wilde weg maar wat gelopen heb, maar ik doe mijn best om ongeveer in de richting van de beek te lopen. Ik weet dat ik op de juiste route zit als ik Rues derde, nooit ontbrande vuurtje tegenkom. Vlak daarna ontdek ik een koppel ganzanten in de bomen en schiet er voor ze weten wat ze overkomt drie neer. Ik ga terug naar Rues waarschuwingsvuur en steek het aan, zonder me druk te maken om de overmatige rook. *Waar ben je, Cato?* denk ik terwijl ik de vogels en de wortels van Rue rooster. *Ik zit op je te wachten.*

Waar zouden de Beroeps nu zijn? Zijn ze te ver bij mij vandaan om het vuur te kunnen zien? Of zijn ze er te zeer van overtuigd dat het een valstrik is? Of... Zou dat kunnen? Zijn ze te bang voor me? Ze weten natuurlijk dat ik de boog en de pijlen heb, Cato heeft gezien dat ik ze bij het lijk van Glinster vandaan haalde. Maar hebben ze ook de juiste conclusies al getrokken? Bedacht dat ik hun voorraden heb opgeblazen en hun Beroepsvriendje heb vermoord? Misschien denken ze wel dat Thresh dat heeft gedaan. Zou hij niet eerder Rues dood willen wreken dan ik? Omdat ze uit hetzelfde district kwamen? Niet dat hij zich ooit eerder om haar heeft bekommerd.

En Vossensnuit dan? Was zij in de buurt en heeft ze gezien dat ik de voorraden kapotschoot? Nee. Toen ik haar de volgende ochtend lachend in de puinhopen zag staan, leek ze zeer aangenaam verrast te zijn.

Ik geloof niet dat ze zullen denken dat Peeta dit rokende vuur heeft aangestoken. Cato is er zeker van dat hij zo goed als dood is. Ik betrap mezelf erop dat ik Peeta zou willen vertellen over de bloemen die ik op Rue heb gelegd. Dat ik nu begrijp wat hij op het dak probeerde te zeggen. Als hij de Spelen wint, ziet hij me misschien tijdens de overwinningsnacht, als ze de hoogtepunten van de Spelen nog een keer afspelen op een scherm boven het podium waar onze interviews werden afgenomen. De winnaar zit op een ereplek op de verhoging, omringd door zijn begeleiders.

Maar ik heb tegen Rue gezegd dat ík daar zou zitten. Voor ons allebei. En om de een of andere reden lijkt dat nog belangrijker dan de belofte die ik aan Prim heb gedaan.

Ik denk echt dat ik nu een kans maak om het te doen. Te winnen. Niet alleen omdat ik nu de pijlen heb of de Beroeps een paar keer te slim af geweest ben, hoewel dat allemaal wel helpt. Er is iets gebeurd toen ik Rues hand vasthield en het leven uit haar zag wegvloeien. Nu ben ik vastbesloten om haar te vergelden, om haar verlies onvergetelijk te maken, en dat kan ik alleen maar doen door te winnen en me op die manier zelf onvergetelijk te maken.

Ik laat de vogels veel te gaar worden in de hoop dat er iemand zal komen die ik neer kan schieten, maar er komt niemand. Misschien zijn de andere tributen op dit moment wel bezig elkaars hersenen in te timmeren. Wat ik prima zou vinden. Sinds het bloedbad bij de Hoorn des Overvloeds ben ik naar mijn zin al veel te vaak in beeld geweest.

Uiteindelijk pak ik mijn eten in en ga ik terug naar de beek om mijn water bij te vullen en wat planten te plukken. Maar het zware gevoel van die ochtend daalt weer over me neer en hoewel het nog maar vroeg in de avond is, klim ik in een boom en maak me klaar voor de nacht. Mijn hersenen beginnen de gebeurtenissen van gisteren te herhalen. Ik zie de hele tijd voor me hoe Rue gespietst wordt, hoe mijn pijl de hals van de jongen doorboort. Ik weet niet waarom ik me überhaupt druk zou maken om die jongen.

Dan besef ik... dat hij mijn eerste slachtoffer was.

Naast alle statistieken die men bekendmaakt om mensen te helpen kiezen bij hun weddenschappen, heeft elke tribuut een lijst met slachtoffers. Ik denk dat de dood van Glinster en het meisje uit District 4 officieel ook aan mij zijn toegeschreven, omdat ik dat nest op hen heb laten vallen. Maar de jongen uit District 1 was de eerste mens van wie ik wist dat hij door mijn toedoen zou sterven. Er zijn al talloze dieren door mij gestorven, maar slechts één mens. Ik hoor het Gale weer zeggen: 'Zou dat echt zo veel verschil maken?'

De uitvoering is verbazingwekkend gelijk. Een boog die gespannen wordt, een pijl die wordt weggeschoten. De nasleep is volstrekt anders. Ik heb een jongen vermoord van wie ik de naam niet eens weet. Ergens wordt er nu door zijn familie om hem gehuild. Zijn vrienden willen mijn bloed zien. Misschien had hij wel een vriendinnetje dat echt dacht dat hij terug zou komen...

Maar dan denk ik aan Rues roerloze lijfje en het lukt me om de jongen uit mijn gedachten te bannen. Voorlopig, in elk geval.

Naar de lucht te oordelen is het vandaag een saaie dag geweest. Geen doden. Ik vraag me af hoeveel rust we krijgen voor de volgende ramp ons weer naar elkaar toe drijft. Als het vannacht gaat gebeuren, wil ik eerst slapen. Ik bedek mijn goede oor om de klanken van het volkslied buiten te sluiten, maar dan hoor ik de trompetten en ik ga verwachtingsvol overeind zitten.

Over het algemeen zijn de dodencijfers de enige mededelingen die de tributen van buiten de arena krijgen. Maar heel af en toe laten ze trompetgeschal horen dat dan wordt gevolgd door een aankondiging. Meestal is dat een oproep voor een feestmaal. Als het voedsel schaars is, nodigen de Spelmakers de spelers uit voor een banket, op een plek die iedereen kent, zoals de Hoorn des Over-

vloeds, als een stimulans om proviand binnen te halen en te vechten. Soms is er echt een feestmaal en soms is er alleen een muf oud
brood waar de tributen om kunnen strijden. Ik zou er niet heen
gaan voor het eten, maar het zou een perfecte gelegenheid zijn om
een paar rivalen uit te schakelen.

De stem van Claudius Templesmith galmt vanuit de hemel
naar beneden en feliciteert de zes overgebleven kandidaten. Maar
hij nodigt ons niet uit voor een feestmaal. Hij zegt iets heel verwar-
rends. Er is een wijziging aangebracht in de regels van de Spelen.
Een wijziging in de regels! Dat is op zich al verbijsterend, aangezien we geen noemenswaardige regels hebben, behalve niet van je
cirkel stappen tot de minuut om is en de ongeschreven regel dat
we elkaar niet op mogen eten. Volgens deze nieuwe regel worden
de beide tributen van hetzelfde district tot winnaar uitgeroepen als
ze de laatste twee overlevenden zijn. Claudius zwijgt even, alsof hij
snapt dat we er niets van begrijpen, en herhaalt de wijziging dan
nog eens.

Het nieuws dringt tot me door. Er kunnen twee tributen winnen dit jaar. Als ze uit hetzelfde district komen. Ze kunnen allebei
blijven leven. We kunnen allebei blijven leven.

Voor ik mezelf kan tegenhouden roep ik Peeta's naam.

DEEL III

DE WINNAAR

hoofdstuk 19

Ik sla mijn handen voor mijn mond, maar het geluid is er al uit. De lucht wordt weer zwart en ik hoor een koor van kikkers dat begint te kwaken. *Stom mens!* zeg ik tegen mezelf. *Wat ongelooflijk stom van je!* Ik wacht verstijfd af tot het bos van alle kanten aanvallers over me uit zal storten. Dan herinner ik me opeens weer dat er bijna niemand meer over is.

Peeta, die gewond is geraakt, is nu mijn bondgenoot. Alle twijfels die ik over hem had verdwijnen als sneeuw voor de zon, want als nu een van ons de ander zou vermoorden, zouden we bij terugkomst in District 12 worden uitgekotst. Sterker nog, als ik nu zat te kijken weet ik zeker dat ik een hekel aan elke tribuut zou hebben die niet meteen een verbond zou sluiten met zijn districtspartner. Bovendien is het gewoon logisch om elkaar te beschermen. En in mijn geval – aangezien ik een van de gedoemde geliefden uit District 12 ben – is het een onvoorwaardelijke vereiste, wil ik nog enige hulp krijgen van meelevende sponsors.

De gedoemde geliefden... Peeta moet zich al die tijd volgens dat concept hebben gedragen. Waarom zouden de Spelmakers anders deze volstrekt unieke wijziging in de regels hebben aangebracht? Het feit dat er twee tributen kans maken om te winnen, betekent dat onze 'romance' zo populair moet zijn bij het publiek dat het succes van de Spelen in gevaar zou komen als hij werd afgebroken. Dat is niet aan mij te danken. Ik ben er alleen maar in geslaagd om Peeta niet te vermoorden. Maar wat hij ook gedaan heeft in de arena, hij heeft het publiek er blijkbaar van weten te overtuigen dat het allemaal was om mij in leven te houden. Dat hij zijn hoofd schudde om te voorkomen dat ik naar de Hoorn des Overvloeds zou rennen. Dat hij het tegen Cato opnam zodat ik kon ontsnappen. Zelfs zijn verbond met de Beroeps moet een zet geweest zijn om mij te beschermen. Peeta, zo blijkt, heeft nooit een gevaar voor mij gevormd.

Ik moet glimlachen bij het idee. Ik laat mijn handen zakken en hef mijn gezicht op in het maanlicht zodat de camera's het zeker zullen registreren.

Goed, voor wie zou ik op dit moment bang moeten zijn? Voor Vossensnuit? De jongenstribuut uit haar district is dood. Ze gaat altijd 's nachts op pad, in haar eentje. En haar tactiek is ontwijkend, niet aanvallend. Ik denk niet dat ze, zelfs als ze mijn stem had gehoord, iets anders zou doen dan hopen dat een van de anderen me zou vermoorden.

Dan hebben we Thresh nog. Vooruit, die vormt wel degelijk een gevaar. Maar ik heb hem nog niet gezien, nog geen enkele keer, sinds de Spelen zijn begonnen. Ik moet denken aan Vossensnuit en hoe ze schrok toen ze iets hoorde na de ontploffing. Maar ze draaide zich niet om naar het bos, ze draaide zich om naar het gebied dat daartegenover ligt. Naar het gedeelte van de arena dat afloopt naar... Joost mag het weten. Ik weet bijna zeker dat Thresh degene is voor wie ze wegrende en dat dat zijn domein is. Hij kan me vanaf die plek nooit gehoord hebben en zelfs al had hij dat wel gedaan, dan zit ik zo hoog dat iemand van zijn omvang er nooit bij zal kunnen.

Dan houden we alleen Cato en het meisje uit District 2 over, die nu ongetwijfeld staan te juichen om deze nieuwe regel. Zij zijn de enigen die er naast Peeta en ik baat bij hebben. Moet ik nu voor hen op de vlucht slaan, voor het geval ze me Peeta's naam hebben horen roepen? *Nee*, denk ik. *Laat ze maar komen.* Laat ze maar komen met hun nachtkijkers en hun zware, takkenknappende lijven. Recht het bereik van mijn pijlen in. Maar ik weet dat ze dat niet zullen doen. Als ze overdag niet naar mijn vuur zijn gekomen, dan zullen ze zich 's nachts al helemaal niet in een potentiële valstrik wagen. Als ze komen, zal dat zijn omdat zíj dat willen, niet omdat ik hun heb laten weten waar ik ben.

Blijf zitten waar je zit en ga slapen, Katniss, draag ik mezelf op, hoewel ik zou willen dat ik Peeta nu meteen kon gaan zoeken. *Morgen zul je hem vinden.*

Ik slaap wel, maar 's ochtends ben ik extra op mijn hoede, want de Beroeps zullen me dan niet zo snel in een boom aanvallen, ze zijn prima in staat om een hinderlaag voor me op te zetten. Ik zorg ervoor dat ik helemaal klaar ben voor de komende dag – ik eet een uitgebreid ontbijt, controleer mijn rugzak, maak mijn wapens in orde – voor ik naar beneden klim. Maar alles lijkt vredig en stil op de grond.

Vandaag zal ik extreem voorzichtig moeten zijn. De Beroeps weten dat ik zal proberen Peeta op te sporen. De kans is groot dat ze wachten tot dat gelukt is voor ze toeslaan. Als hij er echt zo slecht aan toe is als Cato denkt, zal het er uiteindelijk op neerkomen dat ik ons allebei zonder enige hulp moet verdedigen. Maar als hij bijna uitgeschakeld is, hoe heeft hij zichzelf dan in leven weten te houden? En hoe moet ik hem in vredesnaam vinden?

Ik probeer me te herinneren of Peeta ooit iets heeft gezegd waar ik misschien uit zou kunnen afleiden waar hij zich schuilhoudt, maar er komt niets in me op. Dus denk ik terug aan de laatste seconden dat ik hem zag, toen hij fonkelend in het zonlicht schreeuwde dat ik weg moest rennen. Daarna kwam Cato met getrokken zwaard tevoorschijn. En nadat ik was gevlucht, heeft hij Peeta verwond. Maar hoe is Peeta ontsnapt? Misschien was hij beter bestand tegen het bloedzoekersgif dan Cato. Misschien dat hij daardoor weg kon komen. Maar hij was hoe dan ook gestoken. Dus hoe ver zal hij gekomen zijn, gewond en vol gif? En hoe heeft hij zichzelf al die dagen daarna in leven gehouden? Als hij niet aan de wond en de wespensteken is bezweken, had hij ondertussen toch van de dorst moeten sterven.

En dat geeft me de eerste aanwijzing over zijn schuilplaats. Hij had niet kunnen overleven zonder water. Dat weet ik nog van mijn eerste paar dagen hier. Hij moet zich in de buurt van een waterbron hebben verstopt. We hebben het meer, maar dat acht ik niet erg waarschijnlijk, met het kamp van de Beroeps zo dichtbij. Er zijn een paar bronnenpoeltjes, maar daar ben je een veel te makkelijk doelwit. En de beek. Het stroompje dat van de plek waar Rue en ik hebben geslapen helemaal naar het meer en verder loopt. Als hij bij de beek gebleven is, zou hij zich kunnen verplaatsen en toch altijd in de buurt van water zijn. Hij zou erdoorheen kunnen waden om eventuele sporen uit te wissen. Hij zou zelfs een paar vissen kunnen vangen.

Nou ja, en ik moet toch ook érgens beginnen.

Om mijn vijanden in verwarring te brengen, maak ik een vuur met een heleboel groen hout. Zelfs als ze vermoeden dat het een list is, hoop ik dat ze denken dat ik ergens in de buurt verscholen zit. Terwijl ik eigenlijk op zoek ga naar Peeta.

De zon brandt de ochtendnevel vrijwel onmiddellijk weg en ik weet dat deze dag heter zal worden dan normaal. Het water voelt koel en prettig aan mijn blote voeten terwijl ik stroomafwaarts loop. Ik heb de neiging om Peeta's naam te roepen, maar besluit het niet te doen. Ik zal hem met mijn ogen en mijn ene goede oor moeten vinden, of hij moet mij vinden. Maar hij zal toch wel weten dat ik hem zoek? Hij heeft vast niet zo'n lage dunk van me dat hij denkt dat ik de nieuwe regel zal negeren om in mijn eentje door te gaan. Toch? Hij is zo onvoorspelbaar – in een andere situatie zou dat hem misschien interessant maken, maar op dit moment vormt het alleen maar een extra hindernis.

Algauw ben ik bij de plek waar ik de vorige keer ben afgeslagen om naar het kamp van de Beroeps te gaan. Ik heb nog geen spoor van Peeta gevonden, maar dat verbaast me niet. Ik heb dit stuk al drie keer op en neer gelopen sinds het voorval met de bloedzoekers. Als hij in de buurt was, had ik daar beslist een vermoeden van gehad. De beek buigt af naar links, een voor mij nog onbekend gedeelte van het bos in. De modderige oevers zijn eerst bedekt met een wirwar van waterplanten en daarna met fikse rotsblokken, die steeds groter worden tot ik me ietwat claustrofobisch begin te voelen. Het zou een hele toer worden om nu uit de beek te ontsnappen, terwijl ik ondertussen Cato of Thresh van me af zou moeten houden en over de rotsen moest klimmen. Ik heb zelfs net besloten dat ik helemaal op de verkeerde weg ben, dat een gewonde jongen nooit van en naar deze waterbron zou kunnen komen, als ik een bloederige veeg zie op de ronding van een rotsblok. Hij is allang opgedroogd, maar de vage strepen die van de ene naar de andere kant lopen, lijken erop te wijzen dat iemand – die zijn verstandelijke vermogens wellicht niet meer geheel onder controle had – geprobeerd heeft hem weg te poetsen.

Ik klamp me vast aan de rotsen, terwijl ik langzaam in de richting van het bloed waad en ondertussen de omgeving naar hem afspeur. Ik vind nog een paar bloedvlekken, eentje met een paar draadjes stof eraan geplakt, maar geen teken van leven. Ik houd het niet meer uit en roep op gedempte toon zijn naam. 'Peeta! Peeta!' Dan strijkt er in een treurig boompje een spotgaai neer die mijn klanken begint na te bootsen, dus ik houd mijn mond weer. Ik geef het op, klauter weer terug naar de beek en denk: *hij is vast doorgegaan. Nog een stukje verder.*

Net als mijn voet het wateroppervlak raakt hoor ik een stem. 'Kom je me afmaken, schat?'

Ik draai me met een ruk om. Het kwam van links, dus ik kon het niet echt goed verstaan. En de stem klonk schor en zwak. Maar het moet Peeta geweest zijn. Wie zou me hier anders schat noemen? Mijn ogen zoeken de oever af, maar ik zie niets. Alleen maar modder, planten, de onderkant van de rotsen.

'Peeta?' fluister ik. 'Waar ben je?' Geen antwoord. Heb ik het me misschien verbeeld? Nee, ik weet zeker dat het echt was en ook heel dichtbij. 'Peeta?' Ik sluip verder langs de oever.

'Kijk je uit waar je loopt?'

Ik spring achteruit. Zijn stem kwam van recht onder mijn voeten. Maar ik zie nog steeds niets. Dan gaan zijn ogen open, onmiskenbaar blauw in de bruine modder en de groene bladeren. Ik hap naar adem en word beloond met de glimp witte tanden van zijn lach.

Dit is pas camouflage. Wat nou, gewichten rondsmijten. Peeta had zichzelf bij zijn sessie met de Spelmakers als boom moeten beschilderen. Of als rotsblok. Of als modderige oever vol onkruid.

'Doe je ogen nog eens dicht,' beveel ik. Hij doet het, en zijn mond ook, en hij verdwijnt volkomen. Het grootste deel van wat naar ik aanneem zijn lichaam is, ligt in feite onder een laag modder en planten. Zijn gezicht en armen zijn zo ingenieus verborgen dat ze onzichtbaar zijn. Ik kniel naast hem neer. 'Heb je toch niet voor niets al die taarten versierd.'

Peeta glimlacht. 'Inderdaad. Het laatste redmiddel van de stervenden.'

'Jij gaat niet dood,' zeg ik resoluut.

'Wie zegt dat?' Zijn stem klinkt zo vreselijk rauw.

'Dat zeg ik. We zitten nu in hetzelfde team, hoor,' zeg ik.

Zijn ogen gaan open. 'Dat heb ik gehoord, ja. Leuk dat je bent komen zoeken naar wat er nog van me over is.'

Ik haal mijn waterfles tevoorschijn en geef hem wat te drinken. 'Heeft Cato je geraakt?' vraag ik.

'Bovenbeen. Linker,' antwoordt hij.

'Kom, je moet de beek in, dan kan ik je wassen en je wonden bekijken,' zeg ik.

'Kom eerst eens hier,' zegt hij. ''k Moet je iets vertellen.' Ik buig me naar voren en leg mijn goede oor tegen zijn lippen. Ze kietelen als hij fluistert: 'Denk erom, we zijn smoorverliefd, dus je mag me net zoveel zoenen als je wilt.'

Ik trek met een ruk mijn hoofd terug maar schiet toch in de lach. 'Dank je, ik zal het onthouden.' Hij is in elk geval nog in staat om grappen te maken. Maar als ik hem naar de beek help, is alle luchthartigheid zo verdwenen. Het is maar een halve meter, hoe moeilijk kan dat zijn? Heel moeilijk, als ik besef dat hij zonder hulp nog geen centimeter vooruit kan komen. Hij is zo zwak dat hij zelf niets kan doen, behalve zich niet verzetten. Ik probeer hem voort te slepen, maar ondanks het feit dat ik weet dat hij zijn uiterste best doet om zijn mond te houden, slaakt hij onwillekeurig toch kreten van pijn. De modder en de planten lijken hem gevangen te houden en ik moet hem uiteindelijk met een gigantische ruk uit hun greep bevrijden. Hij ligt nog steeds vijftig centimeter bij het water vandaan en klemt zijn kiezen op elkaar terwijl de tranen strepen trekken door het vuil op zijn gezicht.

'Luister, Peeta, ik ga je naar de beek rollen. Het is hier heel ondiep. Goed?' vraag ik.

'Te gek,' zegt hij.

Ik hurk naast hem neer. *Wat er ook gebeurt, je mag niet stoppen voor hij in het water ligt*, zeg ik tegen mezelf. 'Ik tel tot drie,' zeg ik. 'Eén, twee, drie!' Ik kan hem maar één keer helemaal omrollen voor ik moet ophouden vanwege het afschuwelijke geluid dat hij maakt. Nu ligt hij aan de rand van het water. Misschien is het ook wel beter zo.

'Oké, we doen het anders. Ik ga je er niet helemaal in duwen,' zeg ik tegen hem. Trouwens, als ik hem erin leg, wie zegt dat ik hem er dan ooit nog uit krijg?

'Geen gerol meer?' vraagt hij.

'We zijn klaar met rollen. Tijd om je schoon te maken. Houd het bos een beetje in de gaten voor me, wil je?' zeg ik. Het is moeilijk te bepalen waar ik moet beginnen. Hij zit zo onder de modder en aan elkaar gekleefde bladeren dat ik zijn kleren niet eens kan zien. Als hij al kleren aanheeft. Die gedachte doet me even aarzelen, maar dan ga ik aan de slag. Naakte lichamen stellen niets voor in de arena, toch?

Ik heb twee waterflessen en Rues waterzak. Ik zet ze tegen de rotsen in de beek zodat er altijd twee vollopen terwijl ik de derde over Peeta heen giet. Het duurt even, maar uiteindelijk heb ik genoeg modder verwijderd om zijn kleren te vinden. Voorzichtig rits ik zijn jas los, knoop zijn shirt open en trek ze voorzichtig uit. Zijn hemd zit zo vastgekoekt in zijn wonden dat ik het met mijn mes open moet snijden en Peeta opnieuw nat moet maken om het los te weken. Hij is er slecht aan toe, met een lange brandwond over zijn borst en vier bloedzoekerssteken, als je die onder zijn oor meerekent. Maar ik voel me al wat beter. Hier kan ik iets mee. Ik besluit om eerst zijn bovenlichaam te behandelen, om een deel van de pijn te verzachten, voor ik de schade die Cato aan zijn been heeft toegebracht aanpak.

Het lijkt weinig nut te hebben om zijn wonden te verzorgen in de modderpoel waar hij ondertussen in is komen te liggen, maar het lukt me om hem overeind tegen een rotsblok te krijgen. Daar blijft hij gelaten zitten terwijl ik alle troep uit zijn haar en van zijn huid was. In het zonlicht is hij heel erg bleek en hij ziet er niet langer sterk en stevig uit. Ik moet de angels uit de bloedzoekersbulten peuteren en hij krimpt ineen, maar zodra ik de bladeren erop leg slaakt hij een zucht van verlichting. Terwijl hij in de zon opdroogt, was ik zijn vieze shirt en jas en leg ze uitgespreid op de rotsen. Dan smeer ik de brandwondenzalf op zijn borst. Op dat moment merk ik hoe heet zijn huid aan het worden is. De laag modder en de flessen water hebben verhuld dat hij gloeit van de koorts. Ik grabbel in de EHBO-doos die ik van de jongen uit District 1 heb afgepakt en vind koortsverlagende pillen. Zelfs mijn moeder koopt soms zo'n potje als haar eigen huisgemaakte middeltjes niet helpen.

'Hier, slikken,' zeg ik tegen hem, en hij neemt ze gehoorzaam in. 'Je hebt vast heel erge honger.'

'Niet echt. Heel raar, ik heb al dagen geen trek meer,' zegt Peeta. Als ik hem een stuk ganzant aanbied, trekt hij zelfs zijn neus op en draait zijn hoofd weg. Nu weet ik pas echt hoe ziek hij is.

'Peeta, je moet iets eten,' houd ik vol.

'Het komt er toch meteen weer uit,' zegt hij. Ik krijg niet meer bij hem naar binnen dan een paar stukjes gedroogde appel. 'Bedankt. Ik voel me al veel beter, echt. Mag ik nu gaan slapen, Katniss?' vraagt hij.

'Zo meteen,' beloof ik. 'Eerst nog even naar je been kijken.' Ik trek zo voorzichtig mogelijk zijn laarzen en sokken uit en schuif dan heel langzaam zijn broek naar beneden. Ik zie de scheur in de stof die Cato's zwaard ter hoogte van zijn dijbeen heeft gemaakt, maar dat bereidt me geenszins voor op wat daaronder zit. De gapende, ontstoken wond waar zowel bloed als pus uit loopt. Het opgezwollen been. En als klap op de vuurpijl de geur van etterend vlees.

Ik wil wegrennen. Verdwijnen in het bos, net als die dag dat ze het slachtoffer van de brand ons huis binnendroegen. Gaan jagen, terwijl mijn moeder en Prim zich bezighouden met wat ik niet aankan, omdat ik daar de kennis noch de moed voor heb. Maar ik ben hier helemaal alleen. Ik probeer de kalme houding te vinden die mijn moeder aanneemt als ze de allerergste gevallen behandelt.

'Ziet er niet zo best uit, hè?' zegt Peeta. Hij houdt me scherp in de gaten.

'Gaat wel.' Ik haal mijn schouders op alsof het allemaal niet zo'n probleem is. 'Je zou de slachtoffers uit de mijnen eens moeten zien die mijn moeder soms binnenkrijgt.' Ik zeg niet dat ik 'm over het algemeen onmiddellijk smeer zodra ze met iets ergers dan een verkoudheid te maken krijgt. Nu ik erover nadenk, ik heb het eigenlijk ook niet zo op mensen die hoesten bij mij in de buurt. 'Het moet eerst goed schoongemaakt worden.'

Ik heb Peeta's boxershort laten zitten, omdat die niet kapot is en ik hem niet over het opgezwollen bovenbeen wil trekken, en, oké dan, misschien vind ik het idee dat hij naakt zou zijn niet erg prettig. Dat is nog zoiets met mijn moeder en Prim. Naaktheid doet hun niets, is voor hen geen reden zich ongemakkelijk te voelen. Ironisch genoeg zou Peeta op dit moment in de Spelen veel meer aan mijn kleine zusje hebben dan aan mij. Ik schuif mijn plastic lap onder hem zodat ik de rest van zijn lijf kan wassen. Bij elke fles die ik over hem leeggiet, gaat de wond er erger uitzien. De rest van zijn onderlichaam is redelijk ongeschonden uit de strijd gekomen, met één bloedzoekerssteek en een paar lichte brandwonden die ik snel behandel. Maar die jaap in zijn been... wat moet ik daar in vredesnaam mee?

'Laten we het maar even wat frisse lucht geven, en dan...' Mijn stem sterft weg.

'En dan lap jij het daarna wel weer even op?' zegt Peeta. Hij lijkt bijna medelijden met me te hebben, alsof hij beseft hoe wanhopig ik me voel.

'Inderdaad,' zeg ik. 'Dan kun jij ondertussen mooi deze eten.' Ik stop een paar gedroogde halve peren in zijn hand en loop terug naar de beek om de rest van zijn kleren te wassen. Als ze liggen te drogen, bekijk ik de inhoud van de EHBO-doos. Allemaal standaardspul. Verband, koortsverlagende pillen, medicijnen tegen misselijkheid. Niets van het kaliber dat ik nodig heb om Peeta mee te behandelen.

'We zullen een beetje moeten experimenteren,' geef ik toe. Ik weet dat de bloedzoekersbladeren infecties opnemen, dus daar begin ik mee. Binnen een paar minuten nadat ik een handvol uitgekauwde groene smurrie op de wond heb gelegd begint er pus langs zijn been naar beneden te stromen. Ik zeg tegen mezelf dat dat een goed teken is en bijt hard op de binnenkant van mijn wang omdat mijn ontbijt weer tevoorschijn dreigt te komen.

'Katniss?' vraagt Peeta. Ik kijk hem aan en weet dat mijn gezicht hoogstwaarschijnlijk een wat groenige kleur heeft. Geluidloos vormt hij met zijn lippen: 'En die zoen?'

Ik barst in lachen uit omdat het allemaal zo vreselijk walgelijk is dat ik er niet meer tegen kan.

'Is er iets?' vraagt hij net een tikje te onschuldig.

'Ik... ik ben hier niet zo goed in. Ik ben mijn moeder niet. Ik heb geen idee wat ik aan het doen ben en ik heb een hekel aan pus,' zeg ik. 'Ieuw!' Ik mag van mezelf kreunen terwijl ik de eerste laag bladeren wegspoel en de tweede op zijn been leg. 'Iiiiieeeeuw!'

'Je jaagt toch ook?' vraagt hij.

'Neem maar van mij aan dat iets doodmaken lang niet zo erg is als dit,' zeg ik. 'Hoewel ik sterk het gevoel heb dat ik jou momenteel ook aan het doodmaken ben.'

'Kan dat dan niet wat sneller?' vraagt hij.

'Nee. Houd je mond en eet je peren op,' zeg ik.

Na drie lagen en voor mijn gevoel een emmer pus ziet de wond er echt beter uit. Nu zijn been niet meer zo gezwollen is, zie ik hoe diep Cato's zwaard is gegaan. Recht tot op het bot.

'En nu, dokter Everdeen?' vraagt hij.

'Misschien moet ik er wat van die brandwondenzalf op smeren. Die helpt sowieso tegen infecties, volgens mij. En ik denk dat ik er dan verband omheen moet doen,' zeg ik. Ik ga aan de slag en nadat zijn been in schoon wit katoen is gewikkeld, ziet het er allemaal een stuk beter uit, hoewel de zoom van zijn boxershort naast de steriele zwachtel smerig en uitermate onhygiënisch oogt. Ik haal Rues rugzak tevoorschijn. 'Hier, als jij deze nou even voor je houdt, dan was ik je onderbroek.'

'O, ik vind het niet erg als je me ziet, hoor,' zegt Peeta.

'Je lijkt mijn familie wel,' zeg ik. 'Ik vind het wel erg, nou goed?' Ik draai me om en kijk naar de beek tot de onderbroek in het water plonst. Als hij kan gooien voelt hij zich vast al wat beter.

'Je bent wel een pieperd voor iemand met zulke dodelijke instincten, wist je dat?' zegt Peeta, terwijl ik de boxershort tussen twee rotsen schoon sla. 'Had ik Haymitch nou toch maar door jou laten wassen.'

Ik trek mijn neus op als ik eraan denk. 'Wat heeft hij jou tot nu toe gestuurd?'

'Helemaal niks,' zegt Peeta. Dan is het even stil terwijl het tot hem doordringt. 'Hoezo, heb jij wel iets gekregen?'

'Brandwondenzalf,' geef ik een beetje schoorvoetend toe. 'O, en wat brood.'

'Ik wist wel dat jij zijn lievelingetje was,' zegt Peeta.

'Alsjeblieft zeg, hij wil niet eens met mij in één kamer zijn,' zeg ik.

'Omdat jullie zo op elkaar lijken,' mompelt Peeta. Maar daar ga ik verder niet op in – dit is niet het beste moment om Haymitch te beledigen, en dat is wel mijn eerste reactie.

Ik laat Peeta wegdommelen terwijl zijn kleren opdrogen, maar als het laat in de middag is durf ik niet langer te wachten. Voorzichtig schud ik aan zijn schouder. 'Peeta, we moeten gaan.'

'Gaan?' Hij lijkt in de war. 'Waarheen?'

'Hiervandaan. Stroomafwaarts misschien. Ergens waar we ons kunnen verschuilen tot je bent aangesterkt,' zeg ik. Ik help hem zijn kleren weer aan te trekken, op zijn sokken en schoenen na zodat we door het water kunnen lopen, en trek hem overeind. Zodra hij op zijn been gaat staan, wordt hij lijkbleek. 'Kom op. Je kunt het.'

Maar hij kan het niet. Niet lang in elk geval. We komen niet verder dan een meter of vijftig stroomafwaarts terwijl hij zwaar op mijn schouder leunt, en dan voel ik dat hij op het punt staat om flauw te vallen. Ik laat hem op de oever zitten, duw zijn hoofd tussen zijn knieën en geef hem onhandige klopjes op zijn rug terwijl ik de omgeving afspeur. Ik zou hem natuurlijk het allerliefst boven in een boom krijgen, maar dat zit er niet in. Maar het zou erger kunnen. Sommige rotsen vormen kleine, grotachtige inhammen. Mijn oog valt op eentje die zo'n twintig meter boven de beek ligt. Als Peeta weer kan staan, begeleid ik hem half duwend, half dragend naar de grot. Ik zou echt heel graag een betere plek zoeken, maar we zullen het hiermee moeten doen, want mijn bondgenoot is kapot. Hij is krijtwit, hijgt, en ook al koelt het pas net een beetje af, hij bibbert ook.

Ik leg een laag dennennaalden op de bodem van de grot, rol mijn slaapzak uit en stop hem erin. Ik krijg een paar pillen en wat water door zijn keel als hij even niet oplet, maar hij wil zelfs het fruit niet meer eten. Dan ligt hij daar maar, met zijn ogen onafgebroken op mijn gezicht gericht, terwijl ik een soort gordijn van klimplanten probeer te vlechten om de ingang van de grot te verbergen. Het resultaat is niet erg bevredigend. Een dier zou het misschien niet opvallen, maar een mens ziet zo dat het door handen is gemaakt. Gefrustreerd trek ik het weer naar beneden.

'Katniss,' zegt hij. Ik loop naar hem toe en strijk het haar uit zijn ogen. 'Dank je wel dat je me hebt gezocht.'

'Je had mij ook gezocht als je kon,' zeg ik. Zijn voorhoofd staat in brand. Alsof de medicijnen helemaal niet helpen. Plotseling ben ik bang dat hij doodgaat.

'Dat is zo. Luister, als ik het niet haal...' begint hij.

'Zo moet je niet praten. Ik heb niet voor niets al die pus uit je been laten lopen,' zeg ik.

'Dat weet ik wel. Maar stel nou dat...' probeert hij verder te gaan.

'Nee, Peeta. Ik wil het er niet eens over hebben,' zeg ik, terwijl ik hem met mijn vingers op zijn lippen het zwijgen opleg.

'Maar ik...' houdt hij vol.

In een opwelling buig ik me voorover en kus hem midden in zijn zin. Dat had ik waarschijnlijk toch al veel eerder moeten doen, want hij heeft gelijk, het is de bedoeling dat we smoorverliefd zijn. Het is de eerste keer dat ik een jongen zoen, wat waarschijnlijk indruk op me zou moeten maken, maar het enige wat tot me doordringt is hoe abnormaal heet zijn lippen zijn door de koorts. Ik laat hem los en trek de rand van de slaapzak nog wat dichter om hem heen. 'Je gaat niet dood. Dat mag niet van mij. Begrepen?'

'Begrepen,' fluistert hij.

Op het moment dat ik de koele avondlucht in stap, zweeft er een parachute naar beneden. Mijn vingers peuteren hem snel open in de hoop dat er een echt goed geneesmiddel voor Peeta's been in zit. In plaats daarvan zie ik een pannetje hete bouillon.

Haymitch had me geen duidelijker boodschap kunnen sturen. Eén kus staat gelijk aan één pan bouillon. Ik kan zijn gegrom bijna horen. 'Jullie zijn verliefd, schat. En die jongen gaat dood. Híér kan ik niets mee!'

En hij heeft gelijk. Als ik wil dat Peeta het haalt, moet ik zorgen dat het publiek echt kan meeleven. Gedoemde geliefden die wanhopig graag samen naar huis willen. Twee harten die kloppen als één. Romantiek.

Ik ben nog nooit verliefd geweest, dus dit zal geen gemakkelijke opgave worden. Ik denk aan mijn ouders. Hoe mijn vader altijd iets voor mijn moeder meebracht uit het bos. Hoe mijn moeders gezicht oplichtte als ze het geluid van zijn laarzen hoorde bij de deur. Hoe ze bijna ophield met leven toen hij doodging.

'Peeta!' zeg ik, en ik probeer de speciale toon te pakken te krijgen die mijn moeder altijd alleen bij mijn vader gebruikte. Hij is weer in slaap gesukkeld, maar ik kus hem wakker, waar hij van lijkt te schrikken. Dan glimlacht hij alsof hij met alle plezier voor altijd hier naar me zou blijven liggen staren. Hij is hier echt goed in, zeg.

Ik houd het pannetje omhoog. 'Peeta, kijk eens wat Haymitch je heeft gestuurd.'

hoofdstuk 20

Ik moet er een uur voor soebatten, smeken, dreigen en ja, kussen, maar uiteindelijk drinkt Peeta slokje voor slokje de bouillon op. Daarna laat ik hem in slaap vallen zodat ik mezelf kan verzorgen en ik schrok een avondmaaltijd van ganzant en wortels naar binnen, terwijl ik naar de dagberichten in de lucht kijk. Geen nieuwe slachtoffers. Maar Peeta en ik hebben het publiek toch een redelijk interessante dag bezorgd. Hopelijk gunnen de Spelmakers ons een rustige nacht.

Ik kijk automatisch om me heen naar een goede boom om een bed in te maken tot ik besef dat die tijden voorbij zijn. Voorlopig in elk geval. Ik kan Peeta moeilijk onbewaakt beneden achterlaten. Ik heb zijn laatste schuilplaats op de oever van de beek niet meer aangeraakt – hoe had ik die onzichtbaar moeten maken? – en we zitten nog geen vijftig meter verderop. Ik zet mijn nachtbril op, leg mijn wapens klaar en ga zitten om de wacht te houden.

Het koelt snel af en algauw ben ik tot op het bot verkleumd. Na een tijdje geef ik het op en schuif naast Peeta in de slaapzak. Daar is het heerlijk warm en ik kruip er dankbaar lekker diep in tot ik besef dat het meer dan warm is – het is bloedheet, doordat de slaapzak zijn koorts weerkaatst. Ik voel aan zijn voorhoofd; het gloeit en is kurkdroog. Ik weet niet wat ik moet doen. Hem in de slaapzak laten liggen en hopen dat hij de koorts er door de buitensporige hitte toch uit zal zweten? Hem eruit slepen en hopen dat de nachtlucht hem afkoelt? Uiteindelijk maak ik alleen maar een strook verband vochtig en leg die op zijn voorhoofd. Het lijkt slap, maar ik durf geen al te drastische maatregelen te nemen.

Ik zit en lig de hele nacht naast Peeta, terwijl ik het verband ververs en mijn best doe om niet te lang stil te blijven staan bij het feit dat ik mezelf door met hem samen te werken veel kwetsbaarder heb gemaakt dan toen ik nog alleen was. Aan de grond gekluisterd, op wacht, met een doodzieke jongen om voor te zorgen. Maar ik wist dat hij gewond was. En ik ben hem desondanks gaan zoeken. Ik zal er gewoon op moeten vertrouwen dat de instinctieve ingeving die me naar hem toe heeft gestuurd de juiste was.

Als de hemel roze kleurt zie ik zweet glanzen op Peeta's bovenlip en ik ontdek dat de koorts is gezakt. Hij is nog niet helemaal de oude, maar zijn temperatuur is een paar graden lager. Gisteravond, toen ik de klimplanten bij elkaar zocht, kwam ik een van Rues bessenstruiken tegen. Ik pluk de vruchten en stamp ze met water fijn in de bouillonpan.

Peeta doet zijn best om overeind te komen als ik weer bij de grot ben. 'Ik werd wakker en toen was jij weg,' zegt hij. 'Ik maakte me zorgen om je.'

Ik moet lachen terwijl ik hem zachtjes weer achterover duw. 'Jij maakte je zorgen om mij? Heb je al eens goed naar jezelf gekeken de laatste tijd?'

'Ik dacht dat Cato en Clove je misschien te pakken hadden gekregen. Die jagen graag 's nachts,' zegt hij, nog steeds ernstig.

'Clove? Wie is dat?' vraag ik.

'Het meisje uit District 2. Die leeft toch nog?' zegt hij.

'Ja, zij zijn er nog en wij en Thresh en Vossensnuit,' zeg ik. 'Zo noem ik het meisje uit 5. Hoe voel je je?'

'Beter dan gisteren. Dit is echt stukken beter dan die modder,' zegt hij. 'Schone kleren en medicijnen en een slaapzak... en jij.'

O ja, we moesten romantisch doen. Ik steek mijn hand uit om zijn wang te strelen en hij pakt hem vast en drukt hem tegen zijn lippen. Ik weet nog dat mijn vader altijd precies hetzelfde deed bij mijn moeder en ik vraag me af waar Peeta het heeft opgepikt. Vast niet bij zijn vader en die heks.

'Je krijgt pas een kus als je hebt gegeten,' zeg ik.

Het lukt me om hem overeind tegen de wand te laten zitten en hij slikt gehoorzaam de bessenprut door die ik hem met een lepel voer. Maar de ganzant weigert hij opnieuw.

'Je hebt niet geslapen,' zegt Peeta.

'Het gaat best,' zeg ik. Maar in werkelijkheid kan ik nauwelijks nog op mijn benen staan.

'Ga maar slapen. Ik houd de wacht. Ik maak je wakker als er iets gebeurt,' zegt hij. Ik aarzel. 'Katniss, je kunt niet eeuwig wakker blijven.'

Daar zit wat in. Uiteindelijk zal ik toch moeten slapen. En het is waarschijnlijk beter om dat nu te doen – hij lijkt redelijk alert en we hebben het daglicht mee. 'Goed dan,' zeg ik. 'Een paar uurtjes maar. Dan moet je me wakker maken.'

Het is nu te warm voor de slaapzak. Ik strijk hem glad op de vloer van de grot en ga liggen, met één hand op mijn geladen boog voor het geval ik meteen moet schieten. Peeta zit naast me tegen de wand met zijn gewonde been voor zich uitgestrekt en zijn ogen op de buitenwereld gericht. 'Ga maar slapen,' zegt hij zacht. Zijn hand veegt de losse pieken haar van mijn voorhoofd. Anders dan de geënsceneerde kussen en strelingen tot nu toe voelt dit gebaar ongekunsteld en troostend. Ik wil niet dat hij ophoudt en dat doet hij ook niet. Hij aait nog steeds over mijn haar als ik in slaap val.

Te lang. Ik slaap te lang. Zodra ik mijn ogen opendoe weet ik dat het middag is. Peeta zit nog steeds in dezelfde houding naast me. Ik kom overeind en ben een beetje gepikeerd, maar ook beter uitgerust dan ik in dagen ben geweest.

'Peeta, je zou me na een paar uur wakker maken,' zeg ik.

'Waarom? Er gebeurt hier toch niks,' zegt hij. 'En ik vind het leuk om naar je te kijken als je slaapt. Dan heb je niet zo'n norse blik. Ziet er veel beter uit.'

Dat levert hem natuurlijk onmiddellijk een norse blik op en hij grijnst. Op dat moment zie ik hoe droog zijn lippen zijn. Ik voel aan zijn wang. Heet als een kolenkachel. Hij beweert dat hij heeft gedronken, maar de flessen zijn volgens mij nog helemaal vol. Ik geef hem nog meer koortswerende pillen en blijf bij hem staan terwijl hij eerst één liter en vervolgens nog een liter water drinkt. Dan verzorg ik zijn lichtere verwondingen, de brandplekken en de steken, die er al veel beter uitzien. Ik zet mezelf schrap en wikkel het verband om zijn been los.

Mijn hart zakt in mijn schoenen. Het is erger geworden, veel erger. Er is geen pus meer om het te bewijzen, maar de zwelling is toegenomen en de strakgespannen, glimmende huid is ontstoken. Dan zie ik de rode strepen die over zijn been omhoogkruipen. Bloedvergiftiging. Als het niet behandeld wordt, zal dit zeker zijn dood worden. Mijn uitgekauwde bladeren en zalf slaan nog geen deuk in een pakje boter. We hebben sterke anti-infectiemiddelen uit het Capitool nodig. Ik kan me niet voorstellen wat zulke krachtige medicijnen wel niet zullen kosten. Als Haymitch elke donatie van alle sponsors bij elkaar zou schrapen, zou dat dan genoeg zijn? Ik betwijfel het. Naarmate de Spelen langer duren worden geschenken duurder. Waar je op de eerste dag nog een hele maaltijd voor kunt kopen, is op dag twaalf nog maar een cracker waard. En het soort medicijnen dat Peeta nodig heeft zou in het begin ook al een fortuin hebben gekost.

'Nou, het is wel wat dikker, maar de pus is verdwenen,' zeg ik op onvaste toon.

'Ik weet wat bloedvergiftiging is, Katniss,' zegt Peeta. 'Ook al is mijn moeder geen genezer.'

'Je zult de anderen gewoon moeten overleven, Peeta. Dan kunnen ze het in het Capitool genezen als we gewonnen hebben,' zeg ik.

'Ja, dat is een goed plan,' zegt hij. Maar vooral om mij een plezier te doen, voel ik.

'Je moet eten. Sterk blijven. Ik ga soep voor je maken,' zeg ik.

'Je moet geen vuur maken,' zegt hij. 'Dat is het niet waard.'

'We zien wel,' zeg ik. Terwijl ik met de pan naar de beek loop, valt het me op hoe verzengend heet het is. Ik weet bijna zeker dat de Spelmakers de temperatuur overdag stukje bij beetje opschroeven en 's nachts pijlsnel laten zakken. Maar de in de zon gloeiend heet geworden stenen bij het water brengen me wel op een idee. Misschien hoef ik geen vuur te maken.

Ik ga op een grote platte rots zitten, halverwege de beek en de grot. Nadat ik een halve pan water heb gezuiverd, zet ik hem recht in de zon en doe er nog een paar hete stenen zo groot als eieren bij. Ik ben zelf de eerste om toe te geven dat ik niet erg goed kan koken. Maar aangezien je voor soep in principe alleen maar alles in een pan hoeft te gooien en hoeft te wachten, is dat een van mijn betere gerechten. Ik vermaal de ganzant tot een papperige brij en stamp een paar van Rues wortels fijn. Gelukkig is alles al geroosterd, dus het hoeft eigenlijk alleen nog maar opgewarmd te worden. Het water is nu al warm door de zon en de stenen. Ik doe het vlees en de wortels erin, wissel de stenen om voor verse, en ga op zoek naar iets groens om de boel een beetje te kruiden. Algauw ontdek ik ergens onder aan een rots een bosje bieslook. Perfect. Ik hak het heel fijn en gooi het in de pan, doe er weer nieuwe stenen in, leg de deksel erop en laat alles pruttelen.

Ik heb nog maar heel weinig tekenen van wild gezien, maar ik vind het niet prettig om Peeta alleen te laten om te gaan jagen, dus ik zet een stuk of zes strikken uit en hoop dat ik mazzel heb. Ik vraag me af hoe de andere tributen het redden nu hun voornaamste bron van voedsel is opgeblazen. Minstens drie van hen – Cato, Clove en Vossensnuit – maakten daar gebruik van. Maar Thresh waarschijnlijk niet. Ik heb het gevoel dat hij net als Rue wel het een en ander weet over hoe je van het land moet leven. Vechten ze nu tegen elkaar? Zijn ze naar ons op zoek? Misschien heeft een van hen ons wel ontdekt en wacht diegene nu alleen nog maar het juiste moment af om aan te vallen. Bij die gedachte vlieg ik terug naar de grot.

Peeta ligt uitgestrekt boven op de slaapzak in de schaduw van de rotsen. Hoewel hij een beetje opfleurt als ik binnenkom, is het overduidelijk dat hij zich ellendig voelt. Ik leg koele doeken op zijn hoofd, maar ze worden al warm zodra ze zijn huid raken.

'Kan ik iets voor je doen?' vraag ik.

'Nee,' zegt hij. 'Dank je wel. O wacht, jawel. Vertel me maar een verhaaltje.'

'Een verhaaltje? Waarover?' vraag ik. Ik ben niet zo'n verhalenverteller. Het is net zoiets als zingen. Maar een keer in de zoveel tijd weet Prim me er een te ontfutselen.

'Iets vrolijks. Vertel me maar over de mooiste dag die je je kunt herinneren,' zegt Peeta.

Er komt iets tussen een zucht en geïrriteerd gepuf uit mijn mond. Een vrolijk verhaaltje? Dit gaat veel meer moeite kosten dan de soep. Ik pijnig mijn hersenen op zoek naar mooie herinneringen. De meeste hebben te maken met mij en Gale die aan het jagen zijn, en op de een of andere manier denk ik dat die zowel bij Peeta als het publiek niet goed zullen vallen. Dan houden we Prim over.

'Heb ik je wel eens verteld hoe ik aan Prims geitje ben gekomen?' vraag ik. Peeta schudt zijn hoofd en kijkt me verwachtingsvol aan. Dus begin ik te vertellen. Maar wel voorzichtig. Want mijn woorden gaan door heel Panem. En hoewel men ongetwijfeld al de conclusie heeft getrokken dat ik illegaal jaag, wil ik Gale en Sluwe Sae of de slager of zelfs de vredebewakers aan wie ik thuis lever niet in gevaar brengen door publiekelijk bekend te maken dat ook zij de wet overtreden.

Zo heb ik het geld voor Prims geitje Lady écht gekregen. Het was een vrijdagavond, de dag voor Prims tiende verjaardag, eind mei. Zodra we uit school kwamen gingen Gale en ik direct naar het bos, want ik wilde genoeg te ruilen hebben om een cadeau voor Prim te kunnen kopen. Een nieuwe lap stof voor een jurk misschien, of een haarborstel. Onze strikken zaten goed vol en het bos barstte van het groen, maar het was beslist niet meer dan een gemiddelde vrijdagavondopbrengst. Onderweg naar huis was ik teleurgesteld, ook al zei Gale dat we het morgen vast beter zouden doen. We zaten even uit te rusten bij een beek toen we hem zagen. Een jonge bok, een jaar oud waarschijnlijk, aan zijn afmetingen te zien. Zijn gewei begon net door te komen, het was nog heel klein en had een fluwelen laagje. Hij stond klaar om te vluchten maar wist niet wat hij aan ons had, hij zag nooit mensen. Hij was prachtig.

Iets minder prachtig misschien toen de twee pijlen hem raakten, één in de nek en de andere in de borst. Gale en ik hadden op hetzelfde moment geschoten. De bok probeerde weg te rennen maar struikelde, en voor hij wist wat er gebeurde had Gales mes zijn keel al doorgesneden. Heel even voelde ik een steek van wroeging omdat ik zo'n jong en onschuldig iets had gedood. En toen begon mijn maag te knorren bij de gedachte aan al dat jonge en onschuldige vlees.

Een hert! Gale en ik hebben er in ons leven nog maar drie geschoten. De eerste, een hinde die op de een of andere manier gewond was geraakt aan haar poot, telde bijna niet. Maar uit die ervaring hadden we geleerd dat we niet zomaar het karkas de As in moesten slepen. Er was een chaos uitgebroken, mensen hadden op verschillende lichaamsdelen staan bieden en probeerden zelf stukken af te hakken. Sluwe Sae had ingegrepen en ons met het hert naar de slager gestuurd, maar toen was het wel al zwaar beschadigd; er waren stukken vlees uit, de huid zat vol gaten. Hoewel iedereen eerlijk betaalde, was de waarde wel gedaald.

Dit keer wachtten we tot het donker was en glipten toen vlak bij de slager onder een gat in het hek door. Ook al was het bekend dat wij jagers waren, het zou niet verstandig zijn geweest om op klaarlichte dag met een hert van zeventig kilo door de straten van District 12 te zeulen, alsof we het de autoriteiten nog eens even flink wilden inwrijven.

De slager, een kleine, gedrongen vrouw die Rooba heette, deed de achterdeur open toen we klopten. Met Rooba onderhandel je niet. Zij noemt een prijs en je gaat akkoord of niet, maar het is wel een eerlijke prijs. We namen haar aanbod voor het hert aan en ze gaf ons er nog een paar gratis hertenbiefstukken bij die we na de slacht konden ophalen. Zelfs toen we het geld door twee hadden gedeeld, hadden Gale en ik in ons hele leven allebei nog nooit zoveel in één keer gehad. We besloten het geheim te houden en onze families aan het eind van de volgende dag met het vlees en het geld te verrassen.

Zo is het in werkelijkheid gegaan, maar tegen Peeta zeg ik dat ik een oude zilveren medaillon van mijn moeder heb verkocht. Dat brengt niemand in gevaar. Dan ga ik verder met het verhaal vanaf de namiddag van Prims verjaardag.

Gale en ik gingen naar de markt op het plein zodat ik stof voor een jurk kon kopen. Terwijl ik met mijn vingers aan een dikke lap blauw katoen voelde, zag ik opeens iets anders. Aan de andere kant van de Laag woont een oude man met een kleine kudde geiten. Ik weet niet hoe hij echt heet, iedereen noemt hem gewoon de Geitenman. Zijn gezwollen gewrichten staan in pijnlijke hoeken en hij heeft een droge hoest die aangeeft dat hij jaren in de mijnen heeft gewerkt. Maar hij heeft geluk gehad. Ergens tussen alle ellende door heeft hij genoeg gespaard om die geiten te kunnen kopen en nu heeft hij op zijn oude dag nog iets meer te doen dan alleen maar langzaam doodgaan van de honger. Hij is vies en ongeduldig, maar de geiten zijn schoon en hun melk is vol en romig, als je genoeg geld hebt om die te kunnen proeven.

Een van de geiten, een witte met zwarte vlekken, lag in een kar. Je zag zo waarom. Iets, een hond waarschijnlijk, had haar schouder opengeklauwd en de wond was gaan ontsteken. Ze was er slecht aan toe, de Geitenman moest haar overeind houden om haar te kunnen melken. Maar volgens mij wist ik iemand die haar zou kunnen genezen.

'Gale,' fluisterde ik. 'Ik wil die geit voor Prim.'

In District 12 kan een geit je leven veranderen. De beestjes kunnen bijna overal van leven, het Weiland is een perfecte graasplek en ze geven vier liter melk per dag. Om te drinken, om kaas van te maken, om te verkopen. En het is nog legaal ook.

'Ze is flink toegetakeld,' zei Gale. 'Laten we haar eerst maar eens even van dichtbij gaan bekijken.'

We liepen erheen, kochten een beker melk om te delen en gingen toen bij de geit staan alsof we gewoon een beetje nieuwsgierig waren.

'Laat haar met rust,' zei de man.

'We kijken alleen,' zei Gale.

'Nou, dan mag je wel opschieten. Ze gaat straks naar de slager. Bijna niemand wil haar melk kopen, en dan betalen ze nog maar de helft,' zei de man.

'Wat geeft de slager voor haar?' vroeg ik.

De man haalde zijn schouders op. 'Daar komen we zo achter.' Ik draaide me om en zag dat Rooba over het plein naar ons toe kwam lopen. 'Goed dat je er bent,' zei de Geitenman toen ze er was. 'Die meid is op je geit uit.'

'Niet als ze al gereserveerd is, hoor,' zei ik achteloos.

Rooba keek me onderzoekend aan en keek toen fronsend naar de geit. 'Dat is ze niet. Moet je die schouder zien. Ik durf te wedden dat de helft van het karkas nog te verrot is voor worstjes.'

'Wat krijgen we nou?' zei de Geitenman. 'We hadden een deal.'

'We hadden een deal over een dier met een paar tandafdrukken erin. Niet dit geval. Verkoop haar maar aan het meisje als zij zo stom is om haar te nemen,' zei Rooba. Toen ze wegbeende ving ik haar knipoog op.

De Geitenman was boos, maar hij wilde wel van de geit af. We waren een halfuur bezig om het eens te worden over de prijs. Er was ondertussen een flinke groep mensen omheen komen staan die hun mening niet onder stoelen of banken stak. Het was een prima koop als de geit bleef leven, als ze doodging werd ik afgezet.

Iedereen koos partij in de onderhandeling, maar ik koos de geit.

Gale bood aan haar te dragen. Volgens mij wilde hij net zo graag als ik Prims gezicht zien. In een volslagen onbezonnen opwelling kocht ik een roze lint dat ik om haar nek bond. Toen haastten we ons terug naar mijn huis.

Je had Prims reactie eens moeten zien toen we met die geit naar binnen liepen. Vergeet niet dat dit meisje dikke tranen liet om Boterbloem te redden, die afschuwelijke ouwe kat. Ze was zo blij dat ze tegelijkertijd begon te huilen en te lachen. Mijn moeder was iets minder enthousiast toen ze de wond zag, maar ze gingen met z'n tweetjes aan de slag door kruiden fijn te malen en het dier hun brouwseltjes te laten drinken.

'Ze klinken als jij,' zegt Peeta. Ik was bijna vergeten dat hij er was.

'O nee, Peeta. Zij verrichten wonderen. Al had ze het geprobeerd, dan was dat beest nog niet doodgegaan,' zeg ik. Maar dan bijt ik op mijn tong, want ik besef hoe dat in Peeta's oren moet klinken, die misschien wel doodgaat in mijn onbekwame handen.

'Maak je geen zorgen. Ik probeer het niet,' zegt hij gekscherend. 'Maak het verhaal eens af.'

'Nou, dat was het wel zo'n beetje. Ik weet nog dat Prim die nacht per se naast Lady op een dekentje bij het vuur wilde slapen. En net voor ze indommelden, likte de geit over haar wang, alsof ze haar een nachtzoen wilde geven of zo,' zeg ik. 'Ze was van het begin af aan dol op haar.'

'Had ze nog steeds dat roze lint om?' vraagt hij.

'Ik denk het wel,' antwoord ik. 'Hoezo?'

'Ik probeer het gewoon voor me te zien,' zegt hij bedachtzaam. 'Ik snap wel waarom dat een mooie dag voor je was.'

'Nou ja, ik wist dat die geit een klein goudmijntje zou zijn,' zeg ik.

'Ja, dat bedoelde ik natuurlijk, niet het blijvende plezier dat je je zusje hebt geschonken, van wie je zoveel houdt dat je haar plaats hebt ingenomen bij de boete,' zegt Peeta droog.

'De geit heeft het geld anders wel terugverdiend. Dubbel en dwars,' zeg ik hooghartig.

'Nou, ze zou ook niet anders durven nadat jij haar leven had gered,' zegt Peeta. 'Ik ben van plan hetzelfde te doen.'

'O, echt? En wat was ik ook alweer kwijt aan jou?' vraag ik.

'Een heleboel ellende. Maak je geen zorgen. Je krijgt het allemaal terug,' zegt hij.

'Je slaat wartaal uit,' zeg ik. Ik voel aan zijn voorhoofd. De koorts wordt alleen maar hoger. 'Maar je bent al wel een beetje afgekoeld.'

Ik schrik van het trompetgeschal. In een flits sta ik overeind bij de opening van de grot, want ik wil geen lettergreep missen. Het is mijn nieuwe vriend, Claudius Templesmith, en zoals ik al had verwacht nodigt hij ons uit voor een feestmaal. Nou, wij hebben geen honger en ik wuif zijn aanbod net met een onverschillig gebaar weg als hij zegt: 'Maar wacht even. Sommigen van jullie willen mijn uitnodiging misschien al afslaan. Maar dit is niet zomaar een feestmaal. Jullie hebben stuk voor stuk heel hard iets nodig.'

Ik heb inderdaad heel hard iets nodig. Iets om Peeta's been mee te genezen.

'Ieder van jullie zal dat "iets" bij zonsopgang kunnen vinden in een rugzak met zijn of haar districtsnummer erop, bij de Hoorn des Overvloeds. Denk er maar eens goed over na of je echt niet wilt komen. Voor sommigen van jullie zal dit hun laatste kans zijn,' zegt Claudius.

Meer komt er niet, zijn woorden galmen nog na in de lucht. Ik spring op als Peeta van achteren mijn schouder vastgrijpt. 'Nee,' zegt hij. 'Je gaat niet voor mij je leven wagen.'

'Wie zei dat ik dat van plan was?' zeg ik.

'Dus je gaat niet?' vraagt hij.

'Natuurlijk ga ik niet. Waar zie je me voor aan? Dacht je nou echt dat ik me als een kip zonder kop in een of ander gevecht met

Cato en Clove en Thresh zou storten? Doe niet zo dom,' zeg ik, terwijl ik hem terug naar bed help. 'Ik laat het hun gewoon uitvechten, we kijken morgenavond wie er in de lucht is en dan bedenken we een plan.'

'Wat kun jij slecht liegen, Katniss. Ik snap niet hoe je hier zo lang hebt weten te overleven.' Hij doet me na. *Ik wist dat die geit een klein goudmijntje zou zijn. Maar je bent al wel een beetje afgekoeld. Natuurlijk ga ik niet.'* Hij schudt zijn hoofd. 'Jij moet nooit gaan kaarten om geld. Je zou geen cent overhouden,' zegt hij.

Mijn gezicht wordt rood van kwaadheid. 'Goed dan, ik ga wél, en jij kunt me niet tegenhouden!'

'Ik kan achter je aan komen. Een eind in elk geval. Misschien haal ik de Hoorn des Overvloeds niet, maar als ik je naam roep, word ik vast wel gevonden door iemand. En dan ga ik zeker weten dood,' zegt hij.

'Je komt nog geen honderd meter met dat been,' zeg ik.

'Dan sleep ik mezelf wel verder,' zegt Peeta. 'Als jij gaat, ga ik ook.'

Hij is koppig genoeg en misschien ook wel net sterk genoeg om het echt te doen. Om me schreeuwend achterna te komen door het bos. Zelfs als de tributen hem niet vinden, wordt hij misschien wel door iets anders te grazen genomen. Hij kan zichzelf niet verweren. Ik zou hem waarschijnlijk in de grot moeten opsluiten om zelf te kunnen gaan. En wie weet wat de inspanning met hem zal doen.

'Wat moet ik dan? Hier blijven zitten en kijken hoe jij doodgaat?' zeg ik. Hij moet toch begrijpen dat dat geen optie is. Dat het publiek me dan zou haten. En eerlijk gezegd zou ik mezelf ook haten als ik het niet eens zou proberen.

'Ik ga niet dood. Ik beloof het. Als jij belooft dat je niet gaat,' zegt hij. En ik weet dat het publiek hem zou haten als hij dat niet zou zeggen.

We zijn in een soort patstelling terechtgekomen. Ik weet dat ik hem niet kan overhalen, dus dat probeer ik ook niet. Met tegenzin doe ik net alsof ik hem zijn zin geef. 'Dan moet je precies doen wat ik zeg. Je water opdrinken, me wakker maken als ik het zeg, en alle soep opeten, hoe vies hij ook is!' snauw ik tegen hem.

'Afgesproken. Is hij al klaar?' vraagt hij.

'Blijf zitten,' zeg ik. Buiten is het afgekoeld, ook al staat de zon nog aan de hemel. De Spelmakers lopen echt met de temperatuur te knoeien. Ik vraag me af of er wellicht iemand is die heel hard een deken nodig heeft. De soep is nog steeds lekker warm in zijn ijzeren pannetje. En hij smaakt nog niet eens zo slecht.

Peeta eet zonder morren en schraapt de pan zelfs leeg om te laten zien hoe enthousiast hij is. Hij ratelt maar door over hoe heerlijk het smaakt, wat je positief zou kunnen opvatten als je niet wist wat koorts met mensen doet. Het is alsof je naar Haymitch luistert voor hij door de alcohol alleen nog maar onsamenhangend kan brabbelen. Ik geef hem nog een stel koortswerende pillen voordat hij helemaal gek wordt.

Als ik naar de beek loop om af te wassen, kan ik alleen maar denken dat hij doodgaat als ik niet bij dat feestmaal zal zijn. Ik kan hem nog een dag of twee op de been houden, en dan zal de infectie zijn hart of zijn hersenen of zijn longen aantasten en is hij er geweest. En zit ik hier helemaal alleen. Alweer. Te wachten op de anderen.

Ik ben zo in gedachten verzonken dat ik de parachute bijna over het hoofd zie, ook al drijft hij recht voor mijn neus langs. Dan spring ik erachteraan, sleur hem het water uit en scheur de zilveren stof kapot om bij het flesje te kunnen komen. Haymitch heeft het voor elkaar! Hij heeft het medicijn te pakken gekregen – ik weet niet hoe, misschien heeft hij een stel romantische gekken overgehaald hun juwelen te verkopen of zo – en ik kan Peeta redden! Maar het is wel een klein flesje, zeg. Het moet wel heel krachtig zijn om iemand die zo ziek is als Peeta te kunnen genezen. Er gaat een golf van twijfel door me heen. Ik haal de kurk eraf en snuif diep.

De moed zakt me in de schoenen als ik de weeë, zoete geur ruik. Om het zekere voor het onzekere te nemen laat ik een druppel op het puntje van mijn tong vallen. Geen twijfel mogelijk, het is slaap-siroop. Een veelgebruikt medicijn in District 12. Het is in verhou-ding heel goedkoop, maar ook heel erg verslavend. Bijna iedereen heeft het wel eens gehad. Wij hebben thuis ook een fles staan. Mijn moeder geeft het aan hysterische patiënten om hen te verdoven zodat ze een diepe wond kan hechten of om hun gedachten wat rust te gunnen of gewoon om iemand die pijn heeft te helpen de nacht door te komen. Je hebt er maar heel weinig van nodig. Met dit flesje zou Peeta een hele dag buiten westen zijn, maar wat heb ik daaraan? Ik ben zo boos dat ik op het punt sta om Haymitch' laatste gift in de beek te gooien als het tot me doordringt. Een hele dag? Zo veel tijd heb ik niet eens nodig.

Ik plet een handvol bessen zodat de smaak minder zal opval-len en doe er voor de zekerheid ook nog wat muntblaadjes door. Dan klim ik terug naar de grot. 'Ik heb iets lekkers voor je. Ik heb een nieuwe bessenstruik gevonden, een stukje stroomafwaarts.'

Peeta doet zonder aarzelen zijn mond open voor de eerste hap. Hij slikt en trekt dan enigszins verwonderd zijn wenkbrauwen op. 'Wat zijn ze zoet.'

'Ja, het zijn suikerbessen. Mijn moeder maakt er altijd jam van. Heb je die nog nooit geproefd?' vraag ik, terwijl ik nog een volle lepel in zijn mond stop.

'Nee,' zegt hij, bijna verbaasd. 'Maar de smaak komt me wel heel bekend voor. Suikerbessen?'

'Tja, op de markt kun je ze bijna nooit krijgen, ze groeien al-leen in het wild,' zeg ik. Daar gaat weer een grote hap naar binnen. Nog eentje maar.

'Ze zijn zo zoet als siroop,' zegt hij, terwijl hij de laatste lepel neemt. 'Siroop.' Zijn ogen worden groot als de waarheid tot hem doordringt. Ik druk mijn hand stevig over zijn mond en neus en dwing hem het door te slikken in plaats van uit te spugen. Hij probeert zichzelf te laten overgeven, maar het is te laat, hij raakt al bewusteloos. Op het moment dat hij wegzakt zie ik in zijn ogen dat ik iets onvergeeflijks heb gedaan.

Ik ga op mijn hurken zitten en kijk naar hem met een mengeling van verdriet en tevredenheid. Een verdwaalde bes besmeurt zijn kin en ik veeg hem weg. 'Wie kon er nou zo slecht liegen, Peeta?' zeg ik, ook al hoort hij me niet.

Het maakt niet uit. De rest van Panem hoort me wel.

hoofdstuk 21

In de uren die me nog resten voor het donker wordt, verzamel ik keien en doe ik mijn best om de opening van de grot te camoufleren. Het is een zware en tijdrovende klus, maar na een hoop gezweet en gesjouw ben ik redelijk tevreden over mijn werk. De grot lijkt nu onderdeel te zijn van een grotere stapel rotsblokken, zoals er hier zoveel zijn. Door een kleine opening kan ik nog steeds naar binnen kruipen, naar Peeta, maar van de buitenkant is die niet te zien. Dat is mooi, want vanavond zal ik weer samen met hem in die slaapzak moeten. En als ik niet terugkom van het feestmaal is Peeta verborgen, maar niet helemaal opgesloten. Hoewel ik betwijfel of hij het nog lang volhoudt zonder medicijnen. Als ik bij het feestmaal om het leven kom, is de kans klein dat District 12 de winnaar zal leveren.

Ik vang wat van de kleine visjes vol graten die de beek hier bevolken, vul alle flessen met water en zuiver het en maak mijn wapens schoon. Ik heb nog negen pijlen over. Ik overweeg om het mes bij Peeta achter te laten zodat hij iets van bescherming heeft als ik weg ben, maar dat heeft weinig nut. Hij had gelijk toen hij zei dat camouflage zijn laatste redmiddel was. Maar ík zou het mes nog wel eens nodig kunnen hebben. Wie weet wat me te wachten staat?

Van een paar dingen ben ik redelijk overtuigd. Dat Cato, Clove en Thresh in elk geval paraat zullen staan als het feestmaal begint. Van Vossensnuit kan ik het niet met zekerheid zeggen omdat de directe confrontatie haar stijl noch haar sterkste punt is. Ze is nog kleiner dan ik en ongewapend, tenzij ze onlangs ergens een wapen heeft opgeduikeld. Ze zal waarschijnlijk ergens in de buurt rondhangen om te zien of er na afloop nog iets te snaaien valt. Maar de andere drie... daar zal ik mijn handen vol aan hebben. Ik ben op mijn best als ik van een afstand kan schieten, maar ik weet dat ik me meteen midden in de strijd zal moeten werpen om die rugzak te pakken te krijgen, de rugzak met nummer 12 erop waar Claudius het over had.

Ik kijk naar de hemel in de hoop dat ik met zonsopgang één tegenstander minder zal hebben, maar vanavond is er niemand te zien. Morgen zullen er gezichten verschijnen. Bij feestmaaltijden vallen altijd slachtoffers.

Ik kruip de grot in, zet mijn nachtkijker stevig op en nestel me naast Peeta. Maar goed dat ik vandaag zo lang geslapen heb. Ik moet wakker blijven. Ik denk niet dat iemand vanavond onze grot zal aanvallen, maar ik ben als de dood dat ik het ochtendgloren zal missen.

Het is koud, zo bitter koud vannacht. Alsof de Spelmakers grote wolken vrieslucht de arena in hebben geblazen, en dat zouden ze best nog eens echt gedaan kunnen hebben ook. Ik ga naast Peeta in de slaapzak liggen en probeer zoveel mogelijk van zijn koortsige warmte op te nemen. Het is raar om lichamelijk zo dicht bij iemand te zijn die zo ver weg is. Peeta zou net zo goed weer in het Capitool kunnen zijn, of in District 12, of op de maan – daar zou ik evenveel contact met hem hebben als hier. Ik heb me sinds de Spelen begonnen zijn nog niet zo eenzaam gevoeld.

Accepteer nou maar gewoon dat het een rotnacht zal worden, zeg ik tegen mezelf. Ik probeer het te laten, maar onwillekeurig denk ik toch aan mijn moeder en Prim en ik vraag me af of zij vannacht een oog dicht zullen doen. In dit stadium van de Spelen is er waarschijnlijk geen school als er zoiets belangrijks als een feestmaal wordt uitgezonden. Mijn familie kan thuis op hun oude, rammelende televisie vol sneeuw kijken, of met de mensenmassa's op het plein de uitzending op de grote, heldere schermen volgen.

Thuis hebben ze privacy, maar op het plein krijgen ze steun. Mensen zullen bemoedigende woorden zeggen, hun wat eten toestoppen als ze het kunnen missen. Ik vraag me af of de bakker al naar hen toe gekomen is en zich aan zijn belofte heeft gehouden om de maag van mijn zusje te blijven vullen, helemaal nu Peeta en ik een team vormen.

In District 12 zijn ze vast allemaal door het dolle heen. We hebben bijna nooit meer iemand om toe te juichen in dit stadium van de Spelen. Iedereen is ongetwijfeld blij met mij en Peeta, vooral nu we samen zijn. Als ik mijn ogen dichtdoe, hoor ik in gedachten hoe ze naar de schermen schreeuwen om ons aan te moedigen. Ik zie hun gezichten – Sluwe Sae en Madge en zelfs de vredebewakers die mijn vlees kopen – voor ons joelen.

En Gale. Ik weet hoe hij is. Hij schreeuwt en juicht niet. Maar hij zal kijken, elk moment van de dag, hij zal geen seconde missen en vurig wensen dat ik naar huis kom. Ik vraag me af of hij hoopt dat Peeta het ook haalt. Gale is mijn vriendje niet, maar zou hij dat wel worden, als ik hem de kans gaf? Hij zei dat we er samen vandoor konden gaan. Was dat gewoon een praktische overweging van onze overlevingskansen buiten het district? Of zat er meer achter?

Ik vraag me af wat hij van al dat gezoen vindt.

Door een spleet in de rotsen kijk ik hoe de maan langs de hemel glijdt. Als ik schat dat de zon over drie uur zal opkomen begin ik aan de laatste voorbereidingen. Ik zorg ervoor dat Peeta met genoeg water achterblijft en de verbanddoos recht naast hem staat. Dat zijn de enige dingen waar hij nog iets aan heeft als ik niet terugkom, en zelfs die kunnen zijn leven nog maar kort verlengen. Na enig beraad trek ik ook zijn jas uit en rits hem over die van mezelf heen dicht. Hij heeft hem niet nodig. Hij heeft met zijn koorts nu genoeg aan de slaapzak, en als ik er overdag niet zal zijn om hem uit te trekken zal hij er nog in stikken. Mijn handen zijn nu al verstijfd van de kou, dus ik pak Rues extra sokken, snijd er gaten in voor mijn vingers en trek ze aan. Dat helpt in elk geval een beetje.

Ik vul haar kleine rugzakje met wat eten, een waterfles en verband, stop het mes in mijn riem, pak mijn pijl en boog. Ik sta op het punt om te vertrekken als ik bedenk hoe belangrijk het is om de gedoemde-geliefdenact vol te houden, en ik buig me voorover om Peeta een lange, smachtende kus te geven. Ik stel me de snikkende zuchten voor die in het Capitool worden geslaakt en doe net alsof ik zelf ook een traantje weg moet pinken. Dan wurm ik me door de opening in de rotsen de nacht in.

Mijn adem vormt kleine witte wolkjes. Het is zo koud als een novembernacht thuis. Zo'n nacht waarop ik met een lantaarn in mijn hand het bos in zou glippen, naar een afgesproken plek waar Gale op me zou wachten, en waar we dicht tegen elkaar aan zouden zitten en met kleine slokjes kruidenthee zouden drinken uit metalen, gewatteerde thermosflessen in de hoop dat er wild langs zou komen terwijl het langzaam ochtend werd. *O, Gale,* denk ik. *Was jij nu maar hier om me te helpen…*

Ik loop zo snel ik durf. De bril werkt opvallend goed, maar ik heb nog steeds heel erg veel last van mijn linkeroor, waarmee ik niets kan horen. Ik weet niet wat de ontploffing precies gedaan heeft, maar er is iets zwaar en onherstelbaar beschadigd. Maakt ook niet uit. Als ik ooit thuiskom zal ik zo stinkend rijk zijn dat ik iemand kan betalen om voor me te horen.

Het bos ziet er 's nachts altijd anders uit. Zelfs met de bril op lijkt alles net een tikkeltje vreemder. Alsof de bomen en bloemen en stenen van overdag naar bed zijn gegaan en een soort dreigender versies van zichzelf hebben gestuurd om hun plaats in te nemen. Ik haal geen gekke dingen uit, zoals een andere route nemen. Ik loop terug langs de beek en neem weer hetzelfde pad naar Rues schuilplaats bij het meer. Onderweg zie ik geen enkel teken van een andere tribuut, geen enkel ademwolkje of trillend takje. Of ik ben de eerste, of de anderen hebben zich vannacht al opgesteld. Ik heb nog steeds meer dan een uur, misschien wel twee, als ik de struiken in kruip en wacht tot het bloed zal gaan vloeien.

Ik kauw op wat muntblaadjes; meer kan mijn maag niet aan. Wat een geluk dat ik naast mijn eigen jas ook die van Peeta aanheb. Anders had ik rond moeten lopen om warm te blijven. De hemel krijgt een mistige, ochtendgrijze kleur en toch zijn de andere tributen nog nergens te bekennen. Het verbaast me ook eigenlijk niet. Iedereen heeft zich onderscheiden door kracht, meedogenloosheid of geslepenheid. Ik vraag me af of ze denken dat ik Peeta bij me heb. De kans is groot dat Vossensnuit en Thresh niet eens weten dat hij gewond is. Des te beter, laat ze maar denken dat hij me dekt terwijl ik me op de rugzak stort.

Maar waar is die? De arena is nu licht genoeg om mijn bril af te kunnen zetten. Ik hoor de eerste vogels al fluiten. Is het nog geen tijd? Heel even ben ik bang dat ik op de verkeerde plek ben. Maar nee, ik weet zeker dat ik Claudius Templesmith heel nadrukkelijk de Hoorn des Overvloeds heb horen zeggen. En die ligt daar. En hier ben ik. Dus waar is mijn feestmaal?

Op het moment dat de eerste zonnestralen van de gouden Hoorn weerkaatsen, gebeurt er iets op de vlakte. De grond voor de opening van de Hoorn splitst zich in tweeën en er komt een ronde tafel met een sneeuwwit tafellaken omhoog. Op de tafel staan vier rugzakken, twee grote zwarte met de nummers 2 en 11, één middelgrote groene met een 5 erop en een piepkleine oranje – ik zou hem zo aan mijn pols kunnen dragen – waar een 12 op moet staan.

De tafel staat nog maar net op zijn plek als er iemand uit de Hoorn des Overvloeds schiet, de groene rugzak meegrist en ervandoor gaat. Vossensnuit! Echt iets voor haar om zoiets slims te bedenken! De rest van ons zit nog steeds gespannen rond de open vlakte de situatie in te schatten, en zij heeft die van haar al. En ze heeft ons mooi tuk, want niemand wil achter haar aan terwijl onze eigen rugzakken daar zo open en bloot op tafel liggen. Vossensnuit heeft die ongetwijfeld expres niet gepakt, omdat ze wist dat ze beslist iemand achter zich aan zou krijgen als ze een rugzak zonder haar eigen nummer erop zou stelen. Dat had mijn tactiek moeten zijn! Tegen de tijd dat er verbazing, bewondering, woede, jaloezie en frustratie door me heen is geschoten, zie ik haar rode manen al tussen de bomen verdwijnen, ver buiten het bereik van mijn pijlen. Hmm. Ik was altijd zo bang voor de anderen, maar misschien is Vossensnuit wel mijn grootste concurrent.

Ze heeft me ook tijd gekost, want ondertussen is het duidelijk dat ik als tweede bij de tafel moet zien te komen. Iedereen die er eerder is kan makkelijk mijn rugzak meenemen en 'm smeren. Zonder te aarzelen sprint ik naar de tafel. Gelukkig komt het eerste mes van rechts aanzoeven zodat ik het kan horen, en ik weet het af te weren met de rug van mijn boog. Ik draai me om terwijl ik de pees naar achteren trek en een pijl recht naar Cloves hart schiet. Ze wendt zich net genoeg af om een dodelijke treffer te voorkomen, maar de punt doorboort haar linkerbovenarm. Helaas gooit ze met rechts, maar het is genoeg om haar even af te remmen terwijl ze de pijl uit haar arm trekt en bekijkt hoe diep de wond is. Ik blijf rennen en leg automatisch de volgende pijl aan, zoals iemand die al jaren jaagt dat kan doen.

Ik ben nu bij de tafel en mijn vingers sluiten zich om het minuscule oranje rugzakje. Mijn hand glijdt tussen de bandjes door en ik trek het langs mijn arm omhoog, het is echt te klein om rond een ander deel van mijn lijf te passen. Ik draai me om om nog een pijl af te schieten als het tweede mes mijn voorhoofd raakt. Het maakt een jaap boven mijn rechterwenkbrauw; er stroomt iets mijn oog in, over mijn gezicht, en ik proef de scherpe, metalen smaak van mijn eigen bloed. Ik wankel achteruit maar weet nog wel mijn pijl in de richting van mijn aanvaller te sturen. Zodra hij mijn handen verlaat, weet ik dat hij zal missen. En dan beukt Clove tegen me op zodat ik plat op mijn rug val; mijn schouders worden door haar knieën tegen de grond gedrukt.

Dit is het dan, denk ik en omwille van Prim hoop ik dat het snel zal gaan. Maar Clove wil graag van het moment genieten. Heeft zelfs het gevoel dat ze daar tijd voor heeft. Cato is ongetwijfeld ergens in de buurt om haar te beschermen en op Thresh en wie weet ook op Peeta te wachten.

'Waar is je vriendje, District 12? Houdt-ie het nog een beetje vol?' vraagt ze.

Nou, zolang we praten ben ik nog niet dood. 'Hij zit hier vlakbij. Achter Cato aan,' grom ik naar haar. Dan schreeuw ik zo hard ik kan. 'Peeta!'

Clove stompt met haar vuist tegen mijn luchtpijp, een erg effectieve manier om mijn stem af te kappen. Maar haar hoofd schiet van links naar rechts, en ik weet dat ze er in elk geval heel even rekening mee houdt dat ik misschien de waarheid spreek. Als er geen Peeta tevoorschijn komt om me te redden, kijkt ze weer naar mij.

'Leugenaar,' zegt ze grijnzend. 'Hij is bijna dood. Cato weet waar hij hem heeft geraakt. Je hebt hem vast ergens in een boom gebonden terwijl je zijn hart op gang probeert te houden. Wat zit er in dat leuke rugzakje? Medicijnen voor donjuan? Jammer dat hij die nooit zal krijgen, zeg.'

Clove ritst haar jas open. Hij is gevoerd met een indrukwekkende verzameling messen. Zorgvuldig kiest ze een haast sierlijk uitziend exemplaar uit met een wreed, gekromd lemmet. 'Ik heb Cato beloofd dat ik het publiek een mooie show zou geven als ik jou mocht hebben.'

Ik kronkel nu woest heen en weer en probeer haar van me af te duwen, maar het heeft geen zin. Ze is te zwaar en ze heeft me te stevig vast.

'Vergeet het maar, District 12. We gaan je vermoorden. Net als we met dat sneue vriendinnetje van je gedaan hebben... Hoe heette ze ook alweer? Dat kind dat door de bomen sprong? Rue? Dus eerst Rue, dan jij, en zullen we donjuan dan maar gewoon aan de natuur overlaten? Wat zeg je ervan?' vraagt Clove. 'Goed, waar zal ik eens beginnen?'

Achteloos veegt ze met haar mouw het bloed van mijn wond weg. Ze bestudeert mijn gezicht en draait het naar links en rechts alsof het een houtblok is en zij nu bepaalt hoe ze het precies zal gaan bewerken. Ik probeer in haar hand te bijten, maar ze grijpt het haar boven op mijn hoofd beet en duwt me terug naar de grond. 'Ik denk...' spint ze bijna, 'ik denk dat we eerst je mond gaan doen.' Ik klem mijn kiezen op elkaar terwijl ze plagerig met haar mes langs de contouren van mijn lippen glijdt.

Ik houd mijn ogen wijd open. Haar opmerking over Rue doet mijn bloed koken, ik ben zo woedend dat ik nu volgens mij met enige waardigheid kan sterven. Als laatste daad van verzet zal ik haar aanstaren zolang ik nog kan zien, wat waarschijnlijk niet ver-schrikkelijk lang meer zal zijn, maar ik zal haar aanstaren, ik zal het niet uitschreeuwen, ik zal, op mijn eigen, bescheiden manier, onverslagen sterven.

'Ja, je hebt je lippen toch niet meer nodig. Wil je donjuan nog een laatste kusje toewerpen?' vraagt ze. Ik zuig een mond vol bloed en speeksel bij elkaar en spuug het in haar gezicht. Ze wordt rood van kwaadheid. 'Best. Daar gaan we dan.'

Ik zet mezelf schrap voor de pijn die zeker gaat komen. Maar op het moment dat ik de punt van het mes de eerste snee in mijn lip voel maken, wordt Clove met grote kracht van mijn lijf gerukt en dan begint ze te gillen. Ik ben eerst te verbijsterd, niet in staat om te bevatten wat er is gebeurd. Is Peeta me op de een of andere manier te hulp gekomen? Hebben de Spelmakers een wild dier de arena in gestuurd om de feestvreugde te verhogen? Heeft een ho-vercraft haar om onverklaarbare redenen de lucht in getrokken?

Maar als ik mezelf op mijn verdoofde armen overeind duw, zie ik dat het niets van dat alles is. Clove hangt dertig centimeter bo-ven de grond, gevangen in de armen van Thresh. Ik hap naar adem als ik hem zo boven me uit zie torenen terwijl hij Clove als een lap-penpop vasthoudt. In mijn gedachten was hij wel groot, maar hij lijkt nog reusachtiger, nog sterker dan ik me hem kan herinneren. Hij draait Clove om en smijt haar op de grond.

Ik schrik als hij begint te schreeuwen – ik heb hem nog nooit harder horen praten dan op een mompeltoon. 'Wat heb je met dat meisje gedaan? Heb jij d'r vermoord?'

Clove krabbelt als een dolgeworden insect op handen en voeten achteruit, ze is zelfs te geschrokken om Cato te roepen. 'Nee! Ik heb het niet gedaan!'

'Je zei d'r naam. Zelf gehoord. Heb jij d'r vermoord?' Hij krijgt een ingeving en zijn gezicht vertrekt opnieuw van woede. 'Heb je d'r aan stukken gesneden zoals je met dit meisje ook wou doen?'

'Nee! Nee, ik...' Clove ziet de steen in de handen van Thresh, ongeveer zo groot als een klein brood, en gaat door het lint. 'Cato!' gilt ze. 'Cato!'

'Clove!' hoor ik Cato antwoorden, maar hij is te ver weg om haar te kunnen helpen. Waar was hij mee bezig? Wilde hij Vossensnuit of Peeta pakken? Of lag hij te wachten op Thresh en heeft hij gewoon helemaal verkeerd ingeschat waar die was?

Thresh slaat hard met de steen tegen Cloves slaap. Het bloedt niet, maar ik zie de deuk in haar schedel en ik weet dat het gedaan is met haar. Maar op dit moment zit er nog steeds leven in haar lijf, in haar borst die snel op en neer gaat, in het zachte gekreun dat over haar lippen komt.

Als Thresh zich vliegensvlug naar mij omdraait met de steen in de lucht, weet ik dat het geen zin heeft om te vluchten. En mijn boog is leeg, de laatst aangelegde pijl is richting Clove gegaan. Ik zit gevangen in de woedende blik van zijn vreemde, goudbruine ogen. 'Wat bedoelde ze? Dat Rue jouw vriendinnetje was?'

'Ik... ik... We hadden een team gevormd. Hebben de voorraden opgeblazen. Ik heb geprobeerd haar te redden, echt. Maar hij was er eerder. District 1,' zeg ik. Als hij weet dat ik Rue heb geholpen, zal hij misschien niet zo'n langzaam, sadistisch einde voor me uitkiezen.

'En heb jij hem vermoord?' wil hij weten.

'Ja. Ik heb hem vermoord. En haar bedolven onder de bloemen,' zeg ik. 'En haar in slaap gezongen.'

De tranen springen in mijn ogen. De spanning en mijn verzet vloeien weg bij de herinnering. En ik word overmand door de gedachte aan Rue, en de pijn aan mijn hoofd, en mijn angst voor Thresh, en het gekreun van het stervende meisje een meter verderop.

'In slaap?' vraagt Thresh korzelig.

'Naar haar einde. Ik heb gezongen tot ze stierf,' zeg ik. 'Jouw district... heeft me brood gestuurd.' Mijn hand gaat omhoog, maar niet naar een pijl waarvan ik weet dat ik hem nooit zal bereiken. Alleen om mijn neus af te vegen. 'Doe het snel, Thresh, oké?'

Het gezicht van Thresh staat in tweestrijd. Hij laat de steen zakken en wijst haast beschuldigend naar me. 'Voor deze ene keer laat ik je gaan. Voor het meisje. Dan staan we quitte, jij en ik. Niks verschuldigd. Begrepen?'

Ik knik, want ik begrijp het inderdaad. Wat dat verschuldigd zijn betreft. En wat een hekel je daaraan kunt hebben. Ik begrijp dat als Thresh wint, hij bij thuiskomst een district onder ogen moet komen dat alle regels al heeft overtreden door mij te bedanken, en nu overtreedt híj de regels door mij te bedanken. En ik begrijp ook dat Thresh mij op dit moment niet de hersenen zal inslaan.

'Clove!' Cato's stem klinkt nu veel dichterbij. Door zijn gekwelde toon weet ik dat hij haar op de grond ziet liggen.

'Wegwezen, Vuurmeisje,' zegt Thresh.

Dat hoeft hij geen twee keer te zeggen. Ik rol om en mijn voeten stampen over de samengepakte aarde, terwijl ik bij Thresh en Clove en het geluid van Cato's stem vandaan ren. Pas als ik bij de rand van het bos ben, draai ik me even om. Thresh en de twee grote rugzakken verdwijnen over de rand van de vlakte naar het gebied dat ik nog nooit heb gezien. Cato knielt met zijn speer in zijn hand naast Clove en smeekt haar om bij hem te blijven. Binnen een paar seconden zal hij beseffen dat het zinloos is, dat ze niet gered kan worden. Ik storm tussen de bomen door, terwijl ik telkens het bloed wegveeg dat in mijn oog stroomt; ik ben als een wild, gewond dier op de vlucht. Na een paar minuten hoor ik het kanon en weet ik dat Clove dood is, dat Cato een van ons achterna zal komen. Of Thresh, of mij. Ik sta doodsbang te trillen op mijn benen, verzwakt door mijn hoofdwond. Ik leg een pijl aan, maar Cato kan die speer bijna net zo ver gooien als ik kan schieten.

Er is maar één ding dat me enigszins kalmeert. Thresh heeft de rugzak van Cato waarin datgene zit wat hij zo hard nodig heeft. Ik durf te wedden dat Cato achter Thresh aan is gegaan in plaats van achter mij. Desondanks blijf ik doorrennen tot ik bij het water ben. Ik plons er meteen in, met mijn laarzen nog aan, en ploeg stroomafwaarts. Ik trek Rues sokken uit die ik als handschoenen gebruikte en druk ze tegen mijn voorhoofd in een poging het bloeden te stelpen, maar binnen een paar minuten zijn ze doorweekt.

Op de een of andere manier lukt het me om terug bij de grot te komen. Ik wring me door de rotsen. In het vlekkerige licht trek ik het oranje rugzakje van mijn arm, snijd de sluiting door en laat de inhoud op de grond vallen. Eén smal doosje met een injectiespuit erin. Ik aarzel geen moment, steek de naald in Peeta's arm en duw hem langzaam naar beneden.

Mijn handen gaan naar mijn hoofd en vallen dan glibberig van het bloed weer in mijn schoot.

Het laatste wat ik me nog kan herinneren is een prachtige zilvergroene mot die op mijn pols neerstrijkt.

hoofdstuk 22

Het geluid van de regen die op het dak van ons huis roffelt brengt me langzaam weer bij bewustzijn. Maar ik doe mijn best om weer in slaap te vallen, veilig thuis in een warme cocon van beddengoed. Ik ben me er vaag van bewust dat mijn hoofd pijn doet. Misschien heb ik griep en mag ik daarom in bed blijven liggen, ook al voel ik dat ik al heel lang geslapen heb. De hand van mijn moeder streelt mijn wang en ik duw hem niet weg, wat ik wel gedaan zou hebben als ik wakker was, omdat ik haar nooit wil laten weten hoezeer ik naar die liefkozende aanraking verlang. Hoe erg ik haar mis, ook al vertrouw ik haar nog steeds niet. Dan hoor ik een stem, de verkeerde stem, niet die van mijn moeder, en ik word bang.

'Katniss,' zegt de stem. 'Katniss, kun je me horen?'

Mijn ogen gaan open en het gevoel van geborgenheid verdwijnt. Ik ben niet thuis, niet bij mijn moeder. Ik ben in een schemerige, koude grot, mijn blote voeten bevriezen ondanks de deken, de lucht wordt bezoedeld door de onmiskenbare geur van bloed. Het hologige, bleke gezicht van een jongen schuift mijn blikveld in, en na een eerste golf van paniek voel ik me beter. 'Peeta.'

'Hé,' zegt hij. 'Fijn om je ogen weer te zien.'

'Hoe lang ben ik bewusteloos geweest?' vraag ik.

'Weet ik niet precies. Ik werd gisteravond wakker en toen lag jij naast me, in een vrij angstaanjagende plas bloed,' zegt hij. 'Volgens mij is het eindelijk opgehouden, maar ik zou nog maar niet overeind gaan zitten.'

Voorzichtig ga ik met mijn hand naar mijn hoofd en voel een verband. Het is een simpel gebaar, maar ik voel me meteen flauw en duizelig. Peeta houdt een fles tegen mijn lippen en ik drink dorstig.

'Je ziet er beter uit,' zeg ik.

'Ik voel me ook beter. Ik weet niet wat je in mijn arm gespoten hebt, maar het heeft gewerkt,' zegt hij. 'Vanochtend was mijn been al bijna niet dik meer.'

Hij lijkt niet boos dat ik hem erin geluisd heb, dat ik hem verdoofd heb om er vervolgens vandoor te gaan naar het feestmaal. Misschien ben ik er nu gewoon nog te slecht aan toe en krijg ik het later nog te horen, als ik aangesterkt ben. Maar op dit moment is hij een en al tederheid.

'Heb je gegeten?' vraag ik.

'Ik moet helaas bekennen dat ik drie stukken van die ganzant naar binnen heb geprop voor ik bedacht dat we daar misschien nog een tijdje mee moesten doen. Maar maak je geen zorgen, ik houd me nu weer aan een streng dieet,' zegt hij.

'Nee, dat is prima. Je moet eten. Ik zal binnenkort gaan jagen,' zeg ik.

'Niet al te binnenkort, goed?' zegt hij. 'Laat me nou eerst maar eens een tijdje voor jou zorgen.'

Ik lijk niet echt een keuze te hebben. Peeta voert me stukjes ganzant en rozijnen en laat me heel veel water drinken. Hij wrijft weer wat warmte in mijn voeten en wikkelt ze in zijn jas voor hij de slaapzak weer tot aan mijn kin optrekt.

'Je laarzen en sokken zijn nog vochtig en het weer helpt niet echt mee,' zegt hij. Er klinkt een donderslag en door een opening in de rotsen zie ik hoe de bliksem de hemel onder stroom zet. Door verschillende gaten in het plafond druppelt regen, maar Peeta heeft een soort overkapping boven mijn hoofd en bovenlichaam gemaakt door het stuk plastic tussen de rotsen te klemmen.

'Wie zou die storm hebben uitgelokt? Voor wie is hij bedoeld, zeg maar?' vraagt Peeta.

'Voor Cato en Thresh,' zeg ik zonder aarzelen. 'Vossensnuit

zit vast ergens in haar hol, en Clove... Clove heeft me gesneden en toen...' Mijn stem sterft weg.

'Ik weet dat Clove dood is. Ze stond gisteren aan de hemel,' zegt hij. 'Heb jij haar gedood?'

'Nee. Thresh heeft met een steen haar schedel verbrijzeld,' zeg ik.

'Mazzel dat-ie jou niet ook te pakken heeft gekregen,' zegt Peeta.

De herinnering aan het feestmaal komt in alle hevigheid terug en ik word misselijk. 'Dat heeft-ie wel. Maar hij heeft me laten gaan.' En dan moet ik het hem natuurlijk vertellen. Dingen die ik voor me heb gehouden omdat hij te ziek was om ernaar te vragen en omdat ik er sowieso nog niet aan toe was om ze op te rakelen. De ontploffing bijvoorbeeld, en mijn oor en Rue die doodging en de jongen uit District 1 en het brood. Het leidt allemaal naar wat er met Thresh is gebeurd en hoe hij in wezen een soort schuld afloste.

'Hij liet je gaan omdat hij je niets verschuldigd wilde zijn?' vraagt Peeta ongelovig.

'Ja. Ik verwacht ook niet dat jij het begrijpt. Jij bent nooit iets tekort gekomen. Maar als je in de Laag zou wonen, zou ik het niet hoeven uitleggen,' zeg ik.

'Doe ook vooral geen moeite. Ik ben duidelijk te dom om het te snappen,' zegt hij.

'Het is net als met het brood. Hoe ik altijd het gevoel bleef houden dat ik bij je in het krijt stond,' zeg ik.

'Het brood? Hè? Van toen we klein waren?' zegt hij. 'Volgens mij kunnen we dat nu wel laten zitten. Ik bedoel, je hebt net mijn leven gered.'

'Maar je kende me niet. We hadden zelfs nog nooit met elkaar gepraat. En bovendien is het eerste geschenk altijd het moeilijkst terug te betalen. Ik was hier niet eens geweest als jij me toen niet had geholpen,' zeg ik. 'Waarom heb je dat eigenlijk gedaan, trouwens?'

'Waarom? Je weet best waarom,' zegt Peeta. Ik schud kort met mijn pijnlijke hoofd. 'Haymitch zei al dat je moeilijk te overtuigen zou zijn.'

'Haymitch?' vraag ik. 'Wat heeft die er nou mee te maken?'

'Niks,' zegt Peeta. 'Maar goed, Cato en Thresh, dus? Het is zeker te optimistisch om te hopen dat ze elkaar tegelijkertijd afmaken?'

Maar dat vind ik alleen maar een heel akelig idee. 'Ik denk dat wij Thresh heel aardig zouden vinden. Volgens mij zou hij in District 12 onze vriend zijn,' zeg ik.

'Laten we dan hopen dat Cato hem doodt, dan hoeven wij het niet te doen,' zegt Peeta grimmig.

Ik wil helemaal niet dat Cato Thresh doodt. Ik wil niet dat er nog iemand sterft. Maar dat soort dingen horen overwinnaars absoluut niet te zeggen in de arena. Ik doe mijn uiterste best, maar desondanks voel ik de tranen opwellen.

Peeta kijkt me bezorgd aan. 'Wat is er? Heb je heel veel pijn?'

Ik geef hem een ander antwoord. Het is net zo waar, maar dit wordt hopelijk als een kortstondig en niet als een fataal moment van zwakte opgevat. 'Ik wil naar huis, Peeta,' zeg ik klaaglijk, als een klein kind.

'Dat ga je ook. Ik beloof het,' zegt hij, terwijl hij zich vooroverbuigt om me een kus te geven.

'Ik wil nú naar huis,' zeg ik.

'Weet je wat? Ga maar weer slapen, dan kun je over thuis dromen. En voor je het weet ben je er echt,' zegt hij. 'Goed?'

'Goed,' fluister ik. 'Maak me maar wakker als ik de wacht moet houden.'

'Ik voel me goed en uitgerust, dankzij jou en Haymitch. Trouwens, Joost mag weten hoe lang dit gaat duren,' zegt hij.

Wat bedoelt hij? De storm? Het korte moment van rust dat die ons geeft? De Spelen zelf? Ik weet het niet, maar ik ben te moe en te verdrietig om het te vragen.

Als Peeta me weer wakker maakt is het avond. De regen is in een wolkbreuk veranderd en waar het eerst alleen nog een beetje druppelde, stroomt het water nu door ons plafond. Peeta heeft de bouillonpan onder de ergste waterval gezet en het plastic anders vastgemaakt om mij zo goed mogelijk te beschermen. Ik voel me iets beter; ik kan al overeind zitten zonder duizelig te worden en ik ben uitgehongerd. Net als Peeta. Het is duidelijk dat hij heeft gewacht tot ik wakker zou worden en hij zit te popelen om te beginnen.

Er is niet veel meer over. Twee stukken ganzant, een klein allegaartje aan wortels en een handje gedroogd fruit.

'Zullen we het proberen te rantsoeneren?' oppert Peeta.

'Nee, laten we het maar gewoon opmaken. De ganzant is toch al oud, en we kunnen nu niet riskeren dat we een voedselvergiftiging oplopen,' zeg ik, terwijl ik het eten in twee gelijke hoopjes verdeel. We proberen langzaam te eten, maar we hebben allebei zo'n honger dat we binnen een paar minuten klaar zijn. Mijn maag is nog lang niet verzadigd.

'Morgen gaat er gejaagd worden,' zeg ik.

'Aan mij heb je niet zoveel,' zegt Peeta. 'Ik heb nog nooit gejaagd.'

'Ik schiet en jij kookt,' zeg ik. 'En je kunt altijd plukken en verzamelen.'

'Ik wou dat er hier ergens een broodboom stond,' zegt Peeta.

'Het brood dat District 11 me stuurde was nog warm,' zeg ik met een zucht. 'Hier, kauw daar maar op.' Ik geef hem wat muntblaadjes en stop er zelf ook een paar in mijn mond.

De projectie in de lucht is bijna niet te zien, maar hij is duidelijk genoeg om te begrijpen dat er geen andere doden zijn gevallen vandaag. Cato en Thresh hebben het dus nog niet uitgevochten.

'Waar is Thresh heen gegaan? Ik bedoel, wat ligt er aan de achterkant van de open vlakte?' vraag ik aan Peeta.

'Een veld. Het staat vol met manshoge grasplanten. Ik weet het niet, misschien zitten er ook wel granen tussen. Sommige stukken hebben een andere kleur. Maar er lopen geen paden doorheen,' zegt Peeta.

'Ik weet wel zeker dat er granen tussen staan. En ik durf te wedden dat Thresh weet welke dat zijn,' zeg ik. 'Ben je er geweest?'

'Nee. Niemand had echt zin om Thresh achterna te gaan in dat hoge gras. Het had iets griezeligs. Elke keer als ik naar dat veld kijk, moet ik aan alle dingen denken die er verborgen kunnen zitten. Slangen en hondsdolle beesten en drijfzand,' zegt Peeta. 'Wie weet wat daar allemaal zit.'

Ik zeg het niet hardop, maar Peeta's woorden doen me denken aan de waarschuwingen waarmee ze ons binnen het hek van District 12 proberen te houden. Onwillekeurig vergelijk ik hem met Gale, die dat veld niet alleen als een gevaar, maar ook als een potentiële bron van voedsel zou zien. Net als Thresh. Ik bedoel niet dat Peeta een watje is; hij heeft bewezen dat hij geen lafaard is, maar ik vermoed dat je bij sommige dingen niet al te veel vraagtekens zet als je huis altijd naar gebakken brood ruikt. Gale zet overál vraagtekens bij. Wat zou Peeta vinden van de oneerbiedige grapjes die we elke dag maken, terwijl we lachend de wet overtreden? Zou hij geschokt zijn? Door de dingen die we over Panem zeggen? Gales scheldkanonnades tegen het Capitool?

'Misschien staat er wel een broodboom in dat weiland,' zeg ik. 'Misschien dat Thresh er nu daarom beter doorvoed uitziet dan toen de Spelen begonnen.'

'Dat, of hij heeft heel gulle sponsors,' zegt Peeta. 'Ik vraag me af wat wij zouden moeten doen voor Haymitch ons wat brood stuurt.'

Ik trek mijn wenkbrauwen op, maar dan bedenk ik dat hij niets weet van de boodschap die Haymitch ons een paar nachten geleden heeft gestuurd. Eén kus staat gelijk aan één pannetje bouillon. Het is ook niet iets wat ik er even uit kan flappen. Als ik hardop zou zeggen wat ik denk, zou ik aan het publiek verraden dat onze verliefdheid verzonnen is om hun medeleven op te wekken en dan krijgen we helemaal geen eten meer. Ik moet op de een of andere geloofwaardige manier de boel weer op gang zien te krijgen. Laat ik maar met iets simpels beginnen. Ik steek mijn hand uit en pak de zijne.

'Nou ja, hij heeft waarschijnlijk erg veel geld gespendeerd om mij te helpen jou buiten westen te krijgen,' zeg ik schalks.

'Ja, nu we het er toch over hebben,' zegt Peeta, terwijl hij zijn vingers door de mijne vlecht, 'dat mag je echt nooit meer doen.'

'Want anders?' vraag ik.

'Want anders... dan...' Hij kan even niets bedenken. 'Momentje, hoor.'

'Wat is het probleem?' vraag ik grijnzend.

'Het probleem is dat we allebei nog steeds leven. Wat in jouw ogen alleen maar het idee versterkt dat je het goed hebt gedaan,' zegt Peeta.

'Ik héb het goed gedaan,' zeg ik.

'Nee! Niet doen, Katniss!' Hij grijpt mijn hand nu zo stevig beet dat het pijn doet, en er klinkt oprechte woede door in zijn stem. 'Je mag niet doodgaan voor mij. Daar doe je me geen enkel plezier mee. Begrepen?'

Ik sta versteld van zijn heftige reactie, maar ik voorzie een perfecte gelegenheid om eten te krijgen, dus ik probeer erop in te haken. 'Misschien heb ik het wel voor mezelf gedaan, Peeta. Heb je daar wel eens aan gedacht? Misschien ben jij niet de enige die... die zich zorgen maakt... over hoe het zou zijn als...'

Ik hakkel. Ik ben niet zo goed met woorden als Peeta. En terwijl ik het zeg, denk ik weer aan hoe het zou zijn als ik Peeta echt zou verliezen en hoe verschrikkelijk ik het zou vinden als hij dood zou gaan. En dat heeft niets met de sponsors te maken. En ook niet met wat me thuis te wachten zou staan. En het gaat er niet om dat ik gewoon niet alleen wil zijn. Het gaat om hem. Ik wil de jongen met het brood niet kwijt.

'Als wat, Katniss?' vraagt hij zacht.

Ik wilde dat ik de luiken naar beneden kon trekken om de priemende ogen van Panem buiten te sluiten. Ook al zou dat betekenen dat we helemaal geen eten krijgen. Mijn gevoelens gaan niemand wat aan behalve mijzelf.

'Dat is precies het soort onderwerp waar ik van Haymitch eigenlijk niet over mocht praten,' zeg ik ontwijkend, hoewel Haymitch nooit zoiets gezegd heeft. Integendeel, hij zit nu waarschijnlijk woest op me te vloeken omdat ik op zo'n emotioneel geladen moment deze inkopper mis. Maar Peeta weet hem toch nog te redden.

'Dan zal ik zelf de lege plekken maar invullen,' zegt hij, terwijl hij naar me toe schuift.

Dit is de eerste kus waar we allebei met ons volle verstand bij zijn, niet gehinderd door ziekte of pijn of bewusteloosheid. Onze lippen zijn niet gloeiend heet van de koorts en ook niet ijzig koud. Dit is de eerste kus waarbij ik daadwerkelijk iets voel kriebelen in mijn borstkas. Warm en nieuwsgierig. Dit is de eerste kus die me doet verlangen naar de volgende.

Maar die krijg ik niet. Nou ja, ik krijg nog wel een tweede zoen, maar dat is een kleintje op het puntje van mijn neus omdat Peeta afgeleid is. 'Volgens mij is je wond weer gaan bloeden. Kom, ga liggen, het is toch bedtijd,' zegt hij.

Mijn sokken zijn nu droog genoeg om aan te trekken. Ik eis dat Peeta zijn jas zelf weer aandoet. De vochtige kou lijkt rechtstreeks mijn botten in te trekken, dus Peeta moet wel half bevroren zijn. Ik sta er ook op om de eerste wacht te nemen, hoewel we geen van beiden denken dat er met dit weer iemand zal komen. Maar het mag van hem alleen als ik ook in de slaapzak kom liggen, en ik bibber zo erg dat het geen zin heeft om te protesteren. Het is een scherp contrast met twee nachten geleden – toen had ik het gevoel dat Peeta mijlenver weg was, terwijl ik me nu heel erg bewust ben van zijn nabijheid. Als we gaan liggen duwt hij mijn hoofd naar beneden zodat ik zijn arm als kussen kan gebruiken, de andere legt hij beschermend over me heen, zelfs als hij in slaap valt. Het is erg lang geleden dat ik op deze manier ben vastgehouden. Sinds mijn vader is overleden en ik mijn moeder niet meer vertrouw, lig ik voor het eerst weer zo veilig in iemands armen.

Met behulp van de bril kijk ik vanuit de slaapzak hoe de druppels water op de vloer van de grot spatten. Ritmisch en kalmerend. Een paar keer dommel ik kort weg en word dan met een schok kwaad en schuldbewust weer wakker. Na drie of vier uur kan ik er niets meer aan doen, ik moet Peeta wekken omdat ik mijn ogen niet meer kan openhouden. Hij lijkt het niet erg te vinden.

'Als het morgen droog is, zal ik een plekje in de bomen voor ons zoeken, zo hoog dat we allebei rustig kunnen slapen,' beloof ik voor ik wegzak.

Maar de volgende ochtend is het weer er niet beter op geworden. De stortbuien houden aan, alsof de Spelmakers erop gebrand lijken ons allemaal weg te spoelen. Het onweer is zo hevig dat de grond ervan lijkt te schudden. Peeta overweegt toch naar buiten te gaan om wat eten bij elkaar te scharrelen, maar ik zeg dat dat met dit weer geen enkele zin heeft. Hij zal nog geen meter zicht hebben en uiteindelijk alleen maar tot op het bot doorweekt raken. Hij weet dat ik gelijk heb, maar het knagende gevoel in onze buik begint pijn te doen.

De dag sleept zich voort, verandert langzaam in de avond en nog steeds klaart het niet op. Haymitch is onze enige hoop, maar er komt niets, door geldgebrek – alles zal nu buitensporig duur zijn – of omdat hij niet tevreden is met ons toneelspel. Het zal het laatste wel zijn. Ik ben de eerste om toe te geven dat we vandaag weinig interessants te bieden hebben. We zijn uitgehongerd en verzwakt en doen ons best om onze wonden niet open te halen. We zitten dicht tegen elkaar aan in de slaapzak, dat is waar, maar vooral om warm te blijven. Het spannendste wat we doen is een slaapje.

Ik weet niet precies hoe ik de romantiek verder moet opbouwen. De kus van gisteravond was fijn, maar ik zal goed moeten uitkienen hoe ik naar een volgende moet toewerken. Sommige meisjes in de Laag, en sommige stadsmeisjes ook, weten precies hoe ze door dit soort wateren moeten laveren, maar ik heb hier nooit veel tijd voor gehad, en er ook het nut niet van ingezien. Hoe dan ook, een kus is duidelijk niet meer genoeg, want anders hadden we gisteren wel eten gekregen. Mijn intuïtie zegt dat Haymitch niet zozeer op fysieke genegenheid zit te wachten, hij wil iets persoonlijkers. Het soort dingen dat hij me over mezelf probeerde te laten vertellen toen we voor het interview aan het oefenen waren. Ik bak daar niks van, maar Peeta wel. Misschien werkt het het beste als ik hem aan het praten krijg.

'Peeta,' zeg ik luchtig. 'Tijdens het interview zei je dat je al heel lang verliefd op me was. Hoe lang is heel lang?'

'O, even kijken. Ik denk sinds de allereerste schooldag. We waren vijf. Je droeg een roodgeruite jurk en je haar... je had je haar in twee vlechten in plaats van één. Mijn vader wees je aan toen we stonden te wachten om in de rij te mogen,' zegt Peeta.

'Je vader? Hoezo?' vraag ik.

'Hij zei: "Zie je dat meisje? Ik wilde met haar moeder trouwen, maar die ging ervandoor met een mijnwerker",' zegt Peeta.

'Wat? Dat verzin je!' roep ik uit.

'Nee, het is echt zo,' zegt Peeta. 'En ik zei: "Een mijnwerker? Waarom wilde ze een mijnwerker als ze jou had kunnen hebben?" En hij zei: "Als hij zingt... dan zijn zelfs de vogels stil om te luisteren. Daarom."'

'Dat is waar. Dat zijn ze. Ik bedoel, dat waren ze,' zeg ik. Ik ben verbijsterd, en opvallend ontroerd door het idee dat de bakker dat tegen Peeta heeft gezegd. Het schiet door me heen dat mijn eigen tegenzin om te zingen, mijn afkeer van muziek, misschien niet wordt veroorzaakt doordat ik denk dat het tijdsverspilling is. Misschien komt het wel doordat het me te veel aan mijn vader doet denken.

'En die dag vroeg de leraar tijdens de muziekles wie het lied van de vallei kende. Jouw vinger priemde meteen de lucht in. Je moest op een kruk staan en het voor ons zingen. En ik zweer dat buiten alle vogels stil werden,' zegt Peeta.

'Ach, kom nou,' lach ik.

'Nee, echt waar. En nog voor het lied afgelopen was, ging ik – net als je moeder – voor de bijl,' zegt Peeta. 'En vervolgens heb ik elf jaar lang geprobeerd de moed te verzamelen om met je te praten.'

'Zonder succes,' voeg ik daaraan toe.

'Zonder succes. Dus op een bepaalde manier had ik heel erg geluk dat mijn naam werd getrokken bij de boete,' zegt Peeta.

Heel even ben ik bijna stompzinnig gelukkig en dan word ik overspoeld door verwarring. Want volgens mij was het de bedoeling dat we dit verzonnen, dat we speelden dat we verliefd waren terwijl dat niet echt zo was. Maar Peeta's verhaal klinkt oprecht. Dat stuk over mijn vader en de vogels. En ik heb echt gezongen tijdens die eerste dag op school, hoewel ik me het lied niet meer kan herinneren. En die roodgeruite jurk... die heeft echt bestaan. Prim heeft hem gedragen tot hij, pas na mijn vaders dood, uiteindelijk aan flarden is gewassen.

En het zou nog iets anders verklaren. Waarom Peeta een pak slaag riskeerde door me dat brood te geven op die afschuwelijke bodemloze dag. Dus als al die details waar zijn... zou het dan allemaal waar kunnen zijn?

'Je hebt een... opmerkelijk goed geheugen,' zeg ik aarzelend.

'Ik weet alles nog van jou,' zegt Peeta, terwijl hij een losse piek achter mijn oor strijkt. 'Jij zag mij nooit staan.'

'Nu wel,' zeg ik.

'Tja, hier heb ik ook niet echt concurrentie,' zegt hij.

Ik wil me omdraaien, de luiken weer dichtdoen, maar ik weet dat dat niet kan. Ik kan Haymitch bijna in mijn oor horen fluisteren: 'Zeg het! Zeg het!'

Ik slik moeizaam en wring de woorden eruit. 'Jij hebt nergens concurrentie.' En dit keer ben ik degene die zich naar voren buigt.

Onze lippen raken elkaar nog maar net als we opschrikken van de bonk buiten de grot. Mijn boog schiet overeind, de pijl klaar om weg te zoeven, maar het blijft verder stil. Peeta gluurt door de rotsen en slaakt dan een vreugdekreet. Voor ik hem kan tegenhouden staat hij buiten in de regen en geeft me vervolgens iets aan. Een zilveren parachute met een mand eraan. Ik ruk hem meteen open en er zit een waar feestmaal in – verse broodjes, geitenkaas, appels en, als klap op de vuurpijl, een terrine met die overheerlijke lamsstoof met wilde rijst. Het gerecht waarover ik tegen Caesar Flickerman zei dat dat het indrukwekkendste was wat het Capitool te bieden had.

Peeta wurmt zich weer naar binnen, zijn gezicht straalt als de zon. 'Haymitch was het blijkbaar eindelijk zat om toe te kijken hoe we verhongerden.'

'Blijkbaar,' antwoord ik.

Maar in gedachten hoor ik Haymitch zelfgenoegzaam, maar ook licht geïrriteerd zeggen: 'Dát wilde ik zien, schat.'

hoofdstuk 23

Elke cel in mijn lichaam wil dat ik op de stoofpot aanval en de ene hand vol na de andere in mijn mond prop, maar Peeta's stem houdt me tegen. 'We kunnen het maar beter rustig aan doen met die stoofpot. Weet je nog, die eerste avond in de trein? Ik werd misselijk van al dat overdadige eten en toen was ik niet eens uitgehongerd.'

'Je hebt gelijk. Jammer, want ik zou alles zo naar binnen kunnen schrokken!' zeg ik spijtig. Maar dat doe ik niet. We zijn heel verstandig. We nemen allebei een broodje, een halve appel en een portie stoofpot met rijst ter grootte van een ei. Ik dwing mezelf de stoofpot met piepkleine hapjes te eten – ze hebben ons zelfs bestek en borden gestuurd – en van elk brokje te genieten. Als we klaar zijn kijk ik verlangend naar de rest. 'Ik wil meer.'

'Ik ook. Weet je wat, we wachten een uur en als we het binnenhouden nemen we nog een portie,' zegt Peeta.

'Afgesproken,' zeg ik. 'Dat wordt een lang uur.'

'Dat hoeft niet,' zegt Peeta. 'Wat zei je nou ook alweer voor het eten kwam? Iets over mij... en geen concurrentie... het mooiste wat je ooit is overkomen...'

'Dat laatste kan ik me niet herinneren,' zeg ik, en ik hoop dat het hier zo donker is dat mijn rode wangen niet te zien zullen zijn op tv.

'O nee, dat is waar ook. Dat dacht ík,' zegt hij. 'Schuif eens op, ik heb het ijskoud.'

Ik maak plek voor hem in de slaapzak. We leunen achterover tegen de wand van de grot, mijn hoofd op zijn schouder, zijn armen om me heen geslagen. Ik voel een por van Haymitch om verder te gaan met de act. 'Dus jij hebt sinds je vijfde nooit naar andere meisjes gekeken?' vraag ik aan hem.

'Jawel, ik heb naar zo ongeveer alle meisjes gekeken, maar jij was de enige die een blijvende indruk maakte,' zegt hij.

'Dat zullen je ouders vast heel leuk vinden, dat je op een meisje uit de Laag valt,' zeg ik.

'Waarschijnlijk niet. Maar dat kan me echt niks schelen. Trouwens, als we het halen ben je geen meisje uit de Laag meer, dan ben je een meisje uit de Winnaarswijk,' zegt hij.

Dat is zo. Als we winnen krijgen we allebei een huis in het gedeelte van de stad dat speciaal gereserveerd is voor winnaars van de Hongerspelen. Heel lang geleden, toen de Spelen voor het eerst gehouden werden, heeft het Capitool in elk district een stuk of tien mooie villa's laten bouwen. In ons district is er tegenwoordig natuurlijk nog maar één bewoond. De meeste andere huizen hebben altijd leeggestaan.

Er schiet me iets heel verontrustends te binnen. 'Maar dan is Haymitch onze enige buurman!'

'Ach, dat zou nog eens leuk zijn,' zegt Peeta, terwijl hij zijn armen nog strakker om me heen slaat. 'Jij en ik en Haymitch. Wat gezellig. Picknicken, verjaardagen, lange winteravonden rond het vuur terwijl we oude herinneringen aan de Hongerspelen ophalen.'

'Ik heb toch gezegd dat hij een hekel aan me heeft?' zeg ik, maar toch schiet ik in de lach bij het idee van Haymitch als nieuwe vriend.

'Niet altijd. Ik heb hem nuchter nog nooit iets negatiefs over jou horen zeggen,' zegt Peeta.

'Maar hij is nooit nuchter!' protesteer ik.

'Dat is waar. Wie bedoel ik dan? O, ik weet het al. Cinna, die vindt jou aardig. Maar dat komt vooral doordat je niet probeerde te vluchten toen hij je in brand stak,' zegt Peeta. 'Haymitch, daarentegen... Nou ja, als ik jou was zou ik Haymitch zoveel mogelijk ontlopen. Hij heeft een hekel aan je.'

'Ik dacht dat jij zei dat ik zijn lievelingetje was,' zeg ik.

'Vergeleken met mij wel, want hij vindt mij nog vervelender,' zegt Peeta. 'Ik geloof niet dat hij in het algemeen veel met mensen heeft.'

Ik weet dat het publiek zal genieten van onze grapjes ten koste van Haymitch. Hij gaat al zo lang mee dat hij voor sommigen een soort oude vriend is geworden. En na zijn duik van het podium bij de boete weet iedereen wie hij is. Ze zullen hem onderhand wel de regiekamer uit gesleept hebben om hem over ons te interviewen. Wie weet wat voor leugens hij allemaal uit zijn duim heeft gezogen. Ergens is het voor hem extra zwaar omdat de meeste mentoren een partner hebben, een andere winnaar om hen af te lossen, terwijl Haymitch op elk moment van de dag klaar moet staan. Een beetje zoals ik toen ik alleen in de arena was. Ik vraag me af hoe hij het volhoudt, met al die drank, de aandacht en de stress om ons in leven te moeten houden.

Grappig. Haymitch en ik kunnen in het dagelijks leven niet goed met elkaar overweg, maar Peeta heeft gelijk dat we op elkaar lijken – hij lijkt door de timing van zijn giften met me te kunnen communiceren. Zoals toen ik wist dat ik in de buurt van water moest zijn omdat hij het niet stuurde, en zoals ik wist dat de slaapsiroop niet alleen was om Peeta's pijn te verlichten en zoals ik nu weet dat ik moet doen alsof ik verliefd ben. Hij heeft nog nauwelijks moeite gedaan om contact met Peeta te maken. Misschien denkt hij dat een pan bouillon voor Peeta gewoon een pan bouillon is, terwijl ik de achterliggende boodschap begrijp.

Opeens schiet me iets te binnen, en het verbaast me dat deze vraag er zo lang over heeft gedaan om op te borrelen. Misschien komt het doordat ik Haymitch pas sinds kort met enige nieuwsgierigheid bekijk. 'Hoe heeft hij het gedaan, denk je?'

'Wie? Wat?' vraagt Peeta.

'Haymitch. Hoe denk je dat hij de Spelen heeft gewonnen?' zeg ik.

Peeta denkt even na voor hij antwoord geeft. Haymitch is stevig gebouwd, maar geen fysiek supermens zoals Cato of Thresh. Hij is niet erg knap. Niet op die manier dat sponsors je overladen met donaties. En hij is zo nors dat je je nauwelijks kunt voorstellen dat hij een team met iemand heeft gevormd. Er is maar één manier waarop Haymitch heeft kunnen winnen, en Peeta zegt het net op het moment dat ik zelf ook tot die conclusie kom.

'Hij is de anderen te slim af geweest,' zegt Peeta.

Ik knik en ga er verder niet over door. Maar stiekem vraag ik me af of Haymitch zo lang nuchter is gebleven om Peeta en mij te helpen omdat hij dacht dat we misschien slim genoeg zouden zijn om te overleven. Misschien is hij niet altijd zo'n dronkenlap geweest. Misschien heeft hij in het begin echt geprobeerd om de tributen te helpen. Maar werd het toen ondraaglijk. Het moet verschrikkelijk zijn om twee kinderen te begeleiden en dan te moeten toekijken hoe ze doodgaan. Jaar in jaar uit. Ik besef dat dat ook mijn taak zal worden als ik hieruit kom. Om het meisje uit District 12 te begeleiden. Het idee is zo afschuwelijk dat ik het snel uit mijn gedachten verban.

Er is ongeveer een halfuur verstreken als ik besluit dat ik weer moet eten. Peeta heeft zelf ook te veel honger om tegen te stribbelen. Terwijl ik nog twee kleine porties van de lamsstoofpot en rijst opschep, horen we dat het volkslied begint. Peeta duwt zijn gezicht tegen een kier in de rotsen om naar de lucht te kunnen kijken.

'Er is vanavond toch niets te zien,' zeg ik – ik vind de stoofpot veel interessanter dan de lucht. 'Er is niets gebeurd, anders hadden we wel een kanon gehoord.'

'Katniss,' zegt Peeta zachtjes.

'Wat is er? Vind je dat we ook nog een broodje moeten delen?' vraag ik.

'Katniss,' herhaalt hij, maar ik merk dat ik zin heb om hem te negeren.

'Ik snijd er eentje doormidden. Maar de kaas bewaren we voor morgen,' zeg ik. Ik zie dat Peeta naar me staat te staren. 'Wat nou?'

'Thresh is dood,' zegt Peeta.

'Dat kan niet,' zeg ik.

'Ze hebben het kanon waarschijnlijk tijdens het onweer afgeschoten, daarom hebben we het niet gehoord,' zegt Peeta.

'Weet je het zeker? Ik bedoel, het regent pijpenstelen daarbuiten. Ik snap niet hoe je iets kunt zien,' zeg ik. Ik duw hem weg bij de rotsen en tuur naar de donkere, bewolkte hemel. Een seconde of tien vang ik een vervormde glimp van Thresh' foto op en dan is hij weer verdwenen. Alsof het niks is.

Ik zak omlaag langs de rotsen en vergeet even wat ik wilde gaan doen. Thresh is dood. Ik zou blij moeten zijn, toch? Weer een tribuut minder om mee te vechten. En nog een sterke ook. Maar ik ben niet blij. Ik kan alleen maar denken aan Thresh, die mij liet gaan, me weg liet rennen vanwege Rue, het meisje dat stierf met een speer in haar buik...

'Gaat het wel?' vraagt Peeta.

Ik haal wezenloos mijn schouders op en sla mijn handen om mijn ellebogen, druk ze dicht tegen me aan. Ik moet de echte pijn wegstoppen, want wie gaat er nou wedden op een tribuut die de hele tijd zit te janken om de dood van haar tegenstanders. Rue, dat ging nog. We waren bondgenoten. Ze was nog zo jong. Maar niemand zal begrijpen waarom ik verdrietig ben door de moord op Thresh. Die laatste woorden brengen me bij mijn positieven. Moord! Gelukkig heb ik dat niet hardop gezegd. Daar zal ik in de arena geen punten mee verdienen. Wat ik wel zeg, is: 'Het is gewoon... als wij niet zouden winnen... dan wilde ik dat Thresh zou winnen. Omdat hij me liet gaan. En om Rue.'

'Ja, ik weet het,' zegt Peeta. 'Maar dit betekent wel dat we weer een stapje dichter bij District 12 zijn.' Hij duwt me een bord eten in handen. 'Hier, eet. Het is nog warm.'

Ik neem een hapje van de stoofschotel om te laten zien dat het me verder koud laat, maar hij voelt als lijm in mijn mond en het kost erg veel moeite om hem door te slikken. 'Het betekent ook dat Cato weer achter ons aan zal komen.'

'En dat hij nieuwe voorraden heeft,' zegt Peeta.

'Ik durf te wedden dat hij gewond is,' zeg ik.

'Waarom denk je dat?' vraagt Peeta.

'Omdat Thresh zich nooit zonder slag of stoot gewonnen zou geven. Hij is zo sterk – dat was hij, bedoel ik. En ze waren op zijn terrein,' zeg ik.

'Mooi,' zegt Peeta. 'Hoe slechter Cato eraantoe is, hoe beter. Ik vraag me af hoe het met Vossensnuit gaat.'

'O, ongetwijfeld prima,' zeg ik kribbig. Ik ben nog steeds boos dat zij op het idee is gekomen om zich in de Hoorn des Overvloeds te verstoppen en ik niet. 'We krijgen Cato waarschijnlijk nog eerder te pakken dan haar.'

'Misschien krijgen ze elkaar wel te pakken en kunnen wij gewoon naar huis,' zegt Peeta. 'Maar we moeten wel extra goed opletten tijdens onze wachtbeurten. Ik ben een paar keer in slaap gesukkeld.'

'Ik ook,' biecht ik op. 'Maar vanavond niet.'

We eten zwijgend de rest van het eten op en daarna biedt Peeta aan om de eerste wacht te nemen. Ik begraaf me diep naast hem in de slaapzak en trek mijn capuchon over mijn gezicht om me af te schermen voor de camera's. Ik heb een moment voor mezelf nodig waarin ik al mijn emoties de vrije loop kan laten zonder dat ze gezien worden. Onder de capuchon neem ik afscheid van Thresh en bedank hem voor mijn leven. Ik beloof aan hem te blijven denken en, als ik kan, iets te doen om zijn familie en die van Rue te helpen als ik win. Dan vlucht ik in de slaap, blij met mijn volle maag en de rotsvaste warmte van Peeta naast me.

Als Peeta me later wakker maakt, ruik ik direct de geur van geitenkaas. Hij geeft me een half broodje aan, besmeerd met het romige witte spul en schijfjes appel erbovenop. 'Niet boos worden,' zegt hij. 'Ik moest weer eten. Hier is jouw helft.'

'O, lekker,' zeg ik en ik neem meteen een grote hap. De scherpe, vettige kaas smaakt precies zoals de kaas die Prim altijd maakt en de appels zijn zoet en knapperig. 'Mmm.'

'In de bakkerij maken we geitenkaas-appeltaart,' zegt hij.

'Die is vast heel duur,' zeg ik.

'Zo duur dat mijn familie hem niet kan opeten. Tenzij hij heel oud is geworden. Maar bijna alles wat wij eten is oud, uiteraard,' zegt Peeta, terwijl hij de slaapzak om zich heen trekt. Binnen een minuut ligt hij te snurken.

Hm. Ik had altijd aangenomen dat de middenstanders een luizenleventje leidden. En inderdaad, Peeta heeft altijd genoeg te eten gehad. Maar het heeft ook iets heel treurigs om je hele leven oud brood te moeten eten, de harde, droge stukken die niemand meer wil. Je kunt van ons zeggen wat je wilt, maar aangezien ik ons eten dagelijks aanlever is het meeste zo vers dat je moet uitkijken dat het er niet vandoor gaat.

Ergens tijdens mijn wacht houdt het op met regenen, niet geleidelijk, maar in één keer. Het gekletter stopt en dan hoor ik alleen nog het laatste water dat van de takken druppelt en het geruis van de nu overstromende beek onder ons. Er komt een prachtige, volle maan tevoorschijn, en ik kan zelfs zonder de bril naar buiten kijken. Ik kom er niet uit of de maan echt is of slechts een projectie van de Spelmakers. Ik weet dat hij vlak voor ik van huis vertrok ook vol was. Gale en ik zagen hem opkomen toen we tot in de late uurtjes aan het jagen waren.

Hoe lang ben ik al weg? Ik vermoed dat we nu ongeveer twee weken in de arena zijn, en dan hadden we nog een week voorbereidingstijd in het Capitool. Misschien heeft de maan zijn cyclus alweer voltooid. Om de een of andere reden wil ik heel graag dat het mijn maan is, dezelfde die ik vanuit het bos bij District 12 kan zien. Dat zou me een houvast geven in de onwerkelijke wereld van de arena waar de echtheid van alles in twijfel getrokken moet worden.

We zijn nog maar met z'n vieren.

Voor het eerst mag ik van mezelf echt nadenken over de mogelijkheid dat ik misschien weer thuiskom. Beroemd. Rijk. Met een eigen huis in de Winnaarswijk. Mijn moeder en Prim zouden daar met mij komen wonen. Nooit meer bang voor de honger. Een nieuw soort vrijheid. Maar... wat dan? Hoe zou mijn dagelijks leven eruit komen te zien? Dat werd tot nu toe grotendeels gevuld door het vergaren van eten. Als je dat weghaalt weet ik niet goed meer wie ik ben, wat mijn identiteit is. Het idee beangstigt me enigszins. Ik denk aan Haymitch met al zijn geld. Wat is er van zijn leven geworden? Hij leeft alleen, zonder vrouw of kinderen, en brengt zijn dagen meestal dronken door. Zo wil ik niet eindigen.

Maar jij zult niet alleen zijn, fluister ik tegen mezelf. Ik heb mijn moeder en Prim. Nou ja, voorlopig in elk geval. En daarna... Ik wil niet denken aan daarna, als Prim volwassen is geworden en mijn moeder overleden. Ik weet dat ik nooit zal trouwen, nooit het risico zal nemen om een kind op deze wereld te zetten. Want als er één ding is waar je als winnaar nooit zeker van bent, dan is het wel de veiligheid van je kinderen. De namen van mijn kinderen zouden rechtstreeks met die van alle andere de boetebollen in gaan. En ik zweer dat ik dat nooit zal laten gebeuren.

Eindelijk komt de zon op, het licht glipt door de kieren en schijnt op Peeta's gezicht. In wie zal hij veranderen als we ooit weer thuiskomen? Deze verbluffende, aardige jongen die zulke overtuigende leugens verzint dat heel Panem gelooft dat hij hopeloos verliefd op me is en die, moet ik bekennen, het míj zelfs af en toe laat geloven? *We zullen in elk geval vrienden blijven*, denk ik. Niets kan ook maar iets veranderen aan het feit dat we hier elkaars leven gered hebben. En daarbuiten zal hij altijd de jongen met het brood blijven. *Goede vrienden.* Maar dáárbuiten... en ik voel hoe Gales grijze ogen kijken hoe ik naar Peeta kijk, helemaal in District 12.

Verward kom ik in beweging. Ik schuif opzij en schud aan Peeta's schouder. Zijn ogen gaan slaperig open en als ze mij zien, trekt hij me omlaag voor een lange kus.

'We verspillen jaagtijd,' zeg ik als ik me eindelijk van hem losmaak.

'Ik zou het geen verspillen willen noemen,' zegt hij, terwijl hij overeind komt en zich uitgebreid uitrekt. 'En, jagen we met een lege maag om onszelf lekker scherp te houden?'

'Wij niet,' zeg ik. 'Wij proppen ons vol zodat we het lekker lang volhouden.'

'Prima plan,' zegt Peeta. Maar ik zie zijn verbaasde blik als ik de rest van de stoofpot en de rijst verdeel en hem een overvol bord aangeef. 'Alles?'

'We krijgen het vandaag toch weer terug,' zeg ik, en we storten ons allebei op ons bord. Zelfs koud is het een van de lekkerste dingen die ik ooit heb geproefd. Ik laat mijn vork voor wat hij is en veeg de laatste restjes jus op met mijn vinger. 'Ik voel gewoon dat Effie Prul zit te rillen om mijn manieren.'

'Hé, Effie, moet je dit eens zien!' zegt Peeta. Hij gooit zijn vork over zijn schouder en likt met harde, tevreden geluiden met zijn tong zijn bord schoon. Dan blaast hij een luchtkusje door de grot en roept: 'We missen je, Effie!'

Ik sla mijn hand voor mijn mond, maar ik moet toch lachen. 'Hou op! Straks staat Cato naast onze grot.'

Hij pakt mijn hand beet. 'Wat kan mij dat nou schelen? Ik heb jou toch om me te beschermen,' zegt Peeta, terwijl hij me naar zich toe trekt.

'Toe nou,' zeg ik wrevelig, terwijl ik me loswurm uit zijn greep, maar niet voor hij nog een kusje gestolen heeft.

Zodra we onze spullen gepakt hebben en buiten voor de grot staan, wordt onze stemming ernstig. Het is alsof we de afgelopen dagen, beschermd door de rotsen en de regen en Cato die zich met Thresh bezighield, een time-out hebben gehad, een soort vakantie. Nu, ook al is het een warme, zonnige dag, voelen we dat we echt weer terug in de Spelen zijn. Ik geef Peeta mijn mes, want de wapens die hij ooit had zijn allang verdwenen, en hij steekt het in zijn riem. Mijn laatste zeven pijlen – van de twaalf heb ik er drie opge-offerd aan de explosie en twee bij het feestmaal – rammelen iets te losjes in hun koker. Ik kan het me niet veroorloven er nog meer te verliezen.

'Hij zal ondertussen wel op óns jagen,' zegt Peeta. 'Cato is niet het type dat rustig afwacht tot zijn prooi voorbijwandelt.'

'Als hij gewond is...' begin ik.

'Maakt niet uit,' onderbreekt Peeta me. 'Als hij kan bewegen, is hij onderweg.'

Na alle regen is de beek aan beide kanten een meter buiten zijn oevers getreden. We stoppen even om ons water bij te vullen. Ik controleer de strikken die ik dagen geleden heb gezet, maar kom met lege handen terug. Geen wonder, met dit weer. En ik heb hier in de buurt ook nauwelijks dieren of hun sporen gezien.

'We kunnen beter teruggaan naar mijn oude jachtgebied,' zeg ik.

'Wat jij wilt. Zeg maar gewoon wat ik moet doen,' zegt Peeta.

'Goed opletten,' zeg ik. 'Probeer maar zoveel mogelijk op de rotsen te blijven, het zou stom zijn om sporen achter te laten die hij kan volgen. En jij moet voor ons allebei luisteren.' Het is on-derhand duidelijk dat de ontploffing het gehoor in mijn linkeroor definitief kapot heeft gemaakt.

Normaal gesproken zou ik door het water lopen om onze sporen helemaal uit te wissen, maar ik weet niet of Peeta's been de stroming wel aankan. Hoewel de infectie door de medicijnen is verdwenen, is hij nog steeds behoorlijk verzwakt. Mijn voorhoofd doet pijn waar het mes me heeft geraakt, maar na drie dagen is het bloeden gestopt. Ik draag wel een verband om mijn hoofd, voor het geval de fysieke inspanning het weer op gang brengt.

Terwijl we langs de stroom omhoog lopen, komen we langs de plek waar ik Peeta heb gevonden, verborgen in de planten en de modder. Het goede van alle hoosbuien en de overstroomde oevers is dat alle sporen van zijn schuilplaats verdwenen zijn. Dat betekent dat we als het moet terug kunnen keren naar onze grot. Anders zou ik dat niet riskeren, met Cato op onze hielen.

De rotsblokken slinken tot keien die uiteindelijk in kiezels veranderen en dan hebben we tot mijn opluchting weer dennen-naalden en de licht aflopende bosgrond onder onze voeten. Op dat moment besef ik dat we een probleem hebben. Als je met een mank been over rotsachtig terrein moet klauteren – ja, natuurlijk maak je dan wat geluid. Maar zelfs op het zachte bed van naalden is Peeta luidruchtig. En dan bedoel ik lúíd luidruchtig, alsof hij loopt te stampen of zo. Ik draai me om en kijk hem aan.

'Wat nou?' vraagt hij.

'Je moet echt zachter lopen,' zeg ik. 'Ik zal niet over Cato be-ginnen, maar je jaagt elk konijn binnen een straal van vijftien kilo-meter weg.'

'Echt?' vraagt hij. 'Sorry, ik had het niet in de gaten.'

Als we weer verder lopen gaat het ietsje beter, maar zelfs met één goed oor word ik doodnerveus van hem.

'Zou je misschien je laarzen uit kunnen trekken?' stel ik voor.

'Hier?' vraagt hij ongelovig, alsof ik gevraagd heb of hij met blote voeten over hete kolen wil lopen. Ik moet mezelf eraan hel-pen herinneren dat hij nog steeds niet gewend is aan het bos, dat dit de griezelige, verboden plek achter de hekken van District 12 is. Ik denk aan Gale, met zijn fluweelzachte tred. Het is gewoon eng hoe weinig geluid hij maakt, zelfs als de bladeren zijn gevallen en het al helemaal een flinke opgave is om vooruit te komen zonder het wild weg te jagen. Ik weet zeker dat hij thuis zit te lachen.

'Ja,' zeg ik geduldig. 'Ik doe het ook. Dan zijn we allebei stiller.' Alsof ik geluid maakte. En dus trekken we allebei onze laarzen en sokken uit en hoewel dat wel helpt, zou ik zweren dat hij zijn best doet om elke tak die we tegenkomen te laten knappen.

Het spreekt voor zich dat ik, hoewel we er een paar uur over doen om bij het oude kamp van Rue en mij te komen, nog niets geschoten heb. Als de beek wat zou bedaren, zouden we misschien kunnen vissen, maar nu is de stroming nog te sterk. Als we even stoppen om uit te rusten en water te drinken, probeer ik een oplossing te bedenken. Het liefst zou ik Peeta nu met een of ander simpel wortelgraafklusje achterlaten en gaan jagen, maar dan zou hij alleen een mes hebben om zich tegen Cato's speren en uitzonderlijke kracht te verdedigen. Dus wat ik nu eigenlijk zou willen, is hem ergens veilig verstoppen, gaan jagen, en dan weer terugkomen om hem op te halen. Maar ik heb zo'n vermoeden dat zijn trots dat voorstel niet zo leuk zal vinden.

'Katniss,' zegt hij. 'We moeten ons opsplitsen. Ik weet dat ik alle dieren wegjaag.'

'Alleen omdat je gewond bent aan je been,' zeg ik grootmoedig, want het is echt wel duidelijk dat dat maar een klein gedeelte van het probleem is.

'Dat weet ik wel,' zegt hij. 'Als jij me nou eerst wat planten laat zien die ik kan plukken en daarna alleen verdergaat, dan maken we ons allebei nuttig.'

'Niet als Cato langskomt en je vermoordt.' Ik probeer het op een aardige toon te zeggen, maar het klinkt nog steeds alsof ik hem een zwakkeling vind.

Tot mijn verbazing lacht hij alleen maar. 'Hoor eens, ik kan Cato wel aan. Ik heb toch al eerder met hem gevochten?'

Ja, en dat pakte ook al zo fantastisch uit. Toen lag je uiteindelijk op een modderige oever dood te gaan. Dat zou ik willen zeggen, maar ik kan het niet. Hij heeft tenslotte wel mijn leven gered door Cato aan te vallen. Ik probeer een andere tactiek. 'En als je nou eens in een boom klimt en de wacht houdt terwijl ik jaag?' zeg ik, en ik doe mijn best om het als een heel belangrijke taak te laten klinken.

'En als jij mij nou eens laat zien wat er hier eetbaar is en dan het vlees gaat halen?' zegt hij op dezelfde toon als ik. 'Maar niet te ver weg, hè – stel dat je hulp nodig hebt.'

Ik zucht en laat hem wat wortels zien om op te graven. We

hebben inderdaad eten nodig, dat staat als een paal boven water. Met één appel, twee broodjes en een klodder kaas ter grootte van een pruim zullen we het niet lang uithouden. Ik moet maar in de buurt blijven en hopen dat Cato hier ver vandaan is.

Ik leer hem een vogeldeuntje – geen wijsje zoals dat van Rue, maar een eenvoudige roep van twee tonen – waarmee we elkaar kunnen laten weten dat alles in orde is. Dat gaat hem gelukkig goed af. Ik laat hem achter met de rugzak en ga op pad.

Ik voel me weer elf jaar oud, dit keer niet gebonden aan de veiligheid van het hek maar aan Peeta, en ik geef mezelf niet meer dan twintig, misschien dertig meter om te jagen. Maar zodra ik bij hem vandaan ben, komt het bos vol dierengeluiden tot leven. Gerustgesteld door zijn regelmatige gefluit mag ik van mezelf iets verder weg, en algauw word ik beloond met twee konijnen en een dikke eekhoorn. Ik besluit dat het wel genoeg is. Ik kan nog strikken zetten en misschien wat vis vangen. Met Peeta's wortels erbij kunnen we weer even vooruit.

Terwijl ik het korte stukje terugloop, besef ik dat we al een tijdje geen tekens meer hebben gegeven. Als er geen antwoord komt op mijn gefluit begin ik te rennen. Binnen een mum van tijd heb ik de rugzak gevonden met een keurig bergje wortels ernaast. Het stuk plastic ligt uitgespreid op de grond zodat de zon bij de bessen kan komen die erop liggen. Maar waar is hij?

'Peeta!' roep ik in paniek. 'Peeta!' Ik draai me om naar een ritselende struik en schiet bijna een pijl door hem heen. Gelukkig geef ik op het laatste moment een ruk aan mijn boog zodat de pijl blijft steken in de stam van een eik links van hem. Hij springt achteruit en smijt een handvol bessen tussen de bosjes.

Mijn angst komt er als woede uit. 'Wat doe je? Je zou hier zijn, in plaats van een beetje door het bos te rennen!'

'Ik heb bessen gevonden bij de beek,' zegt hij, duidelijk in de war door mijn uitbarsting.

'Ik heb gefloten. Waarom floot je niet terug?' snauw ik.

'Ik heb het niet gehoord. Het water maakt te veel herrie, denk ik,' zegt hij. Hij komt naar me toe en legt zijn handen op mijn schouders. Dan pas voel ik dat ik sta te trillen.

'Ik dacht dat Cato je had vermoord!' schreeuw ik bijna.

'Nee joh, er is niets aan de hand.' Peeta slaat zijn armen om me heen, maar ik reageer niet. 'Katniss?'

Ik duw hem weg en probeer mijn gedachten op orde te krijgen. 'Als twee mensen een teken afspreken, dan blijven ze binnen gehoorafstand. Want als een van de twee geen antwoord geeft, dan zit diegene in de problemen, oké?'

'Oké!' zegt hij.

'Oké. Want dat is met Rue ook gebeurd, en ik heb gezien hoe zij doodging!' zeg ik. Ik draai me om, loop naar de rugzak en draai een verse fles water open, hoewel die van mij nog niet eens leeg is. Ik ben nog niet zover dat ik hem kan vergeven. Dan zie ik het eten liggen. De broodjes en appels zijn onaangeroerd, maar een deel van het toch al kleine stukje kaas dat we nog hadden is verdwenen. 'En je hebt zonder mij gegeten!' Het kan me eigenlijk helemaal niet schelen, ik wil gewoon ergens anders boos om zijn.

'Hè? Nee, niet waar,' zegt Peeta.

'O, dan hebben de appels de kaas zeker opgegeten,' zeg ik.

'Ik weet niet wie of wat de kaas heeft opgegeten,' zegt Peeta langzaam en duidelijk, alsof hij zijn best doet om niet kwaad te worden, 'maar ik ben het niet geweest. Ik was hier bij de beek bessen aan het verzamelen. Wil je er een paar?'

Eigenlijk wel, maar ik wil me niet te snel laten vermurwen. Ik loop wel naar hem toe om ze te bekijken. Deze soort heb ik nog nooit gezien. Of toch wel. Maar niet in de arena. Dit zijn niet de bessen van Rue, hoewel ze er heel erg op lijken. Ze komen ook niet overeen met de vruchten die ik bij de training heb gehad. Ik buk me en pak er een paar op, rol ze tussen mijn vingers heen en weer.

Mijn vaders stem klinkt in mijn hoofd. 'Deze niet, Katniss. Deze nooit. Dit is nachtschot. Je bent dood voor ze je maag bereiken.'

Op dat moment gaat het kanon af. Ik draai me met een ruk om, in de veronderstelling dat Peeta in elkaar zal zakken, maar hij trekt alleen zijn wenkbrauwen op. De hovercraft verschijnt ongeveer honderd meter verderop. Wat er nog over is van het dunne, uitgemergelde lichaampje van Vossensnuit wordt de lucht in getild. Ik zie haar rode haar glanzen in het zonlicht.

Ik had het kunnen weten toen ik de gehalveerde kaas zag...

Peeta grijpt me bij mijn arm en duwt me naar een boom. 'Klimmen. Hij kan hier elk moment zijn. We maken meer kans van bovenaf als we met hem moeten vechten.'

Ik houd hem tegen, plotseling heel kalm. 'Nee, Peeta, Cato heeft haar niet gedood. Dat heb jij gedaan.'

'Hè? Ik heb haar sinds de eerste dag niet eens meer gezien,' zegt hij. 'Hoe zou ik haar nou vermoord moeten hebben?'

Als antwoord op zijn vraag laat ik hem de bessen zien.

hoofdstuk 24

Het duurt even voor ik de situatie aan Peeta heb uitgelegd. Hoe Vossensnuit eten stal van de voorradenberg voor ik hem opblies, hoe ze net genoeg probeerde te pakken om in leven te blijven maar niet zoveel dat iemand het zou merken, hoe ze nooit aan de eetbaarheid van bessen zou twijfelen die wij voor onszelf hadden klaargelegd.

'Ik vraag me af hoe ze ons heeft gevonden,' zegt Peeta. 'Het zal wel mijn schuld zijn, als ik echt zo veel lawaai maakte als jij zei.'

We waren ongeveer net zo moeilijk te volgen als een kudde koeien, maar ik probeer aardig te blijven. 'En ze is zo sluw als een vos, Peeta. Nou ja, was. Tot jij haar te slim af was.'

'Niet expres. Het lijkt niet helemaal eerlijk. Ik bedoel, wij zouden allebei ook dood zijn als zij die bessen niet eerst had gegeten.' Dan roept hij zichzelf tot de orde. 'Nee, dat is natuurlijk niet waar. Jij herkende ze, hè?'

Ik knik kort. 'Wij noemen het nachtschot.'

'Zelfs de naam klinkt dodelijk,' zegt hij. 'Het spijt me, Katniss. Ik dacht echt dat het dezelfde waren als die jij had geplukt.'

'Je hoeft je niet te verontschuldigen. Het betekent toch dat we weer een stap dichter bij huis zijn, of niet soms?' antwoord ik.

'Ik zal de rest weggooien,' zegt Peeta. Hij pakt voorzichtig de blauwe lap plastic op zodat alle bessen erop blijven liggen en wil ze de struiken in gooien.

'Wacht!' roep ik. Ik pak het leren zakje van de jongen uit District 1 en doe daar een paar handjes bessen in. 'Als Vossensnuit erin trapte, lukt het bij Cato misschien ook wel. Stel dat hij ons een keer achternazit, dan kunnen we doen alsof we het zakje per ongeluk laten vallen en als hij ze dan opeet...'

'Dan is het op naar District 12,' zegt Peeta.

'Zo is dat,' zeg ik, terwijl ik het zakje aan mijn riem bind.

'Hij zal nu wel weten waar we zijn,' zegt Peeta. 'Als hij ergens in de buurt was en de hovercraft heeft gezien, dan weet hij dat wij haar vermoord hebben en komt hij vast achter ons aan.'

Peeta heeft gelijk. Dit zou wel eens precies de kans kunnen zijn waar Cato op heeft gewacht. Maar zelfs als we nu op de vlucht slaan is er nog vlees om te braden en ons vuur zal weer verraden waar we ons bevinden. 'Kom, we maken een vuur. Nu meteen.' Ik begin takken en kreupelhout bij elkaar te zoeken.

'Wil je nu met hem vechten?' vraagt Peeta.

'Ik wil nu eten. We kunnen maar beter ons voedsel klaarmaken nu het nog kan. Hij weet dat we hier zijn, dat is waar. Maar hij weet ook dat we met z'n tweeën zijn en hij gaat er waarschijnlijk van uit dat we doelbewust achter Vossensnuit aan zaten. Dat betekent dat jij weer beter bent. En het vuur betekent dat we ons niet schuilhouden, we nodigen hem juist uit. Zou jij komen opdagen?' vraag ik.

'Misschien niet,' zegt hij.

Peeta is een kei in vuurmaken en slaagt erin een laaiend vuur uit het vochtige hout te krijgen. Binnen een mum van tijd hangen de konijnen en de eekhoorn aan het spit en liggen de in bladeren gewikkelde wortels te roosteren in de gloeiende stukken hout. Om de beurt gaan we op zoek naar eetbare planten en houden we nauwlettend in de gaten of we Cato ergens zien, maar zoals ik al voorspeld had, blijft hij weg. Als het eten gaar is pak ik het meeste in en laat voor ons allebei een konijnenpootje over om onderweg op te eten.

Ik wil naar een hoger gelegen gedeelte van het bos, in een goede boom klimmen en daar ons kamp opslaan voor de nacht, maar Peeta stribbelt tegen. 'Ik kan niet zo goed klimmen als jij, Katniss, al helemaal niet met mijn been, en ik denk niet dat ik vijftien meter boven de grond ooit in slaap val.'

'We zijn hier beneden niet veilig, Peeta,' zeg ik.

'Kunnen we niet terug naar de grot?' vraagt hij. 'Die is vlak bij het water en makkelijk te verdedigen.'

Ik zucht. Dan moeten we weer een paar uur door het bos lopen (of moet ik denderen zeggen?), alleen om bij een plek te komen waar we de volgende ochtend weer weg moeten om te jagen. Maar Peeta is niet veeleisend. Hij heeft de hele dag precies gedaan wat ik zei en ik weet zeker dat hij mij niet zou dwingen om in een boom te slapen als het andersom was geweest. Het dringt tot me door dat ik helemaal niet zo aardig voor Peeta ben geweest vandaag. Ik heb gezeurd dat hij te veel lawaai maakte en tegen hem geschreeuwd omdat hij opeens weg was. De speelse romantiek die we in de grot zo goed volhielden is hier in het bos onder de brandende zon ver te zoeken, met de hete adem van Cato in onze nek. Haymitch is me waarschijnlijk al helemaal zat. En wat het publiek betreft...

Ik ga op mijn tenen staan en geef hem een kus. 'Oké. We gaan terug naar de grot.'

Hij kijkt blij en opgelucht. 'Nou, dat ging makkelijk.'

Ik trek mijn pijl uit de eik en let goed op dat ik de schacht niet beschadig. Deze pijlen zijn nu ons eten, onze veiligheid en ons leven.

We gooien nog een lading hout op het vuur. Als het goed is blijft het nog wel een paar uur roken, hoewel ik betwijfel of Cato in actie zal komen. Als we bij de beek komen zie ik dat het water behoorlijk gezakt is en weer zijn oude bedaarde gangetje heeft hervat, dus ik stel voor dat we erdoorheen lopen. Peeta vindt het prima en aangezien hij een stuk stiller is in het water dan op het land is het een extra goed idee. Maar het is nog een heel eind naar de grot, zelfs heuvelafwaarts, zelfs met het konijn om ons wat meer energie te geven. We zijn allebei uitgeput van onze tocht van vandaag en ook nog steeds zwaar ondervoed. Ik houd mijn pijl en boog gereed, zowel vanwege Cato als de vissen die ik zou kunnen zien, maar het lijkt wel alsof er helemaal geen levende wezens in de beek zitten.

Tegen de tijd dat we bij onze bestemming zijn, slepen we met onze voeten en staat de zon al laag aan de horizon. We vullen onze waterflessen en klimmen het kleine stukje omhoog naar onze schuilplaats. Het stelt niet veel voor, maar hier in de wildernis komt dit voor ons het dichtst in de buurt van een huis. Het zal er ook warmer zijn dan in een boom, omdat het beschutting biedt tegen de stevige wind die vanuit het westen is opgestoken. Ik zet een flinke avondmaaltijd neer, maar halverwege begint Peeta te knikkebollen. Na dagen stilzitten heeft de jacht van vandaag zijn tol geëist. Ik zeg dat hij in de slaapzak moet gaan liggen en zet de rest van zijn eten opzij voor als hij wakker wordt. Hij valt onmiddellijk in slaap. Ik trek de slaapzak op tot zijn kin en geef hem een kus op zijn voorhoofd, niet voor het publiek, maar voor mezelf. Omdat ik zo dankbaar ben dat hij er nog is, niet dood langs de beek ligt zoals ik in eerste instantie dacht. Zo blij dat ik het niet in mijn eentje tegen Cato hoef op te nemen.

Wrede, bloeddorstige Cato die met één beweging van zijn arm een nek kan breken, die sterk genoeg was om van Thresh te winnen, die het van het begin af aan al op mij gemunt heeft. Hij heeft waarschijnlijk al een hekel aan me vanaf het moment dat ik een hogere score haalde bij de training. Een jongen als Peeta zou dat gewoon naast zich neerleggen, maar ik heb het gevoel dat het bij Cato het bloed onder de nagels vandaan heeft gehaald. Wat niet zo moeilijk is, als ik aan zijn bespottelijke reactie denk toen de voorraden waren opgeblazen. De anderen waren natuurlijk ook van slag, maar hij ging helemaal door het lint. Ik vraag me af of Cato geestelijk wel helemaal in orde is.

De hemel licht op door het embleem, en ik kijk hoe Vossensnuit opgloeit en dan voor altijd uit de wereld verdwijnt. Hij heeft het niet gezegd, maar volgens mij is Peeta niet blij dat hij haar heeft gedood, ook al was het noodzakelijk en per ongeluk. Ik kan niet zeggen dat ik haar zal missen, maar ik heb wel bewondering voor haar. Ik durf te wedden dat zij de slimste van alle tributen was gebleken als ze ons daar een soort test voor hadden afgenomen. Als we haar echt in de val hadden willen lokken, had ze dat vast aangevoeld en dan had ze de bessen laten liggen. Het is juist Peeta's onwetendheid die haar fataal is geworden. Ik ben zo druk geweest met het niet onderschatten van mijn tegenstanders dat ik ben vergeten dat het net zo gevaarlijk is om ze te óverschatten.

Dat brengt me weer op Cato. Maar waar ik het idee heb dat ik Vossensnuit wel enigszins begreep, wie ze was en hoe ze te werk ging, is hij ongrijpbaarder. Sterk, goed getraind, maar slim? Ik weet het niet. Niet zoals zij. En het ontbreekt hem hoe dan ook aan de zelfbeheersing die Vossensnuit tentoonspreidde. Volgens mij kan Cato makkelijk zijn beoordelingsvermogen verliezen tijdens een woedeaanval. Niet dat ik mezelf daarvoor op de borst kan kloppen. Ik denk aan het moment waarop ik de pijl door de appel in de bek van het varken schoot toen ik zo kwaad was. Misschien begrijp ik Cato wel beter dan ik denk.

Ondanks mijn vermoeide lichaam is mijn geest wakker, dus ik laat Peeta veel langer slapen dan het tijdstip waarop we normaal gesproken wisselen. De lichtgrijze dag is zelfs al aangebroken als ik aan zijn schouder schud. Hij kijkt bijna paniekerig naar buiten. 'Ik heb de hele nacht geslapen. Dat is niet eerlijk, Katniss, je had me wakker moeten maken.'

Ik rek me uit en kruip diep in de slaapzak. 'Ik ga nu slapen. Maak me maar wakker als er iets interessants gebeurt.'

Blijkbaar gebeurt dat niet, want als ik mijn ogen opendoe schijnt de felle, hete middagzon door de rotsen. 'Nog nieuws van onze vriend?' vraag ik.

Peeta schudt zijn hoofd. 'Nee, hij houdt zich verontrustend gedeisd.'

'Hoe lang denk je dat we hebben voor de Spelmakers ons bij elkaar drijven?' vraag ik.

'Nou, Vossensnuit is bijna een dag geleden overleden, dus het publiek heeft tijd zat gehad om weddenschappen af te sluiten en verveeld te raken. Ik vermoed dat het elk moment kan gebeuren,' zegt Peeta.

'Ja, ik heb ook het gevoel dat het zover is,' zeg ik. Ik ga rechtop zitten en kijk naar het vredige uitzicht. 'Ik ben benieuwd hoe ze het gaan doen.'

Peeta zwijgt. Er valt ook niet echt een goed antwoord op te geven.

'Maar goed, tot het zover is, is het zonde om een jachtdag te verspillen. We kunnen nu beter zoveel eten als we op kunnen, voor het geval we in de problemen komen,' zeg ik.

Peeta pakt onze spullen in terwijl ik een enorme maaltijd uitstal. De rest van de konijnen, wortels, planten, de broodjes met de laatste geitenkaas erop. Het enige wat ik nog bewaar is de eekhoorn en de appel.

Als we klaar zijn, is er alleen nog een hoopje konijnenbotten over. Mijn handen zijn vettig, waardoor ik me alleen nog maar viezer voel. We gaan dan misschien niet elke dag in bad in de Laag, maar we houden onszelf schoner dan ik de laatste tijd heb gedaan. Op mijn voeten na, die in de beek hebben gewandeld, zit ik helemaal onder het vuil.

Het heeft iets definitiefs als we bij de grot weggaan. Om de een of andere reden denk ik niet dat we hier nog een nacht zullen doorbrengen. Linksom of rechtsom, dood of levend, maar vandaag zal ik de arena volgens mij hoe dan ook zal verlaten. Ik geef de rotsen een afscheidsklopje en we lopen naar de stroom om ons te wassen. Mijn huid jeukt om het koele water te voelen. Misschien was ik ook mijn haar wel even, dan vlecht ik het nat weer naar achteren. Ik vraag me af of we misschien zelfs onze kleren even kunnen uitspoelen, als we bij de beek aankomen. Of liever gezegd, bij wat vroeger de beek was. Nu is er alleen nog een kurkdroge bedding. Ik voel eraan met mijn hand.

'Zelfs niet een beetje vochtig. Ze moeten hem leeggezogen hebben toen wij lagen te slapen,' zeg ik. De angst voor de gebarsten tong, het pijnlijke lichaam en het wazige hoofd van mijn vorige uitdroging kruipt naar boven. Onze flessen en waterzak zitten nog redelijk vol, maar met twee personen en deze hete zon zullen die snel leegraken.

'Het meer,' zegt Peeta. 'Daar willen ze ons naartoe hebben.'

'Misschien zit er nog iets in de poeltjes,' zeg ik hoopvol.

'We kunnen gaan kijken,' zegt hij, maar alleen om mij een plezier te doen. Ik houd mezelf voor de gek, want ik weet wat ik zal aantreffen als we weer bij de vijver zijn waar ik mijn verbrande been in gedompeld heb. Een stoffig, gapend gat. Maar we gaan er toch naartoe, alleen om te bevestigen wat we al weten.

'Je hebt gelijk. Ze drijven ons naar het meer,' zeg ik. Waar geen beschutting is. Waar ze zeker zijn van een bloederig gevecht op leven en dood zonder dat hun zicht wordt belemmerd. 'Wil je er meteen heen of wachten tot het water op is?'

'Laten we nu maar gaan, nu we gegeten hebben en uitgerust zijn. Dan hebben we het maar gehad,' zegt hij.

Ik knik. Typisch – ik heb bijna het gevoel alsof dit weer de eerste dag van de Spelen is. Dat ik weer op dezelfde plek sta. Er zijn eenentwintig tributen dood, maar ik heb nog steeds Cato niet vermoord. En was hij eigenlijk niet al die tijd mijn echte vijand? Het lijkt nu alsof de andere tributen maar onbeduidende obstakels waren, om ons af te leiden, ons van het ware gevecht van de Spelen af te houden. Het gevecht tussen Cato en mij.

Maar nee, de jongen die naast me staat te wachten is er ook nog. Ik voel hoe hij zijn armen om me heen slaat.

'Twee tegen één. Moet een makkie worden,' zegt hij.

'Onze volgende maaltijd is in het Capitool,' antwoord ik.

'Zeker weten,' zegt hij.

Zo blijven we een tijdje staan, verstrengeld in een omhelzing; we voelen elkaar, het zonlicht, de ritselende bladeren onder onze voeten. Dan laten we elkaar zonder iets te zeggen los en gaan op weg naar het meer.

Het kan me nu niet meer schelen dat de knaagdieren wegschieten en de vogels opfladderen door Peeta's voetstappen. We moeten met Cato vechten en ik doe het net zo lief hier als op de vlakte. Maar ik denk niet dat ik een keuze heb. Als de Spelmakers ons op open terrein willen hebben, dan zal het op open terrein gebeuren.

We rusten even uit onder de boom waar ik door de Beroeps in was gejaagd. Het omhulsel van het bloedzoekersnest, tot moes geslagen door de zware regenval en toen weer opgedroogd in de hete zon, bevestigt dat het echt hier was. Ik por er met de punt van mijn laars tegenaan en het valt tot stof uit elkaar, dat snel door de wind wordt meegevoerd. Onwillekeurig kijk ik omhoog naar de boom waar Rue zo stilletjes verstopt zat te wachten om mijn leven te redden. Bloedzoekers. Het opgezwollen lichaam van Glinster. De afschuwelijke hallucinaties...

'Kom, we gaan,' zeg ik, want ik wil weg van de schaduwen die deze plek omringen. Peeta protesteert niet.

Omdat we zo laat op pad zijn gegaan, is het al vroeg in de avond als we bij de vlakte aankomen. Cato is nergens te zien. Er is helemaal niets te zien, behalve de gouden Hoorn des Overvloeds die in de schuine zonnestralen ligt te glanzen. Voor het geval Cato ons in de Vossensnuitval wil lokken, lopen we eerst om de Hoorn heen om te controleren of hij leeg is. Dan lopen we gehoorzaam, alsof het zo hoort, naar het meer om onze waterflessen te vullen.

Ik frons mijn wenkbrauwen tegen de ondergaande zon. 'Ik wil niet in het donker met hem vechten. We hebben maar één bril.'

Peeta knijpt zorgvuldig een paar druppels jodium in zijn water. 'Misschien wacht hij daar juist wel op. Wat wil je doen? Terug naar de grot?'

'Terug, of een boom zoeken. Laten we zeggen dat we hem nog een halfuurtje geven. Daarna zoeken we een schuilplek,' antwoord ik.

We gaan in het volle zicht bij het meer zitten. Het heeft geen zin om ons te verstoppen. In de bomen aan de rand van de vlakte zie ik spotgaaien rondvliegen, terwijl ze hun wijsjes als felgekleurde ballen heen en weer kaatsen. Ik doe mijn mond open en zing het viertonige deuntje van Rue. Ik voel hoe ze nieuwsgierig even stil zijn door het geluid van mijn stem en luisteren of er meer komt. In de stilte herhaal ik de noten. Dan kwinkeleert eerst één, en vervolgens een tweede spotgaai de melodie terug. En dan is opeens het hele bos gevuld met het geluid.

'Net je vader,' zegt Peeta.

Mijn vingers zoeken de speld op mijn shirt. 'Dat is Rues liedje,' zeg ik. 'Volgens mij kennen ze het nog.'

De muziek zwelt aan en ik hoor hoe prachtig het klinkt. De tonen overlappen elkaar, vullen elkaar aan en vormen een schitterende, hemelse harmonie. Dus het was dit geluid dat de boomgaardplukkers van District 11 dankzij Rue elke avond naar huis stuurde. Fluit iemand anders het nu aan het eind van de werkdag, vraag ik me af, nu zij dood is?

Heel even doe ik mijn ogen dicht en luister, gehypnotiseerd door de schoonheid van het lied. Dan begint iets de muziek te verstoren. Loopjes worden slordig afgebroken. Er klinken onzuivere noten door in de melodie. Het geluid van de spotgaaien schiet omhoog tot een schrille kreet van paniek.

We staan overeind, Peeta zwaaiend met zijn mes, ik klaar om te schieten, en dan komt Cato door de bomen aanrennen en stormt over de vlakte. Hij heeft geen speer bij zich. Hij heeft zelfs helemaal niets bij zich, en toch komt hij recht op ons af. Mijn eerste pijl raakt zijn borst en valt dan op onverklaarbare wijze opzij.

'Hij heeft een soort bescherming aan!' roep ik tegen Peeta.

En net op tijd, want Cato heeft ons bereikt. Ik zet mezelf schrap, maar hij holt zo tussen ons door zonder een poging te doen om af te remmen. Ik merk aan zijn gehijg en het zweet dat van zijn paarsige gezicht druipt dat hij al een hele tijd heel hard aan het lopen is. Niet naar ons toe. Bij iets vandaan. Maar bij wat?

Mijn ogen glijden net op tijd langs het bos om het eerste beest de vlakte op te zien springen. Terwijl ik me omdraai zie ik er nog een stuk of zes achteraan komen. En dan struikel ik blindelings achter Cato aan, terwijl ik aan niets anders kan denken dan dat ik mezelf moet redden.

hoofdstuk 25

Mutilanten. Geen twijfel mogelijk. Ik heb deze soort nog nooit gezien, maar deze dieren zijn niet zo geboren. Ze lijken op enorme wolven, maar welke wolf landt en balanceert vervolgens met gemak op zijn achterpoten? Welke wolf gebaart de rest van de roedel met zijn voorpoot naar voren te lopen alsof hij een polsgewricht heeft? En dat zie ik van een afstand. Ik weet zeker dat we van dichtbij nog veel angstaanjagender kenmerken zullen ontdekken.

Cato is recht op de Hoorn des Overvloeds af gestormd, en ik loop zonder enige aarzeling achter hem aan. Als hij denkt dat dat de veiligste plek is, waarom zou ik daar dan aan twijfelen? En trouwens, zelfs als ik de bomen zou halen, dan zou Peeta de mutilanten met dat been nooit kunnen ontlopen – Peeta! Mijn handen liggen net op het metaal van het gekrulde uiteinde van de Hoorn als ik me opeens weer herinner dat ik in een team zit. Hij is ongeveer vijftien meter achter me en hobbelt zo hard hij kan, maar de beesten komen snel dichterbij. Ik schiet een pijl de roedel in en er valt er één neer, maar er zijn er genoeg om zijn plek in te nemen.

Peeta gebaart dat ik de Hoorn op moet klimmen. 'Erop, Katniss! Ga er nou op!'

Hij heeft gelijk. Op de grond kan ik ons geen van beiden beschermen. Ik begin te klimmen en klauter met handen en voeten omhoog langs de Hoorn. De zuiver gouden oppervlakte is zo ontworpen dat hij op de geweven hoorn lijkt die we bij het oogsten altijd vullen, dus er zijn kleine richeltjes en randjes om je aan vast te grijpen. Maar na een dag in de arenazon is de metalen buitenkant zo heet geworden dat het voelt alsof de blaren op mijn handen springen.

Cato ligt op zijn zij helemaal boven op de Hoorn, zes meter boven de grond, en hapt naar adem terwijl hij over de rand kokhalst. Dit is mijn kans om hem af te maken. Ik stop halverwege de Hoorn en leg een nieuwe pijl aan, maar net als ik hem weg wil schieten hoor ik Peeta schreeuwen. Ik draai me om en zie dat hij net bij de krul is, en de mutilanten zitten hem op de hielen.

'Klimmen!' gil ik. Peeta klautert omhoog, niet alleen gehinderd door zijn been maar ook door het mes in zijn hand. Ik schiet mijn pijl door de keel van de eerste mutilant die zijn poten op het metaal legt. In zijn doodsstrijd haalt het dier een paar keer uit en verwondt zo onopzettelijk een aantal van zijn metgezellen. Nu zie ik de klauwen pas goed. Tien centimeter lang en vlijmscherp.

Peeta is bij mijn voeten en ik grijp zijn arm vast om hem verder omhoog te trekken. Dan bedenk ik me weer dat Cato bovenaan ligt te wachten en ik draai me bliksemsnel om, maar hij ligt dubbelgeklapt van de kramp en is schijnbaar meer met de mutilanten bezig dan met ons. Hij hoest iets onverstaanbaars. Het snuivende, grommende geluid dat de beesten maken helpt ook niet echt.

'Wat?' schreeuw ik naar hem.

'Hij vroeg: "Kunnen ze erop klimmen?"' antwoordt Peeta, en mijn aandacht wordt weer naar de onderkant van de Hoorn getrokken.

De mutilanten beginnen zich te verzamelen. Als ze bij elkaar komen, gaan ze opnieuw zonder moeite op hun achterpoten staan, waardoor ze er griezelig menselijk uitzien. De dikke vacht die ze allemaal hebben is bij sommige steil en glad, bij andere krullend, en de kleuren variëren van pikzwart tot blond. Er is nog iets anders met ze, iets waardoor mijn nekharen rechtovereind gaan staan, maar ik kan niet benoemen wat het precies is.

Ze leggen hun koppen op de Hoorn, snuiven en likken aan het metaal, schrapen met hun klauwen over de oppervlakte en maken dan hoge, keffende geluiden naar elkaar. Dat moet hun manier van communiceren zijn, want de roedel deinst achteruit alsof ze ruimte willen maken. Dan neemt een van hen, een groot beest met een zijdeachtige, golvende blonde vacht, een aanloop en springt op de Hoorn. Zijn achterpoten moeten verschrikkelijk sterk zijn, want hij komt met opgetrokken, grauwende roze lippen nog geen drie meter onder ons neer. Daar blijft hij even hangen, en op dat moment besef ik wat er zo verontrustend is aan de mutilanten. De groene ogen die me woedend aankijken lijken in niets op die van welke hond of wolf dan ook. Het zijn onmiskenbaar mensenogen. En dat idee is nog maar nauwelijks tot me doorgedrongen als ik de halsband zie waar met juwelen het cijfer 1 is ingelegd, en dan wordt het me allemaal gruwelijk duidelijk. Het blonde haar, de groene ogen, het cijfer... het is Glinster.

Er ontsnapt een gil uit mijn mond en ik heb moeite om de pijl op zijn plek te houden. Ik heb gewacht met schieten, want ik ben me maar al te goed bewust van mijn slinkende voorraad pijlen. Ik heb gewacht om te zien of de beesten inderdaad konden klimmen. Maar nu, ook al glijdt het beest langzaam weer naar beneden omdat het geen grip op het metaal kan krijgen, ook al hoor ik het schrille geluid van de klauwen, als nagels die over een schoolbord krassen, nu schiet ik de pijl in zijn keel. Zijn lijf kronkelt en valt met een bons op de grond.

'Katniss?' Ik voel dat Peeta mijn arm beetpakt.

'Zij was het!' wring ik eruit.

'Wie?' vraagt Peeta.

Mijn hoofd schiet van links naar rechts terwijl ik de roedel bekijk en alle verschillende groottes en kleuren in me opneem. Die kleine met de rode vacht en gele ogen... Vossensnuit! En daar, het asblonde haar en de hazelnootbruine ogen van de jongen uit District 9 die stierf terwijl we om de rugzak vochten! En het allerergste, de kleinste mutilant, met een donkere, glanzende vacht, enorme bruine ogen en een halsband waar met gevlochten stro een 11 op staat. De tanden vol haat ontbloot. Rue...

'Wat is er, Katniss?' Peeta schudt me aan mijn schouder heen en weer.

'Zij zijn het. Allemaal. De anderen. Rue en Vossensnuit en...
alle andere tributen,' stoot ik uit.

Ik hoor Peeta naar adem snakken als hij het ziet. 'Wat hebben
ze met ze gedaan? Je denkt toch niet... Zouden dat hun echte ogen
zijn?'

Over hun ogen maak ik me nog wel de minste zorgen. Wat
te denken van hun hersenen? Hebben ze de herinneringen van de
echte tributen gekregen? Zijn ze geprogrammeerd om onze gezichten het ergst te haten omdat wij het overleefd hebben en zij zo
meedogenloos afgeslacht zijn? En de tributen die wij zelf vermoord
hebben... willen die nu wraak nemen voor hun eigen dood?

Voor ik dat kan zeggen, beginnen de mutilanten met een nieuwe aanval op de Hoorn. Ze hebben zich aan de zijkanten van de
Hoorn in twee groepen verdeeld en gebruiken die verschrikkelijk
sterke poten om naar ons toe te springen. Er klapt een stel tanden
dicht op slechts een paar centimeter van mijn hand en dan hoor ik
Peeta schreeuwen, ik voel hoe er aan zijn lijf wordt gerukt, hoe het
zware gewicht van Peeta en de mutilant me over de rand trekt. Als
hij me niet bij mijn arm had gehad, had hij nu op de grond gelegen, maar ik heb al mijn kracht nodig om ons allebei op de ronde
bovenkant van de Hoorn te houden. En er komen er nog meer aan.

'Maak hem af, Peeta! Maak hem af!' roep ik, en hoewel ik niet
goed kan zien wat er gebeurt weet ik dat hij het ding gestoken moet
hebben, want de trekkracht neemt af. Het lukt me om hem terug
op de Hoorn te hijsen en dan slepen we ons verder omhoog, waar
het minste van twee kwaden op ons wacht.

Cato staat nog steeds niet overeind, maar hij ademt al lang-
zamer en ik weet dat het niet lang meer zal duren voor hij genoeg
hersteld is om ons aan te vallen, om ons over de rand naar onze
dood te smijten. Ik leg een pijl op mijn boog, maar die belandt
vervolgens in een mutilant die niemand anders dan Thresh kan
zijn. Wie zou er anders zo hoog kunnen springen? Heel even voel
ik opluchting, want we lijken nu eindelijk buiten het bereik van de

mutilanten te zijn. Ik draai me net om naar Cato als Peeta bij me vandaan wordt gerukt. Ik ben ervan overtuigd dat de roedel hem toch nog te pakken heeft gekregen, maar dan spat zijn bloed op mijn gezicht.

Cato staat voor me, bijna op de rand van de Hoorn, en houdt Peeta in een soort houdgreep die zijn adem afsnijdt. Peeta klauwt naar Cato's arm, maar zwakjes, alsof hij niet goed weet of het belangrijker is om adem te halen of om te proberen met zijn hand het bloeden in zijn kuit te stelpen, waar een mutilant een gapend gat in heeft gemaakt.

Ik richt een van mijn laatste twee pijlen op Cato's hoofd in de wetenschap dat ze geen effect zullen hebben op zijn romp of ledematen, die, zoals ik nu zie, bedekt zijn met een soort strak, vleeskleurig gaas. Een of andere ultramoderne lichaamsbescherming uit het Capitool. Zat dat in zijn rugzak bij het feestmaal? Een pak om hem tegen mijn pijlen te beschermen? Nou, ze zijn mooi vergeten hem een masker te sturen.

Cato lacht alleen maar. 'Als je me neerschiet gaat hij met me mee.'

Hij heeft gelijk. Als ik hem uitschakel en hij tussen de mutilanten valt, gaat Peeta zeker weten ook dood. Een patstelling. Ik kan Cato niet neerschieten zonder Peeta ook te doden. Hij kan Peeta niet doden zonder een pijl in zijn hoofd te krijgen. We blijven roerloos staan, terwijl we allebei een uitweg proberen te bedenken.

Mijn spieren zijn zo strakgespannen dat het voelt alsof ze elk moment kunnen knappen. Mijn kiezen breken bijna, zo hard klem ik ze op elkaar. De mutilanten worden stil en het enige wat ik nog hoor is het bonzende bloed in mijn goede oor.

Peeta's lippen worden blauw. Als ik niet snel iets doe zal hij stikken, en dan ben ik hem kwijt en zal Cato waarschijnlijk zijn lijk gebruiken om mij af te weren. Ik weet zelfs wel zeker dat hij dat van plan is, want hoewel hij niet meer hardop staat te lachen, ligt er een triomfantelijke grijns om zijn lippen.

Als een soort laatste wanhoopspoging kruipen Peeta's vingers, druipend van het bloed van zijn been, omhoog naar Cato's arm. Hij probeert zich niet los te wringen; zijn wijsvinger schiet juist de andere kant op en tekent een doelbewuste X op de rug van Cato's hand. Cato beseft één seconde later dan ik wat hij daarmee bedoelt – ik zie het aan de manier waarop zijn mondhoeken naar beneden trekken. Maar het is één seconde te laat, want op dat moment doorboort de pijl zijn hand al. Hij schreeuwt het uit en laat Peeta in een reflex los, die hem met zijn rug hard naar achteren duwt. Eén verschrikkelijk ogenblik denk ik dat ze allebei over de rand vallen. Ik maak een snoekduik en krijg Peeta nog net te pakken op het moment dat Cato uitglijdt op de bebloede, glibberige Hoorn en naar beneden stort.

We horen hoe hij de grond raakt en door de smak de lucht uit zijn longen blaast, en dan hoe de mutilanten hem aanvallen. Peeta en ik houden elkaar vast en wachten op het kanon, op het eind van de wedstrijd, op onze vrijlating. Maar het gebeurt niet. Nog niet. Want dit is het hoogtepunt van de Hongerspelen, en het publiek verwacht een spektakel.

Ik kijk niet, maar ik hoor het gegrom, het gegrauw, het gejank van pijn van zowel mens als beest terwijl Cato met de roedel vecht. Ik snap niet hoe hij nog steeds in leven kan zijn, tot ik bedenk dat hij van zijn nek tot zijn enkels een beschermend pak aanheeft en ik besef dat dit nog wel eens een lange nacht zou kunnen gaan worden. Cato heeft blijkbaar ook een mes of een zwaard of zoiets, iets wat hij tussen zijn kleren had verstopt, want af en toe horen we de doodskreet van een mutilant of het geluid van metaal op metaal als het lemmet over de gouden Hoorn schraapt. De strijd verplaatst zich langs de Hoorn en ik weet dat Cato de enige tactiek probeert die zijn leven zou kunnen redden – om terug te komen bij het uiteinde van de Hoorn en weer naar ons toe te klimmen. Maar uiteindelijk zijn ze, ondanks zijn enorme kracht en vechtkunsten, simpelweg te sterk voor hem.

Ik weet niet hoe lang dit zo doorgaat, misschien een uur of zo, maar dan valt Cato op de grond en horen we hoe de mutilanten hem meeslepen, terug de Hoorn des Overvloeds in. *Dan maken ze hem nu af,* denk ik. Maar nog steeds klinkt er geen kanonschot.

Het wordt nacht en het volkslied wordt gespeeld en er is geen foto van Cato in de lucht, we horen alleen het zwakke gekreun dat van onder ons door het metaal komt. De ijzige wind die over de vlakte waait helpt me eraan herinneren dat de Spelen nog niet voorbij zijn en dat ze nog wel ik weet niet hoe lang kunnen duren, en dat we nog steeds niet zeker zijn van de overwinning.

Ik richt mijn aandacht op Peeta en ontdek dat zijn been nog heviger bloedt dan eerst. Al onze voorraden en onze rugzakken liggen nog bij het meer waar we ze achtergelaten hebben toen we op de vlucht sloegen voor de mutilanten. Ik heb geen verband, niets om het bloed dat uit zijn kuit gutst mee te stelpen. Hoewel ik zit te bibberen in de bijtende kou ruk ik mijn jas uit, trek mijn shirt over mijn hoofd en doe dan de jas zo snel mogelijk weer aan. Ik ben maar heel even halfnaakt, maar het is genoeg om mijn tanden ongecontroleerd te laten klapperen.

Peeta's gezicht ziet er grijs uit in het bleke maanlicht. Ik zeg dat hij moet gaan liggen en onderzoek dan zijn wond. Warm, glibberig bloed stroomt over mijn vingers. Een verband zal niet genoeg zijn. Ik heb mijn moeder een paar keer een knelverband zien aanleggen en probeer haar na te doen. Ik snijd een mouw van mijn shirt, sla die twee keer om zijn been, net onder zijn knie, en leg er een halve knoop in. Ik heb geen stok, dus ik pak mijn laatste pijl, stop die in de knoop en draai de stof dan zo strak aan als ik durf. Het is een gewaagde onderneming – Peeta zou uiteindelijk zijn been kunnen verliezen – maar de andere optie is dat hij zijn leven verliest, en dan heb ik toch geen keus? Ik verbind de wond met de rest van mijn shirt en ga naast hem liggen.

'Niet in slaap vallen,' zeg ik tegen hem. Ik weet niet zeker of dat wel helemaal volgens het medisch protocol is, maar ik ben doodsbang dat hij wegzakt en niet meer wakker wordt.

'Heb je het niet koud?' vraagt hij. Hij ritst zijn jas open en ik druk me tegen hem aan terwijl hij hem achter me weer vastmaakt. Het is iets beter met de warmte van onze twee lichamen in de dubbele laag jassen, maar de nacht is nog jong. De temperatuur zal alleen nog maar zakken. Ik voel nu al hoe de Hoorn des Overvloeds, die zo gloeiend heet was toen ik er in eerste instantie op klom, langzaam in ijs verandert.

'Cato zou nog zomaar kunnen winnen,' fluister ik tegen Peeta.

'Dat mag je niet denken,' zegt hij, terwijl hij mijn capuchon over mijn hoofd trekt, maar hij rilt nog erger dan ik.

De uren daarna zijn de ergste van mijn leven, en dat zegt nogal wat, als je erover nadenkt. De kou is al een marteling op zich, maar het is pas echt een nachtmerrie om naar Cato te moeten luisteren, die kreunt, smeekt en uiteindelijk alleen nog maar zachtjes jammert terwijl de mutilanten zich aan hem tegoed doen. Al heel snel kan het me niet meer schelen wie hij is of wat hij heeft gedaan, ik wil alleen nog maar dat hij uit zijn lijden wordt verlost.

'Waarom maken ze hem niet gewoon dood?' vraag ik aan Peeta.

'Dat weet je wel,' zegt hij, en hij trekt me dichter tegen zich aan.

En dat weet ik ook. Geen enkele kijker zal zich nu nog kunnen afwenden. In de ogen van de Spelmakers is dit het toppunt van vermaak.

Het gaat maar door en door en door en uiteindelijk vult het mijn hele hoofd, het drukt al mijn herinneringen en hoop voor de toekomst weg, wist alles uit behalve het hier en nu, en ik begin te geloven dat het altijd zo zal blijven. Er zal nooit meer iets anders zijn dan kou en angst en de wanhoopskreten van de jongen die doodgaat in de Hoorn.

Peeta dommelt langzaam in en elke keer als dat gebeurt, merk ik dat ik steeds harder zijn naam schreeuw, want als hij me nu in de steek laat en doodgaat weet ik dat ik volslagen krankzinnig zal worden. Hij vecht ertegen, waarschijnlijk meer voor mij dan voor hem, en ik vind het heel erg, want door te slapen zou hij hier heel even aan kunnen ontsnappen. Maar met de adrenaline die door mijn lijf giert zou ik nooit hetzelfde kunnen doen, dus ik kan hem niet laten gaan. Ik kan het gewoon niet.

Het enige bewijs dat de tijd verstrijkt is in de hemel te vinden, in de subtiele verschuiving van de maan. Dus begint Peeta me die aan te wijzen, zodat ik wel móét zien dat het echt later wordt, en soms voel ik heel even een sprankje hoop voor de marteling van de nacht me weer onderdompelt.

Eindelijk hoor ik hem fluisteren dat de zon opkomt. Ik doe mijn ogen open en zie dat de sterren vervagen in het schemerende ochtendlicht. Ik zie ook hoe lijkbleek Peeta's gezicht is geworden. Hoe weinig tijd hij nog heeft. En ik weet dat ik hem terug naar het Capitool moet zien te krijgen.

Maar er is nog steeds geen kanon afgegaan. Ik druk mijn goede oor tegen de Hoorn en hoor heel zachtjes Cato's stem.

'Volgens mij is hij nu dichterbij. Katniss, kun je hem neerschieten?' vraagt Peeta.

Als hij vlak bij de opening ligt, kan ik hem misschien raken. Op dit moment zou het een daad van barmhartigheid zijn.

'Mijn laatste pijl zit in jouw verband,' zeg ik.

'Gebruik hem goed,' zegt Peeta, terwijl hij zijn jas openritst zodat ik eruit kan.

Ik haal de pijl eruit en trek het verband zo strak als mijn bevroren vingers kunnen weer aan. Ik wrijf in mijn handen en probeer mijn bloedsomloop weer op gang te krijgen. Als ik naar de rand van de Hoorn kruip en eroverheen ga hangen, voel ik dat Peeta's handen me beetpakken ter ondersteuning.

Het duurt even voor ik Cato gevonden heb in het halfduister, in al het bloed. Dan maakt de rauwe homp vlees die ooit mijn vijand was een geluid en weet ik waar zijn mond zit. En volgens mij is het woord dat hij probeert te zeggen *alsjeblieft*.

Uit medelijden, niet uit wraak, vliegt mijn pijl zijn schedel in. Peeta trekt me weer omhoog, mijn boog in mijn hand, de koker leeg.

'Gelukt?' fluistert hij.

Het kanon gaat af ter bevestiging.

'Dan hebben we gewonnen, Katniss,' zegt hij hol.

'Hoera voor ons,' stoot ik uit, maar er klinkt geen vreugde of overwinningsroes door in mijn stem.

Op de vlakte verschijnt een gat in de grond en de overgebleven mutilanten springen erin alsof ze een teken hebben gekregen. Daarna sluit de aarde zich weer boven hen.

We wachten, op de hovercraft die Cato's overblijfselen zal meenemen, op het triomfantelijke trompetgeschal dat daarna zou moeten komen, maar er gebeurt niets.

'Hé!' schreeuw ik naar de lucht. 'Wat is er aan de hand?' Het enige antwoord is het gekwetter van de vogels die wakker worden.

'Misschien komt het door het lijk. Misschien mogen we daar niet zo dicht bij in de buurt zijn,' zegt Peeta.

Ik probeer na te denken. Moet je weglopen bij de dode tribuut die als laatste gestorven is? Mijn hoofd is te wazig om het zeker te weten, maar wat zou anders de reden voor deze vertraging kunnen zijn?

'Oké dan. Denk je dat je het meer haalt?' vraag ik.

'Laat ik het maar proberen, hè?' zegt Peeta. We schuiven naar het uiteinde van de Hoorn en vallen op de grond. Als míjn ledematen al zo verschrikkelijk stijf zijn, hoe kan Peeta zich dan bewegen? Ik sta als eerste op en zwaai en buig mijn armen en benen tot ik denk dat ik hem wel overeind kan helpen. Op de een of andere manier weten we bij het meer te komen. Ik schep een handvol van het koude water op voor Peeta en breng de volgende naar mijn eigen lippen.

Een spotgaai laat de lange, lage fluittoon horen en er komen tranen van opluchting in mijn ogen als de hovercraft verschijnt die Cato's lichaam meeneemt. Nu komen ze ons halen. Nu mogen we naar huis.

Maar opnieuw gebeurt er niets.

'Waar wachten ze op?' vraagt Peeta zwakjes. Door het verlies van zijn knelverband en de inspanning om bij het meer te komen is zijn wond weer opengegaan.

'Ik weet het niet,' zeg ik. Wat dit oponthoud ook veroorzaakt, ik kan het niet aanzien dat hij nog meer bloed verliest. Ik sta op om een stok te zoeken, maar kom bijna meteen de pijl tegen die op Cato's beschermingspak is afgeketst. Die kan prima als vervanging van de andere pijl dienen. Als ik me buk om hem op te rapen, galmt de stem van Claudius Templesmith door de arena.

'Beste finalisten van de vierenzeventigste Hongerspelen. De eerdere wijziging is ingetrokken. Bij nadere bestudering van de spelregels is gebleken dat er slechts één winnaar is toegestaan,' zegt hij. 'Succes, en mogen de kansen immer in je voordeel zijn.'

Er klinkt een kort geruis en dan niets meer. Ik staar Peeta ongelovig aan, terwijl de waarheid tot me doordringt. Ze zijn nooit van plan geweest ons allebei te laten leven. Dit is allemaal bekokstoofd door de Spelmakers om de meest dramatische ontknoping in de geschiedenis van de Spelen te kunnen uitzenden. En ik ben er met open ogen ingestonken.

'Het lag eigenlijk heel erg voor de hand, als je erover nadenkt,' zegt hij zacht. Ik kijk hoe hij moeizaam overeind krabbelt. Dan komt hij naar me toe, bijna in slowmotion, zijn hand trekt het mes uit zijn riem...

Voor ik me zelfs maar bewust ben van wat ik doe, is mijn boog geladen en de pijl recht op zijn hart gericht. Peeta trekt zijn wenkbrauwen op en ik zie dat het mes zijn hand al heeft verlaten en onderweg is naar het meer waar het met een plons in het water terechtkomt. Ik laat mijn wapens vallen en doe een stap achteruit; mijn gezicht gloeit van wat alleen maar schaamte kan zijn.

'Nee,' zegt hij. 'Doe het maar.' Peeta hinkt naar me toe en duwt de boog weer in mijn handen.

'Ik kan het niet,' zeg ik. 'Ik doe het niet.'

'Doe het. Voor ze de mutilanten terugsturen of zoiets. Ik wil niet sterven als Cato,' zegt hij.

'Schiet jij mij maar neer,' zeg ik woedend, terwijl ik hem de wapens weer teruggeef. 'Schiet mij maar neer, dan mag jij daar thuis mee proberen te leven!' Terwijl ik het zeg, weet ik dat het makkelijker zal zijn om nu meteen hier dood te gaan.

'Je weet dat ik dat niet kan,' zegt Peeta en hij gooit de pijl en boog opzij. 'Goed, ik ga toch wel eerst dood.' Hij bukt zich en trekt het verband van zijn been, waardoor zijn bloed ongehinderd naar de aarde kan stromen.

'Nee, je mag geen zelfmoord plegen!' zeg ik. Ik zak door mijn knieën en begin wanhopig het verband weer tegen de wond plakken.

'Katniss,' zegt hij. 'Dat wil ik.'

'Je laat me hier niet alleen,' zeg ik. Want als hij doodgaat, zal ik nooit echt naar huis gaan. Ik zal de rest van mijn leven in deze arena doorbrengen en proberen een uitweg te bedenken.

'Luister eens,' zegt hij, terwijl hij me overeind trekt. 'We weten allebei dat ze een winnaar nodig hebben. Het kan maar een van ons zijn. Alsjeblieft, jij moet het worden. Voor mij.' En hij gaat maar door over dat hij van me houdt en hoe zijn leven zou zijn zonder mij, maar ik luister niet meer omdat zijn eerdere woorden vastzitten in mijn hoofd en daar als een dolle tekeergaan.

We weten allebei dat ze een winnaar nodig hebben.

Ja, ze hebben een winnaar nodig. Zonder winnaar zouden de Spelmakers verschrikkelijk voor schut staan. Ze zouden ten overstaan van het hele Capitool tekortschieten. Misschien worden ze wel ter dood veroordeeld, langzaam en pijnlijk terwijl de camera's het op alle schermen van het land laten zien.

Als Peeta en ik allebei zouden sterven, of als ze zouden denken dat dat zo was...

Mijn vingers prutsen aan het zakje aan mijn riem, trekken het los. Peeta ziet het en klemt zijn hand om mijn pols. 'Nee, ik wil niet dat je dat doet.'

'Vertrouw me,' fluister ik. Hij houdt mijn blik een lang ogenblik vast en laat me dan los. Ik trek de bovenkant van het zakje open en schud een laag bessen in zijn handpalm. Dan vul ik mijn eigen hand. 'Op drie?'

Peeta buigt zich voorover en kust me kort en zacht. 'Op drie,' zegt hij.

We gaan staan, met onze ruggen tegen elkaar aan geduwd en onze lege handen verstrengeld.

'Steek je hand uit. Ik wil dat iedereen het ziet,' zegt hij.

Ik spreid mijn vingers en de donkere bessen glanzen in de zon. Ik geef Peeta's hand een laatste kneepje als waarschuwing, als afscheid, en we beginnen te tellen. 'Eén.' Misschien vergis ik me. 'Twee.' Misschien kan het hun niets schelen als we allebei doodgaan. 'Drie!' Het is te laat om van gedachten te veranderen. Ik breng mijn hand naar mijn mond en werp nog één laatste blik op de wereld. De bessen zijn net langs mijn lippen gegaan als de trompetten beginnen te schetteren.

De paniekerige stem van Claudius Templesmith schreeuwt over de muziek heen. 'Stop! Stop! Dames en heren, met veel genoegen stel ik u voor aan de winnaars van de vierenzeventigste Hongerspelen: Katniss Everdeen en Peeta Mellark! Hier zijn... de tributen van District 12!'

hoofdstuk 26

Ik spuug de bessen uit en veeg mijn tong af met de rand van mijn shirt om er zeker van te zijn dat er geen sap op blijft zitten. Peeta trekt me mee naar het meer waar we allebei onze mond met water spoelen en elkaar dan in de armen vallen.

'Heb je niets doorgeslikt?' vraag ik hem.

Hij schudt zijn hoofd. 'Jij?'

'Dan zou ik nu denk ik wel dood zijn,' zeg ik. Ik zie zijn lippen bewegen terwijl hij antwoord geeft, maar ik kan hem niet verstaan door het oorverdovende gejuich van de mensen in het Capitool dat ze live door de luidsprekers laten horen.

Boven ons verschijnt de hovercraft en er vallen twee touwladders naar beneden, maar er is geen haar op mijn hoofd die eraan denkt om Peeta los te laten. Ik houd één arm om hem heen geslagen terwijl ik hem overeind help, en we zetten allebei een voet op de eerste sport van de ladder. We verstarren door de elektrische stroom en dit keer ben ik er blij om, want ik weet niet zeker of Peeta het wel lang genoeg vol kan houden. En omdat ik mijn ogen net had neergeslagen, zie ik dat niets het bloed ervan weerhoudt om uit Peeta's been te blijven gutsen, ook al kunnen onze spieren dan niet meer bewegen. En inderdaad, zodra de deur achter ons dichtgaat en de stroom weer wegvalt, zakt hij bewusteloos op de vloer in elkaar.

Mijn vingers hebben nog steeds de rug van zijn jas vast, zo stevig dat hij scheurt als ze hem meenemen en ik met een vuist vol stof achterblijf. In steriel wit geklede dokters staan met gezichtskapjes voor en handschoenen aan al klaar om te opereren en gaan meteen aan de slag. Peeta ligt verschrikkelijk bleek en stil op een zilverkleurige tafel terwijl er overal buisjes en draadjes uit hem steken, en heel even vergeet ik dat we niet meer in de Spelen zitten en zie ik de dokters simpelweg als een zoveelste bedreiging, een nieuwe roedel mutilanten die hem willen vermoorden. Doodsbang wil ik op hem af stormen maar ik word tegengehouden, naar een andere kamer geduwd en door een glazen deur van hem gescheiden. Ik bons op de deur en schreeuw de longen uit mijn lijf. Iedereen negeert me, behalve een of andere Capitoolbediende die opeens achter me staat en me een drankje aanbiedt.

Ik zak op de vloer met mijn gezicht tegen de deur en staar wezenloos naar het kristallen glas in mijn hand. Het is ijskoud, vol met sinaasappelsap waar een rietje met een wit frutselkraagje uit steekt. Wat misstaat dat in mijn gore, bloederige hand met littekens en zwarte nagels. De geur doet me watertanden, maar ik zet het behoedzaam op de grond – ik vertrouw geen dingen die zo schoon en mooi zijn.

Door het glas zie ik hoe de dokters koortsachtig met Peeta bezig zijn, er staan rimpels van concentratie in hun voorhoofd. Ik zie de vloeistoffen die door de buisjes worden gepompt, kijk naar een muur van wijzers en lampjes die me niets zeggen. Ik weet het niet zeker, maar volgens mij staat zijn hart tot twee keer toe stil.

Het is alsof ik weer thuis ben, als ze een door een mijn-explosie hopeloos verminkte arbeider binnenbrengen, of een vrouw wier bevalling al drie dagen duurt, of een uitgehongerd kind dat vecht tegen een longontsteking, en mijn moeder en Prim diezelfde uitdrukking op hun gezicht hebben. Dit is het moment om het bos in te vluchten, om me in de bomen te verbergen tot de patiënt er niet meer is en de hamers in een ander gedeelte van de Laag aan de doodskist timmeren. Maar ik word op mijn plek gehouden door de wanden van de hovercraft en dezelfde dwingende kracht die de dierbaren van de stervenden op hun plek houdt. Hoe vaak heb ik hen wel niet om de keukentafel zien zitten en gedacht: *waarom gaan ze niet weg? Waarom blijven ze kijken?*

En nu weet ik het. Omdat je geen keus hebt.

Ik schrik als ik iemand op nog geen paar centimeter afstand naar me zie staren, en besef dan dat het mijn eigen gezicht is dat door het glas weerspiegeld wordt. Wilde ogen, ingevallen wangen, mijn haar in een wirwar van klitten. Dierlijk. Woest. Krankzinnig. Geen wonder dat iedereen op veilige afstand blijft.

Voor ik het weet landen we op het dak van het Trainingscentrum en ze nemen Peeta mee, maar ik moet achter de deur blijven. Ik werp mezelf krijsend tegen het glas en volgens mij vang ik nog net een glimp op van roze haar – dat moet Effie zijn, Effie komt me redden – als iemand van achteren een naald in me steekt.

Als ik wakker word, durf ik me in eerste instantie niet te bewegen. Het hele plafond straalt een zachtgeel licht uit, waardoor ik kan zien dat ik in een kamer ben met daarin alleen het bed waarin ik lig. Geen zichtbare deuren of ramen. Het ruikt scherp naar ontsmettingsmiddel. Uit mijn rechterarm steken meerdere buisjes die tot in de muur achter me lopen. Ik ben naakt, maar de lakens voelen prettig aan tegen mijn huid. Voorzichtig til ik mijn linkerhand boven de deken. Hij is niet alleen vlekkeloos schoon geschrobd, de nagels zijn perfect ovaal gevijld en de littekens van de brandwonden zijn minder duidelijk. Ik voel aan mijn wang, mijn lippen, het rimpelige litteken boven mijn wenkbrauw en ik haal net mijn vingers door mijn zijdezachte haar als ik verstar. Behoedzaam woel ik door het haar naast mijn linkeroor. Nee, ik heb het me niet verbeeld. Ik kan weer horen.

Ik probeer rechtop te gaan zitten, maar door een soort brede riem die me om mijn middel tegenhoudt kan ik maar een paar centimeter overeind komen. Ik raak in paniek door de beperkte bewegingsruimte en probeer mezelf omhoog te trekken en mijn heupen door de riem te wurmen als een gedeelte van de muur opzij glijdt en het roodharige Avoxmeisje binnenkomt met een dienblad. Als ik haar zie kalmeer ik en probeer ik me niet langer te verzetten. Ik wil haar honderdduizend vragen stellen, maar ik ben bang dat ze in de problemen komt als ik te vrijpostig ben. Het is duidelijk dat ik scherp in de gaten word gehouden. Ze zet het dienblad op mijn schoot en drukt ergens op waardoor ik overeind kom te zitten. Terwijl ze mijn kussens schikt, waag ik één vraag.

Ik stel hem hardop, zo duidelijk als mijn rauwe stem het toelaat, zodat het vooral niet stiekem overkomt. 'Heeft Peeta het gehaald?' Ze geeft me een knikje en als ze een lepel in mijn hand duwt voel ik de druk van vriendschap.

Blijkbaar hoopte ze toch niet dat ik dood zou gaan. En Peeta heeft het gehaald. Natuurlijk. Met al die dure apparatuur hier. Maar ik durfde er toch nog niet van uit te gaan.

Als de Avox weggaat glijdt de deur geruisloos achter haar dicht en ik stort me hongerig op het blad. Een kom heldere bouillon, een kleine portie appelmoes en een glas water. *Meer niet?* denk ik mopperig. Het diner om mijn thuiskomst te vieren zou toch wel wat spectaculairder mogen zijn. Maar het blijkt al een hele opgave om dit karige maal op te eten. Mijn maag lijkt gekrompen te zijn tot het formaat van een kastanje en ik begin me af te vragen hoe lang ik buiten bewustzijn ben geweest, want die laatste ochtend in de arena had ik geen enkele moeite met ons stevige ontbijt. Er zit meestal een tussenpoos van een paar dagen tussen de afloop van de wedstrijd en de introductie van de winnaar, zodat ze het uitgehongerde, gewonde hoopje mens weer kunnen oplappen. Ergens zijn Cinna en Portia nu bezig onze kleding voor de openbare optredens te ontwerpen. Haymitch en Effie bereiden het banket voor onze sponsors voor en nemen de vragen van onze slotinterviews door. Thuis in District 12 is het waarschijnlijk één grote chaos door de huldigingen die men nu voor Peeta en mij probeert te organiseren, aangezien de laatste bijna dertig jaar geleden was.

Thuis! Prim en mijn moeder! Gale! Ik moet zelfs glimlachen bij de gedachte aan die haveloze oude kat van Prim. Binnenkort ben ik weer thuis!

Ik wil dit bed uit. Peeta en Cinna zien, erachter komen wat er allemaal is gebeurd. En waarom ook niet? Ik voel me prima. Maar zodra ik me uit de riem begin te worstelen, voel ik uit een van de buisjes een koude vloeistof mijn aderen in lopen en raak ik vrijwel meteen bewusteloos.

Zo gaat het een onbekende tijd door. Ik word wakker, eet en, ook al doe ik mijn best om rustig te blijven liggen, ik word verdoofd. Ik lijk in een vreemde, constante schemerzone terecht te zijn gekomen. Er dringen maar een paar dingen tot me door. Het roodharige Avoxmeisje is sinds die eerste keer niet meer teruggekomen, mijn littekens verdwijnen, en verbeeld ik het me nu of hoor ik echt een mannenstem schreeuwen? Niet in het Capitoolaccent, maar in de rauwere tongval van thuis. Op een vage manier voel ik me getroost door het idee dat er iemand over me waakt.

Dan komt eindelijk het moment waarop ik bijkom en er niets in mijn rechterarm zit. De band om mijn middel is weggehaald en ik kan me vrij bewegen. Ik wil net rechtop gaan zitten als ik verstijf bij het zien van mijn handen. De huid is volmaakt glad en glanzend. Niet alleen de littekens van de arena zijn foetsie, ook degene die ik door de jaren heen tijdens het jagen heb opgelopen zijn spoorloos verdwenen. Mijn voorhoofd is zo zacht als satijn en als ik de brandwond op mijn kuit probeer te vinden, voel ik niets.

Ik laat mijn benen uit bed glijden, niet zeker of ze mijn gewicht wel kunnen dragen, en merk dat ze sterk en stevig staan. Aan het voeteneind ligt een stel kleren die me in elkaar doen krimpen. Het is de outfit die alle tributen in de arena aanhadden. Ik staar ernaar alsof de kleding me zal bijten tot ik bedenk dat ik dit natuurlijk moet dragen om mijn team in te begroeten.

Binnen een minuut ben ik aangekleed en sta ik zenuwachtig voor de muur waarvan ik weet dat er een deur zit, ook al kan ik hem niet zien, en dan schuift hij plotseling open. Ik loop een brede, verlaten gang in waar geen andere deuren op uit lijken te komen. Toch moeten ze er zijn. En achter een van die deuren zit Peeta.

Nu ik bij bewustzijn en in beweging ben, begin ik me steeds meer zorgen over hem te maken. Het gaat vast goed met hem, anders had het Avoxmeisje het niet gezegd. Maar ik wil het met mijn eigen ogen kunnen zien.

'Peeta!' roep ik, aangezien ik het aan niemand kan vragen. Ik hoor iemand antwoorden met mijn naam, maar het is niet zijn stem. Het is een stem die eerst irritatie en dan toch blijdschap opwekt. Effie.

Ik draai me om en zie dat ze in een grote kamer aan het eind van de gang op me zitten te wachten – Effie, Haymitch en Cinna. Mijn voeten beginnen zonder enige aarzeling te rennen. Misschien zou een winnares meer beheersing, meer superioriteit moeten tonen, al helemaal omdat ze weet dat dit opgenomen wordt, maar het kan me niets schelen. Ik vlieg naar hen toe en verbaas zelfs mezelf als ik als eerste Haymitch in de armen val. Hij fluistert 'goed gedaan, schat' in mijn oor en het klinkt niet sarcastisch. Effie heeft tranen in haar ogen en blijft maar klopjes op mijn haar geven en vertellen hoe ze tegen iedereen heeft gezegd dat we pareltjes waren. Cinna omhelst me alleen maar heel stevig en zegt niets. Het valt me op dat Portia er niet is en ik krijg een angstig voorgevoel.

'Waar is Portia? Is ze bij Peeta? Het gaat toch wel goed met hem? Ik bedoel, leeft hij nog?' gooi ik eruit.

'Het gaat prima met hem. Maar we willen jullie morgen live tijdens de huldiging pas herenigen,' zegt Haymitch.

'O. Als dat alles is,' zeg ik. Het afschuwelijke moment waarop ik dacht dat Peeta dood was ebt weer weg. 'Dat zou ik zelf waarschijnlijk ook wel willen zien, ja.'

'Ga maar met Cinna mee. Hij gaat je voorbereiden,' zegt Haymitch.

Het is een opluchting om alleen met Cinna te zijn, om zijn beschermende arm om mijn schouders te voelen als hij me wegvoert van de camera's, een paar gangen door naar een lift die ons tot de hal van het Trainingscentrum brengt. Het ziekenhuis ligt blijkbaar heel diep onder de grond, dieper nog dan de sportzaal waar de tributen hebben geoefend in knopen leggen en speerwerpen. De ramen van de hal zijn verduisterd en er staan een paar bewakers. Verder ziet niemand ons naar de tributenlift lopen. Onze voetstappen galmen door de lege ruimte. En terwijl we omhoogsuizen naar de twaalfde verdieping schieten de gezichten van alle tributen die nooit meer terugkomen door mijn hoofd en krijg ik een zwaar, strak gevoel in mijn borst.

Zodra de liftdeuren opengaan word ik overspoeld door Venia, Flavius en Octavia, die zo snel en opgetogen praten dat ik er niets van versta. Maar de algemene strekking is zo ook wel duidelijk. Ze zijn oprecht dolblij om me weer te zien en ik vind het ook leuk om hen weer te zien, maar het is anders dan bij Cinna. Dit is meer zoals je het leuk kunt vinden om na een bijzonder zware dag je drie koddige huisdieren weer te zien.

Ze slepen me mee naar de eetkamer en daar krijg ik een echte maaltijd: rosbief en doperwtjes en zachte broodjes, hoewel de hoeveelheden nog steeds streng gereguleerd worden. Want als ik om een tweede portie vraag, mag dat niet.

'Nee, nee, nee. Ze willen niet dat het er op het podium allemaal weer uit komt,' zegt Octavia, maar ze steekt me stiekem onder tafel een extra broodje toe om te laten zien dat ze aan mijn kant staat.

We gaan terug naar mijn kamer en Cinna gaat een tijdje weg, terwijl het voorbereidingsteam me klaar maakt.

'O, ze hebben je hele lichaam een glansbeurt gegeven,' zegt Flavius afgunstig. 'Geen oneffenheidje meer te zien.'

Maar als ik in de spiegel naar mijn naakte lijf kijk, zie ik alleen maar hoe mager ik ben. Ik bedoel, het was vast erger toen ik net uit de arena kwam, maar ik kan mijn ribben moeiteloos tellen.

Ze stellen de douche voor me in en gaan als ik klaar ben aan de slag met mijn haar, nagels en make-up. Ze ratelen zoveel dat ik nauwelijks antwoord hoef te geven en dat is maar goed ook, want ik voel me niet erg spraakzaam. Ze blijven maar door tetteren over de Spelen, maar eigenlijk praten ze alleen over waar zij waren of wat zij deden of hoe zij zich voelden tijdens bepaalde gebeurtenissen. 'Ik lag nog in bed!' 'Ik had net mijn wenkbrauwen laten verven!' 'Echt, ik viel bijna flauw!' Het gaat alleen maar over hen, niet over de stervende jongens en meisjes in de arena.

In District 12 wentelen we ons niet op deze manier in de Spelen. We bijten op onze kiezen en kijken omdat het moet en proberen als het voorbij is zo snel mogelijk weer over te gaan tot de orde van de dag. Om geen hekel aan mijn voorbereidingsteam te krijgen, probeer ik zo min mogelijk te luisteren naar wat ze zeggen.

Cinna komt binnen met een zo te zien vrij pretentieloze, geelgouden jurk in zijn armen.

'Ben je afgestapt van het hele "meisje dat in vuur en vlam staat"-idee?' vraag ik.

'Zeg het zelf maar,' zegt hij, terwijl hij hem over mijn hoofd laat glijden. Ik merk onmiddellijk de opvulling bij mijn borsten op, om rondingen aan te brengen die de honger van mijn lichaam heeft gestolen. Mijn handen gaan naar mijn borst en ik frons mijn wenkbrauwen.

'Ik weet het,' zegt Cinna voor ik kan protesteren. 'Maar de Spelmakers wilden je chirurgisch laten veranderen. Haymitch heeft er een enorme stennis om moeten schoppen. Dit was het compromis.' Hij houdt me tegen voor ik naar mijn spiegelbeeld kan kijken. 'Wacht, vergeet de schoenen niet.' Venia helpt me in een paar platte leren sandaaltjes en ik draai me om naar de spiegel.

Ik ben nog steeds het meisje dat in vuur en vlam staat. De dunne stof glanst zacht. Het kleinste zuchtje wind laat al een rimpeling over mijn lichaam lopen. Hierbij vergeleken lijkt het kostuum in de strijdwagen te opzichtig, de interviewjurk te gekunsteld. In deze jurk wek ik de indruk kaarslicht te dragen.

'Wat vind je ervan?' vraagt Cinna.

'Ik vind het de mooiste tot nu toe,' zeg ik. Als het me lukt om mijn ogen los te scheuren van de flakkerende stof, staat me een behoorlijke schok te wachten. Mijn haar is los en wordt naar achteren gehouden door een eenvoudige haarband. De make-up maakt de scherpe hoeken van mijn gezicht rond en vult ze op. Mijn nagels zijn helder gelakt. De mouwloze jurk loopt uit vanaf mijn ribben en niet vanaf mijn middel, waardoor het figuur waar de vulling bij mijn borsten voor moest zorgen weer grotendeels teniet wordt gedaan. De zoom valt tot net op mijn knieën. Zonder hakken kun je mijn echte postuur zien. Ik zie er, heel simpel gezegd, uit als een meisje. Een jong meisje. Veertien, hooguit. Onschuldig. Ongevaarlijk. Ja, het is oprecht choquerend dat Cinna dit voor elkaar heeft weten te krijgen als je bedenkt dat ik net de Spelen heb gewonnen.

Cinna heeft me er heel bewust zo uit laten zien. Hij doet nooit zomaar iets. Ik bijt op mijn lip en probeer zijn bedoelingen te doorgronden.

'Ik dacht dat het misschien iets... geraffineerder zou zijn,' zeg ik.

'Ik dacht dat Peeta dit mooier zou vinden,' antwoordt hij behoedzaam.

Peeta? Nee, dit heeft niets met Peeta te maken. Dit draait om het Capitool en de Spelmakers en het publiek. Hoewel ik Cinna's ontwerp nog steeds niet helemaal begrijp, helpt het me er wel aan herinneren dat de Spelen nog niet voorbij zijn. En in zijn vriendelijke antwoord bespeur ik een waarschuwing. Voor iets wat hij zelf in het bijzijn van zijn eigen team niet hardop kan zeggen.

We nemen de lift naar de verdieping waar we hebben getraind. Het is gebruikelijk dat de winnaar en zijn of haar team vanonder het podium omhoogkomen. Eerst het voorbereidingsteam, dan de begeleider, de stylist, de mentor en uiteindelijk de winnaar. Maar dit jaar, met twee winnaars die dezelfde begeleider en mentor hebben, hebben ze het enigszins om moeten gooien. Ik sta in een slecht verlichte ruimte onder het podium. Er is een gloednieuwe metalen plaat geïnstalleerd om me omhoog te brengen. Er liggen nog kleine bergjes zaagsel, het ruikt nog naar natte verf. Cinna en het voorbereidingsteam moeten weg om hun eigen kleding aan te trekken en hun plaats in te nemen, en ik blijf alleen achter. In het schemerdonker zie ik tien meter verderop een geïmproviseerde muur en ik neem aan dat Peeta daarachter staat.

Het publiek juicht zo hard dat ik Haymitch pas opmerk als hij mijn schouder aanraakt. Ik spring verschrikt opzij – ik ben met mijn hoofd nog steeds half in de arena, vrees ik.

'Rustig, ik ben het maar. Laat me je eens bekijken,' zegt Haymitch. Ik spreid mijn armen en draai een rondje. 'Goed genoeg.'

Dat klinkt niet erg complimenteus. 'Maar?' vraag ik.

Haymitch' ogen glijden door mijn muffe wachtruimte en hij lijkt een besluit te nemen. 'Maar niets. Wat dacht je van een knuffel op de goede afloop?'

Goed, dat is een wat vreemd verzoek uit Haymitch' mond, maar we hebben tenslotte wel gewonnen. Misschien is een knuffel wel op zijn plaats. Maar zodra ik mijn armen om zijn nek leg, zit ik gevangen in zijn omhelzing. Hij begint in mijn oor te praten, heel snel, heel zachtjes; zijn lippen gaan schuil achter mijn haar.

'Luister. Je zit in moeilijkheden. Het gerucht gaat dat het Capitool woedend is omdat je hen in de arena zo in verlegenheid hebt gebracht. Als ze ergens niet tegen kunnen, is het wel om uitgelachen te worden en op dit moment ligt heel Panem in een deuk om ze,' zegt Haymitch.

Ik voel de angst door mijn lijf gieren, maar ik lach alsof Haymitch iets heel leuks heeft gezegd, omdat mijn mond niet bedekt is. 'En nu?'

'Je enige verweer is dat je zo waanzinnig verliefd was dat je niet verantwoordelijk kunt worden gehouden voor wat je hebt gedaan.' Haymitch laat me los en herschikt mijn haarband. 'Gesnopen, schat?' Hij zou het nu over van alles kunnen hebben.

'Gesnopen,' zeg ik. 'Heb je dit al aan Peeta verteld?'

'Niet nodig,' zegt Haymitch. 'Die is al zover.'

'Maar ik niet, denk je?' vraag ik, terwijl ik van de gelegenheid gebruikmaak om het felrode vlinderstrikje recht te trekken dat Cinna hem waarschijnlijk met geweld heeft moeten omdoen.

'Sinds wanneer doet het ertoe wat ik denk?' zegt Haymitch. 'Naar je plek, vooruit.' Hij brengt me naar de ijzeren cirkel. 'Dit is jouw avond, schat. Geniet ervan.' Hij geeft me een kus op mijn voorhoofd en verdwijnt in het donker.

Ik trek aan mijn rok – ik wilde dat hij langer was, dat hij over mijn knikkende knieën viel. Dan besef ik dat het geen zin heeft. Mijn hele lichaam beeft als een rietje. Hopelijk zal iedereen het aan de spanning wijten. Het is wel míjn avond, tenslotte.

De vochtige schimmellucht onder het podium dreigt me te verstikken. Het koude, klamme zweet breekt me uit en ik kan het gevoel niet van me afzetten dat de planken boven mijn hoofd elk moment kunnen instorten, me levend onder het puin zullen begraven. Toen ik de arena verliet, toen de trompetten schalden, toen was ik zogenaamd veilig. Vanaf dat moment. Voor de rest van mijn leven. Maar als Haymitch de waarheid spreekt, en hij heeft geen reden om te liegen, ben ik nog nooit van mijn leven op zo'n gevaarlijke plek geweest.

Het is veel erger dan opgejaagd te worden in de arena. Daar kon ik alleen maar doodgaan. Punt. Maar hier kunnen Prim, mijn moeder, Gale, de inwoners van District 12, iedereen om wie ik thuis geef, allemaal gestraft worden als ik het 'meisje dat gek van liefde werd'-scenario zoals Haymitch voorstelde niet overtuigend genoeg weet te brengen.

Dus ik maak nog steeds een kans. Vreemd, in de arena dacht ik alleen maar aan hoe ik de Spelmakers te slim af kon zijn toen ik die bessen tevoorschijn haalde, niet aan hoe mijn daden het Capitool in diskrediet zouden brengen. Maar de Hongerspelen zijn hun wapen en dat hoor je niet te kunnen verslaan. Dus nu zal het Capitool doen alsof ze de touwtjes al die tijd in handen hadden. Alsof ze alles precies zo gepland hadden, tot aan de dubbele zelfmoord aan toe. Maar dat zal alleen werken als ik het spelletje met hen meespeel.

En Peeta... Peeta zal ook boeten als dit misgaat. Maar wat zei Haymitch toen ik vroeg of hij de situatie ook aan Peeta had uitgelegd? Dat hij dus moest doen alsof hij wanhopig verliefd was?

'*Niet nodig. Die is al zover.*'

In die zin dat hij al verder heeft gedacht dan ik en zich terdege bewust is van het gevaar waar we in verkeren? Of... al hopeloos verliefd is? Ik weet het niet. Ik ben nog niet eens begonnen met het uitpluizen van mijn gevoelens voor Peeta. Het is veel te ingewikkeld. Wat heb ik gedaan omdat het bij de Spelen hoorde? En wat heb ik gedaan uit woede jegens het Capitool? Of om hoe het thuis in District 12 gezien zou worden? Of om de reden dat ik het simpelweg niet had kunnen maken iets anders te doen? En wat heb ik gedaan omdat ik om hem gaf?

Dat zijn vragen om thuis uit te zoeken, in het kalme, vredige bos, zonder pottenkijkers. Niet hier, waar alle ogen op mij gericht zijn. Maar wie weet hoe lang het zal duren voor ik me die luxe kan permitteren? En op dit moment staat het allergevaarlijkste onderdeel van de Hongerspelen op het punt te beginnen.

hoofdstuk 27

Het volkslied dreunt in mijn oren en ik hoor Caesar Flickerman het publiek begroeten. Weet hij hoe cruciaal het is om vanaf nu precies de juiste woorden te kiezen? Dat moet wel. Hij wil ons vast helpen. Het publiek applaudisseert als de voorbereidingsteams opkomen. Ik stel me voor hoe Flavius, Venia en Octavia rondhuppelen en belachelijke, knikkende buigingen maken. Ik durf met zekerheid te stellen dat zij geen flauw benul hebben van de situatie. Dan wordt Effie aangekondigd. Hoe lang heeft ze wel niet op dit moment gewacht? Ik hoop dat ze ervan kan genieten, want hoe blind Effie soms ook kan zijn, bepaalde dingen voelt ze haarscherp aan en ze moet in elk geval vermoeden dat we in moeilijkheden zitten. Er wordt natuurlijk luid gejuicht voor Portia en Cinna, ze hebben het fantastisch gedaan, een schitterend debuut gemaakt. Nu begrijp ik waarom Cinna deze jurk voor me heeft uitgekozen vanavond. Ik moet er zo meisjesachtig en onschuldig mogelijk uitzien. Haymitch' entree brengt een woest gestamp op gang dat minstens vijf minuten aanhoudt. Nou, hij heeft ook wel iets unieks gepresteerd. Hij heeft niet één, maar twee tributen in leven gehouden. Stel dat hij me niet op tijd had gewaarschuwd? Zou ik me dan anders gedragen hebben? Nee, dat denk ik niet. Maar de kans is groot dat ik dan een stuk minder overtuigend zou overkomen dan nu nodig is. Nu. Want ik voel hoe de plaat me het podium op duwt.

Felle lichten. Het oorverdovende gebrul laat het ijzer onder mijn voeten rammelen. En dan Peeta, slechts een paar meter verderop. Hij ziet er zo schoon en gezond en mooi uit dat ik hem nauwelijks herken. Maar zijn lach is hetzelfde, of het nou in de modder of in het Capitool is, en als ik die zie, doe ik drie stappen en werp mezelf in zijn armen. Hij struikelt achteruit, verliest bijna zijn evenwicht, en op dat moment besef ik dat het dunne, ijzeren ding in zijn hand een soort wandelstok is. Hij herstelt zich en we klampen ons aan elkaar vast, terwijl het publiek volledig uit zijn dak gaat. Hij kust me en ik kan alleen maar denken: *weet je het? Weet je dat we in groot gevaar zijn?* Na een minuut of tien tikt Caesar Flickerman op zijn schouder om door te kunnen gaan met de show, maar Peeta duwt hem zonder op of om te kijken gewoon opzij. Het publiek reageert uitzinnig. Of hij het weet of niet, Peeta bespeelt de menigte – zoals gewoonlijk – perfect.

Uiteindelijk worden we onderbroken door Haymitch, die ons een goedmoedige zet richting de overwinnaarszetel geeft. Normaal gesproken is dat een overdadige eenpersoonsstoel waarop de winnende tribuut de hoogtepunten van de Spelen terugkijkt, maar aangezien we met z'n tweeën zijn, hebben de Spelmakers voor een roodpluchen sofa gezorgd. Een kleintje, mijn moeder zou het waarschijnlijk een loveseat noemen. Ik zit zo dicht bij Peeta dat ik bijna op zijn schoot zit, maar één blik van Haymitch zegt me dat dat niet voldoende is. Ik schop mijn sandaaltjes uit, trek mijn benen op de bank en leg mijn hoofd op Peeta's schouder. Hij slaat automatisch zijn arm om me heen en het voelt alsof ik terug ben in de grot en opgekruld tegen hem aan warm probeer te blijven. Zijn shirt is van hetzelfde gele materiaal als mijn jurk, maar Portia heeft hem een lange zwarte broek aangetrokken. Hij draagt ook geen sandalen, maar een stel stoere laarzen die hij stevig op het podium heeft gezet. Ik wilde dat Cinna mij ook zo'n outfit had gegeven – ik voel me zo kwetsbaar in dit niemendalletje. Maar dat zal ook wel de bedoeling geweest zijn.

Caesar Flickerman maakt nog een paar grapjes en dan is het tijd voor de show. Die zal precies drie uur duren en heel Panem moet verplicht kijken. Terwijl de lichten doven en het embleem op het scherm verschijnt, besef ik dat ik hier helemaal niet op voorbereid ben. Ik wil niet zien hoe mijn tweeëntwintig medetributen sterven. Ik heb er de eerste keer al genoeg zien sterven. Mijn hart begint te bonken en ik voel een sterke aandrang om weg te rennen. Hoe hebben de andere winnaars dit in hun eentje doorstaan? Tijdens de hoogtepunten laten ze in een hoekje van het scherm af en toe de reactie van de winnaar zien. Ik denk terug aan voorgaande jaren. Sommigen zijn triomfantelijk, stompen met hun vuisten in de lucht, trommelen zichzelf op de borst. Meestal kijken ze vooral verbijsterd. Ik weet alleen dat Peeta het enige is wat me op dit bankje houdt – met zijn arm nog steeds om mijn schouders en zijn andere hand omklemd door mijn tien vingers. Maar bij de eerdere winnaars was het Capitool natuurlijk niet op zoek naar een manier om hen kapot te maken.

Het is een hele kunst om een paar weken in drie uur te proppen, al helemaal als je bedenkt hoeveel camera's er tegelijk hebben gedraaid. Degene die de hoogtepunten samenstelt moet kiezen welk verhaal hij wil vertellen. Dit jaar zien we voor de allereerste keer een liefdesgeschiedenis. Ik weet dat Peeta en ik gewonnen hebben, maar er wordt van het begin af aan onevenredig veel tijd aan ons besteed. Ik ben er blij om, want dat ondersteunt het hele 'gek van liefde'-idee waarmee ik mijn provocatie van het Capitool moet verdedigen, en bovendien betekent het dat we nu niet zo veel tijd hebben om bij de doden stil te staan.

Het eerste halfuur concentreert zich op wat er aan de arena voorafging – de boete, de rit in de strijdwagens door het Capitool, onze trainingsscores en onze interviews. Er is zo'n lekker opgewekt muziekje onder gezet waardoor het nog twee keer zo erg wordt, omdat bijna iedereen op het scherm nu natuurlijk dood is.

Als we eenmaal in de arena zijn beland, volgt er een uitgebreid verslag van het eerste bloedbad en daarna schakelen de filmmakers in wezen heen en weer tussen beelden van stervende tributen en beelden van ons. Vooral van Peeta eigenlijk, het staat buiten kijf dat hij de romantiek draagt. Nu zie ik wat het publiek heeft gezien, hoe hij de Beroeps voor mij op het verkeerde spoor heeft gebracht, de hele nacht wakker is gebleven onder de bloedzoekersboom, het tegen Cato opnam zodat ik kon ontsnappen en zelfs toen hij op die modderige oever lag in zijn slaap mijn naam fluisterde. Ik kom harteloos over vergeleken met hem – ik ontwijk vuurballen, laat nesten vallen en blaas voorraden op –, tot ik op zoek ga naar Rue. Ze laten haar dood van begin tot eind zien; de speer die haar door- boort, mijn mislukte reddingspoging, mijn pijl door de keel van de jongen uit District 1, Rue die in mijn armen haar laatste adem uitblaast. En het lied. Ze laten me elke noot van het lied zingen. Binnen in mij klapt iets dicht en ik ben te verdoofd om iets te voe- len. Het is alsof ik naar volslagen vreemden zit te kijken, in andere Hongerspelen. Maar het dringt nog wel tot me door dat ze het stuk waarin ik haar met bloemen bedek hebben weggelaten.

Juist. Want zelfs dat riekt naar rebellie.

Ik kom weer beter uit de verf zodra ze hebben omgeroepen dat er twee tributen uit hetzelfde district kunnen winnen en ik Peeta's naam roep en dan mijn handen voor mijn mond sla. Wekte ik eerder misschien de indruk dat hij me niet veel kon schelen, dan maak ik dat nu goed door hem te zoeken, hem te verzorgen tot hij weer beter is, naar het feestmaal te gaan om het medicijn te halen en erg gul te zijn met mijn kussen. Ergens zie ik wel dat het einde met de mutilanten en de dood van Cato nog net zo afgrijselijk is als in het echt, maar opnieuw heb ik het gevoel dat het mensen over- komt die ik totaal niet ken.

En dan komt het moment met de bessen. Ik hoor hoe het pu- bliek elkaar tot stilte maant, niemand wil iets missen. Er gaat een golf van dankbaarheid voor de filmmakers door me heen als ze niet eindigen met de mededeling dat we gewonnen hebben, maar met het beeld van mij als ik op de glazen deur van de hovercraft bons en Peeta's naam schreeuw, terwijl ze hem proberen bij te brengen.

Wat overleven betreft is dit mijn beste moment van de avond.

Het volkslied klinkt alweer en we staan op als president Snow in hoogsteigen persoon het podium betreedt, met achter hem een klein meisje dat een kussen draagt waarop de kroon ligt. Maar er is maar één kroon, en je kunt de verwarring van het publiek voelen – op wiens hoofd zal hij worden gezet? – tot president Snow eraan draait en hij uit twee helften blijkt te bestaan. Met een glimlach duwt hij de eerste helft om Peeta's voorhoofd. Hij lacht nog steeds als hij de tweede helft op mijn hoofd plaatst, maar zijn ogen, slechts een paar centimeter van de mijne, staan zo hard en onverzoenlijk als die van een slang.

Op dat moment weet ik dat ik de schuld krijg van het bessen-plan, ook al zouden we ze allebei gegeten hebben. Ik ben de aanstichtster. Ik ben degene die gestraft moet worden.

Hierna volgt veel gebuig en gejuich. Mijn arm valt er bijna af van al het gezwaai als Caesar Flickerman het publiek eindelijk goedenavond wenst en zegt dat ze niet moeten vergeten om morgen naar de laatste interviews te kijken. Alsof ze iets te kiezen hebben.

Peeta en ik worden met gezwinde spoed naar het onderkomen van de president gebracht voor het overwinnaarsbanket, waar we nauwelijks tijd hebben om te eten aangezien allerlei Capitoolfunctionarissen en bijzonder vrijgevige sponsors elkaar verdringen om met ons op de foto te kunnen. Het ene na het andere stralende gezicht flitst voorbij, steeds aangeschotener naarmate de avond vordert. Af en toe vang ik een glimp op van Haymitch, wat geruststellend is, en van president Snow, wat angstaanjagend is, maar ik blijf mensen enthousiast bedanken en lach als er een foto van me wordt genomen. Het enige wat ik geen moment doe is Peeta's hand loslaten.

De zon gluurt net boven de horizon uit als we terugwankelen naar de twaalfde verdieping van het Trainingscentrum. Ik dacht dat ik nu eindelijk even onder vier ogen met Peeta zou kunnen praten, maar Haymitch stuurt hem weg met Portia om iets te passen voor het interview en brengt me persoonlijk naar mijn kamer.

'Waarom mag ik niet met hem praten?' vraag ik

'Thuis is er nog genoeg tijd om te praten,' antwoordt Haymitch. 'Naar bed, om twee uur zitten jullie in de uitzending.'

Ondanks de voortdurende tussenkomst van Haymitch ben ik vastbesloten om Peeta te spreken. Nadat ik een paar uur heb liggen woelen, glip ik de gang op. Mijn eerste ingeving is om op het dak te kijken, maar dat is leeg. Zelfs de straten van de stad in de diepte zijn verlaten na het feestgedruis van vannacht. Ik ga weer even in bed liggen en besluit dan rechtstreeks naar zijn kamer te gaan, maar als ik de deurknop om wil draaien, merk ik dat mijn eigen slaapkamer van buitenaf op slot is gedaan. In eerste instantie verdenk ik Haymitch, maar dan bekruipt me de angst dat het Capitool ons misschien wel in de gaten houdt en mij heeft opgesloten. Sinds het begin van de Hongerspelen heb ik geen privacy meer gehad, maar dit voelt anders, veel persoonlijker. Dit voelt alsof ik gevangenzit voor een misdaad en op mijn vonnis wacht. Ik ga gauw terug naar bed en doe alsof ik slaap tot Effie Prul me komt wijzen op het begin van alweer zo'n 'grote, grote, grote dag!'

Ik heb ongeveer vijf minuten om een kom warme rijst en stoofpot te eten voor het voorbereidingsteam naar beneden komt. Ik hoef alleen maar: 'Het publiek vond jullie geweldig!' te zeggen – dat is voldoende om de uren daarna mijn mond te kunnen houden. Als Cinna binnenkomt jaagt hij ze weg en geeft me een witte, tuleachtige jurk en roze schoenen om aan te trekken. Dan brengt hij zelf mijn make-up aan tot ik een zachte, blozende glans op mijn gezicht heb. We babbelen wat over koetjes en kalfjes, maar ik durf hem geen echt belangrijke vragen te stellen – na het voorval met de deur kan ik het gevoel niet meer van me afzetten dat ik overal word afgeluisterd.

Het interview wordt een paar deuren verderop afgenomen, in de zitkamer. Er is ruimte vrijgemaakt om de loveseat neer te zetten, omringd door vazen vol rode en roze rozen. Er is slechts een handvol camera's aanwezig om het gebeuren vast te leggen. Gelukkig geen livepubliek.

Caesar Flickerman omhelst me hartelijk als ik binnenkom. 'Gefeliciteerd, Katniss. Hoe gaat het met je?'

'Prima. Zenuwachtig voor het interview,' zeg ik.

'Nergens voor nodig. We gaan het hartstikke leuk hebben,' zegt hij, terwijl hij me een geruststellend klopje op mijn wang geeft.

'Ik ben niet zo goed in over mezelf praten,' zeg ik.

'Je kunt niets verkeerds zeggen,' zegt hij.

En ik denk: *o, Caesar, was dat maar waar. Maar het zou me niets verbazen als president Snow op dit moment een of ander 'ongeluk' voor mij aan het voorbereiden is.*

Daar is Peeta; hij ziet er knap uit in zijn rood met witte kleren en trekt me tegen zich aan. 'Ik zie je nauwelijks. Haymitch wil ons geloof ik erg graag bij elkaar uit de buurt houden.'

In werkelijkheid wil Haymitch ons erg graag in leven houden, maar er luisteren te veel oren mee, dus ik zeg: 'Ja, hij is erg waakzaam de laatste tijd.'

'Nou, hierna gaan we in elk geval naar huis. Daar kan hij niet de hele tijd op ons letten,' zegt Peeta.

Er gaat een soort huivering door me heen en er is geen tijd om uit te zoeken waarom, want we gaan beginnen. We zitten een beetje stijfjes op het bankje, maar Caesar zegt: 'O, kruip maar lekker tegen hem aan hoor, als je wilt. Gisteren zagen jullie er zo schattig uit.' Dus ik trek mijn benen op en Peeta trekt me naar zich toe.

Iemand telt terug en dan zijn we zomaar in het hele land live in de uitzending. Caesar Flickerman is geweldig – uitdagend, grappig, ontroerd als de gelegenheid zich voordoet. Hij en Peeta hebben al een bepaalde manier van doen door dat eerste interview, met dat ongedwongen geplaag, dus ik glimlach vooral veel en probeer zo min mogelijk te zeggen. Ik bedoel, af en toe moet ik mijn mond wel opendoen, maar ik leid het gesprek telkens zo snel ik kan terug naar Peeta.

Maar uiteindelijk komt Caesar met vragen die uitgebreidere antwoorden vereisen. 'Nou, Peeta, we weten door jullie tijd in de grot dat het voor jou liefde op het eerste gezicht was vanaf, wat was het, je vijfde?' vraagt Caesar.

'Vanaf het moment dat ik haar zag,' zegt Peeta.

'Maar Katniss, bij jou ging het niet vanzelf, hè? Volgens mij vond het publiek het nog het allerspannendst om te zien hoe jij langzaam voor hem viel. Wanneer besefte je dat je verliefd op hem was?' vraagt Caesar.

'O, dat is een lastige...' Ik stoot een zwak, zuchtend lachje uit en kijk naar mijn handen. Help.

'Nou, ik weet wel wanneer het kwartje bij mij viel. Die nacht toen je zijn naam schreeuwde in die boom,' zegt Caesar.

Dank je wel, Caesar! denk ik en dan haak ik aan bij zijn inval. 'Ja, dat denk ik ook. Ik bedoel, tot dan toe probeerde ik er eerlijk gezegd gewoon niet aan te denken wat ik voelde, want het was allemaal zo verwarrend en het zou het alleen maar erger maken als ik echt om hem gaf. Maar toen in die boom werd alles anders,' zeg ik.

'Waarom was dat, denk je?' vraagt Caesar.

'Misschien omdat er... voor het eerst... een kans was dat ik hem bij me kon houden,' zeg ik.

Achter een cameraman zie ik Haymitch opgelucht uitademen en ik weet dat ik iets goeds heb gezegd. Caesar haalt een zakdoek tevoorschijn en heeft even een momentje nodig omdat hij zo ontroerd is. Ik voel hoe Peeta zijn voorhoofd tegen mijn slaap drukt en hij vraagt: 'En wat ga je met me doen, nu je me hebt?'

Ik hef mijn gezicht naar hem op. 'Je ergens verstoppen waar je nooit meer pijn zult lijden.' En als hij me kust, moeten sommige mensen in de kamer zelfs even zuchten.

Voor Caesar is dit het perfecte moment om linea recta over te gaan naar alle pijn die we in de arena hebben geleden, van brandplekken tot wespensteken en vleeswonden. Maar pas als we bij de mutilanten zijn aanbeland vergeet ik dat we op televisie zijn. Dan vraagt Caesar aan Peeta hoe het met zijn 'nieuwe been' gaat.

'Zijn nieuwe been?' vraag ik, en zonder erbij na te denken buig ik me voorover om Peeta's broekspijp omhoog te trekken. 'O nee,' fluister ik als ik de prothese van ijzer en kunststof zie die de plaats van zijn been van vlees en bloed heeft ingenomen.

'Heeft niemand het tegen je gezegd?' vraagt Caesar zacht. Ik schud mijn hoofd.

'Ik heb nog niet eens de kans gekregen,' zegt Peeta met een licht schouderophalen.

'Het is mijn schuld,' zeg ik. 'Omdat ik dat knelverband heb aangelegd.'

'Ja, het is jouw schuld dat ik nog leef,' zegt Peeta.

'Hij heeft gelijk,' zegt Caesar. 'Zonder dat verband was hij beslist doodgebloed.'

Dat zal wel zo zijn, maar ik ben toch zo van slag dat ik bang ben dat ik moet huilen en dan bedenk ik dat het hele land naar me zit te kijken, dus verstop ik mijn gezicht in Peeta's shirt. Ze hebben een paar minuten nodig om me weer tevoorschijn te lokken want het is veel fijner in dat shirt, waar niemand me kan zien, en als ik er dan weer ben doet Caesar het wat rustiger aan met zijn vragen aan mij, zodat ik een beetje bij kan komen. Hij laat me zelfs vrijwel met rust tot de bessen ter sprake komen.

'Katniss, ik weet dat je net heel erg geschrokken bent, maar ik moet het toch vragen. Het moment waarop je die bessen tevoorschijn haalde. Wat ging er precies door je heen?' vraagt hij.

Ik neem de tijd voor ik antwoord geef en probeer mijn gedachten op een rijtje te krijgen. Dit is het cruciale moment waarop ik of het Capitool voor het blok zette, of zo krankzinnig werd bij het idee om Peeta te moeten verliezen dat ik niet verantwoordelijk kan worden gehouden voor wat ik heb gedaan. Het lijkt te vragen om een lange, dramatische redevoering, maar ik krijg er niet meer uit dan één, bijna onverstaanbaar zinnetje. 'Ik weet het niet. Ik... ik kon het gewoon niet aan... zonder hem te moeten leven.'

'Peeta? Heb jij daar nog iets aan toe te voegen?' vraagt Caesar.

'Nee. Ik denk dat dat voor ons allebei geldt,' zegt hij.

Caesar rondt de uitzending af en dan is het voorbij. Iedereen lacht en huilt en omhelst elkaar, maar ik weet het pas zeker als ik bij Haymitch ben. 'Goed?' fluister ik.

'Perfect,' antwoordt hij.

Ik ga terug naar mijn kamer om een paar dingen op te halen en merk dat ik niets heb om mee te nemen behalve de spotgaaienspeld die ik van Madge heb gekregen. Iemand heeft hem na de Spelen teruggebracht naar mijn kamer. We worden in een geblindeerde auto door de straten gereden; de trein staat al op ons te wachten. We hebben nauwelijks tijd om afscheid van Cinna en Portia te nemen, hoewel we hen over een paar maanden weer zullen zien, als we de districten rondgaan om gehuldigd te worden. Dat is de manier van het Capitool om de mensen eraan te herinneren dat de Hongerspelen er op de achtergrond altijd zijn. We zullen een hoop nutteloze medailles krijgen en alle mensen moeten verplicht doen alsof ze ons geweldig vinden.

De trein begint te rijden en we worden ondergedompeld in de nacht tot we de tunnel uit zijn en ik mijn eerste vrije lucht sinds de boete kan inademen. Effie begeleidt ons naar huis en Haymitch natuurlijk ook. We eten een gigantische avondmaaltijd en gaan zwijgend voor de televisie zitten om naar een herhaling van het interview te kijken. Nu het Capitool elke seconde verder weg is, begin ik aan thuis te denken. Aan Prim en mijn moeder. Aan Gale. Ik zeg dat ik even weg ben, trek mijn jurk uit en doe een eenvoudige trui en broek aan. Terwijl ik langzaam en grondig de make-up van mijn gezicht was en mijn haar vlecht, verander ik stukje bij beetje terug in mezelf. Katniss Everdeen. Een meisje dat in de Laag woont. In het bos jaagt. In de As handelt. Ik staar naar mijn spiegelbeeld, terwijl ik mijn best doe om me te herinneren wie ik ben en wie niet. Als ik weer terugga naar de anderen voelt de druk van Peeta's arm om mijn schouders vreemd aan.

Als de trein kort stilstaat om te tanken, mogen we even naar buiten voor wat frisse lucht. We worden niet meer bewaakt. Peeta en ik lopen hand in hand langs het spoor en ik kan niets bedenken om tegen hem te zeggen nu we met z'n tweeën zijn. Hij staat stil om een bos wilde bloemen voor me te plukken. Als hij ze aan me geeft doe ik erg mijn best om blij te kijken. Want hij kan niet weten dat de roze met witte bloemen het loof zijn van wilde uien en me alleen maar doen denken aan alle uren die ik met Gale heb doorgebracht om ze op te graven.

Gale. Bij het idee dat ik over een paar uur Gale weer zal zien, krijg ik buikpijn. Maar waarom? Ik kan het niet goed verwoorden. Ik weet alleen dat ik het gevoel heb dat ik tegen iemand heb gelogen die me vertrouwt. Tegen twee mensen, om precies te zijn. Tot nu toe ben ik ermee weggekomen vanwege de Spelen. Maar thuis zullen er geen Spelen meer zijn om me achter te verschuilen.

'Wat is er?' vraagt Peeta.

'Niks,' antwoord ik. We lopen door, langs de laatste wagon van de trein, tot waar ik vrij zeker weet dat er geen camera's meer verstopt zitten in het struikgewas langs het spoor. Er komen nog steeds geen woorden.

Haymitch laat me schrikken als hij een hand op mijn rug legt. Zelfs hier, midden in de rimboe, blijft hij zachtjes praten. 'Goed gedaan, jullie twee. Houd het straks vol in het district tot de camera's weg zijn. Dan moet het goed komen.' Ik kijk hem na terwijl hij terug naar de trein loopt en ontwijk Peeta's ogen.

'Wat bedoelt hij?' vraagt Peeta aan mij.

'Het gaat om het Capitool. Ze konden onze bessenstunt niet erg waarderen,' gooi ik eruit.

'Hè? Waar heb je het over?' zegt hij.

'Het kwam te opstandig over. Haymitch heeft me de afgelopen dagen begeleid. Zodat ik het niet nog erger zou maken,' zeg ik.

'Begeleid? Mij anders niet,' zegt Peeta.

'Hij wist dat jij slim genoeg was om het goed te doen,' zeg ik.

'Ik wist niet dat ik iets goed moest doen,' zegt Peeta. 'Maar je bedoelt dus eigenlijk dat de afgelopen paar dagen en blijkbaar ook... alles in de arena... dat dat gewoon een strategie was die jullie samen hadden bedacht?'

'Nee. Ik bedoel, ik kon toch helemaal niet met hem praten in de arena?' stamel ik.

'Maar je wist wat hij van je wilde, of niet soms?' zegt Peeta. Ik bijt op mijn lip. 'Katniss?' Hij laat mijn hand los en ik doe een stap opzij, alsof ik uit mijn evenwicht ben gebracht.

'Het was allemaal voor de Spelen,' zegt Peeta. 'Hoe je je gedroeg.'

'Niet alles,' zeg ik, terwijl ik me aan mijn bloemen vastklamp.

'Hoeveel dan wel? Nee, laat ook maar zitten. De echte vraag is denk ik wat er nog van over zal zijn als we thuiskomen,' zegt hij.

'Ik weet het niet. Hoe dichter we bij District 12 komen, hoe verwarder ik me voel,' zeg ik. Hij wacht op verdere uitleg, maar die komt niet.

'Nou, ik hoor het wel als je eruit bent,' zegt hij, en de pijn in zijn stem is tastbaar.

Ik weet dat mijn oren het weer doen, want zelfs met het gedreun van de motor op de achtergrond hoor ik elke stap waarmee hij terug naar de trein loopt. Tegen de tijd dat ik ben ingestapt, is Peeta al in zijn coupé verdwenen om te gaan slapen. De volgende ochtend zie ik hem ook niet. Hij komt pas weer tevoorschijn als we District 12 binnenrijden. Hij knikt me met een uitdrukkingsloos gezicht toe.

Ik wil tegen hem zeggen dat hij niet eerlijk is. Dat we vreemden voor elkaar waren. Dat ik heb gedaan wat ik moest doen om te overleven, om ons allebei te laten overleven in de arena. Dat ik niet kan uitleggen hoe het tussen mij en Gale zit omdat ik dat zelf ook niet weet. Dat het geen zin heeft om van mij te houden, omdat ik toch nooit ga trouwen en hij dan alleen maar later een hekel aan me krijgt in plaats van nu meteen. Dat het niet uitmaakt als ik wel van hem houd, omdat ik me het soort liefde dat tot een gezin, tot kinderen leidt, toch nooit zal kunnen permitteren.

Ik wil ook tegen hem zeggen hoe erg ik hem nu al mis. Maar dat zou niet eerlijk zijn van míj.

Dus staan we zwijgend naast elkaar en kijken naar het groezelige stationnetje van District 12 dat om ons heen opdoemt. Door de ramen zie ik dat het perron vol staat met camera's. Iedereen zal onze thuiskomst enthousiast bekijken.

Vanuit mijn ooghoek zie ik dat Peeta zijn hand uitsteekt. Ik kijk hem onzeker aan. 'Nog één keer? Voor het publiek?' zegt hij. Zijn stem klinkt niet boos. Hij klinkt hol, wat nog veel erger is. De jongen met het brood ontglipt me nu al.

Ik pak zijn hand vast, heel stevig, zet me schrap voor de camera's, en vrees het moment waarop ik uiteindelijk zal moeten loslaten.

EINDE VAN BOEK ÉÉN

INHOUD